똑 똑 한

하루 수학

4·2

배우고 때로 익히면
또한 기쁘지 아니한가.
- 공자 -

주별 Contents

똑똑한 하루 수학 이 책의 특징

도입 이번 주에는 무엇을 공부할까?

이번 주에 공부할 내용을 만화로 재미있게!

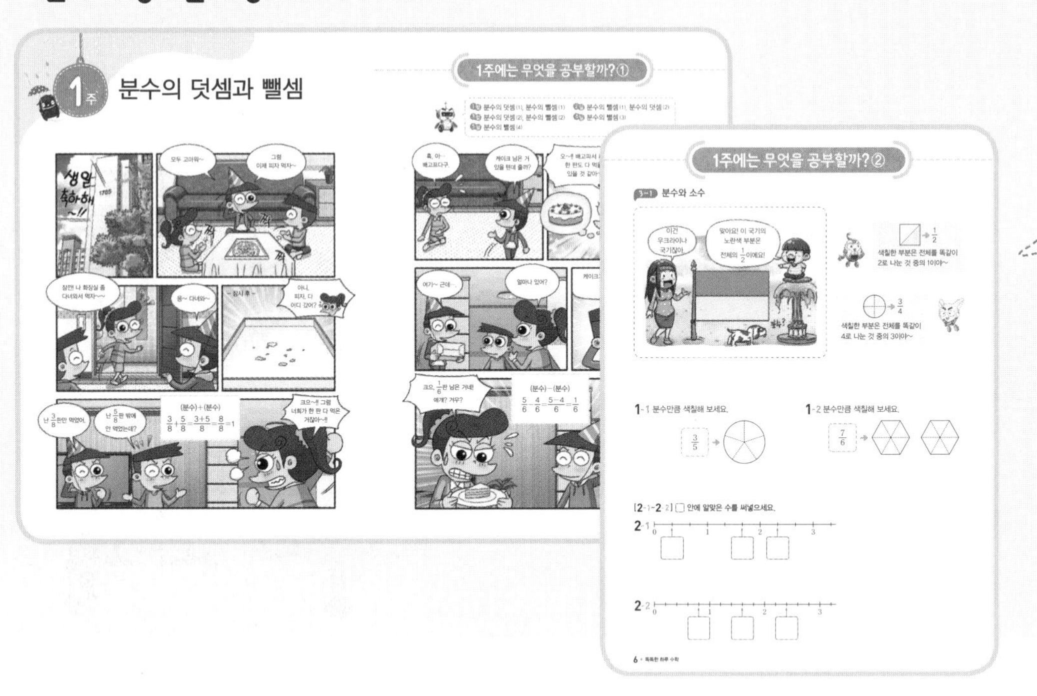

반드시 알아야 할 개념을 쉽고 재미있는 만화로 확인!

개념 완성 개념 • 원리 확인

교과서 개념을 만화로 쏙쏙!

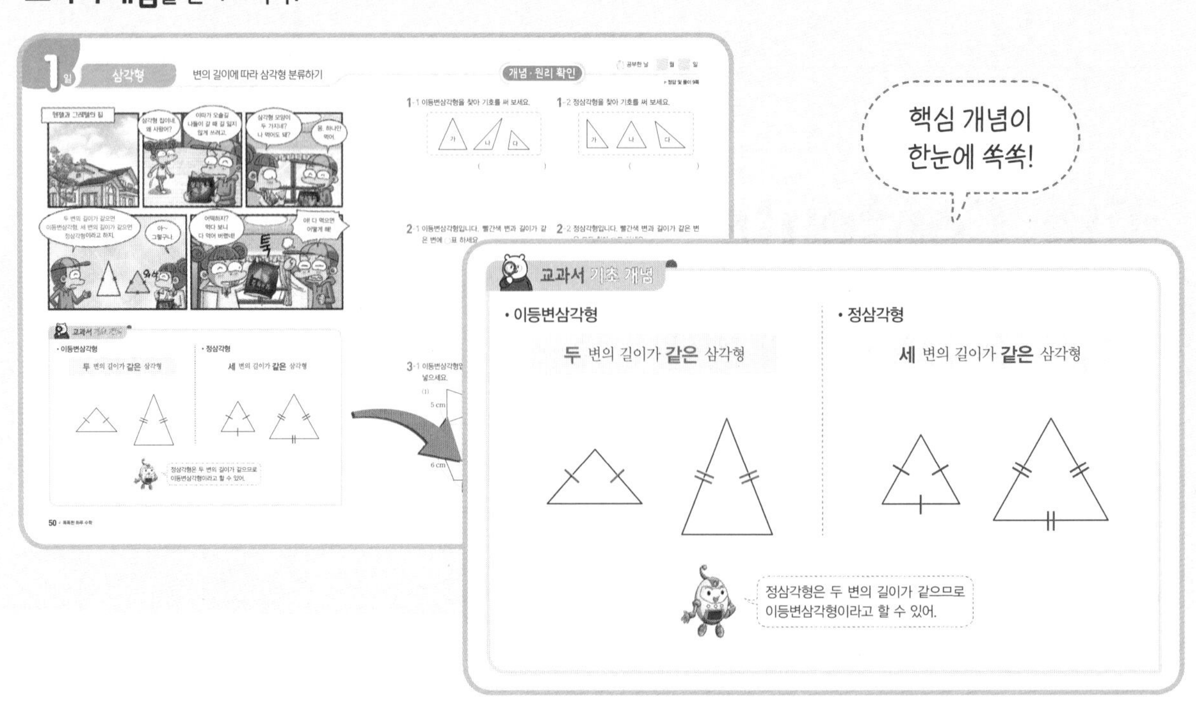

기초 집중 연습

반드시 알아야 할 문제를 **반복**하여 완벽하게 익히기!

단순 연산 문제와 함께 문장제 문제도 연습!

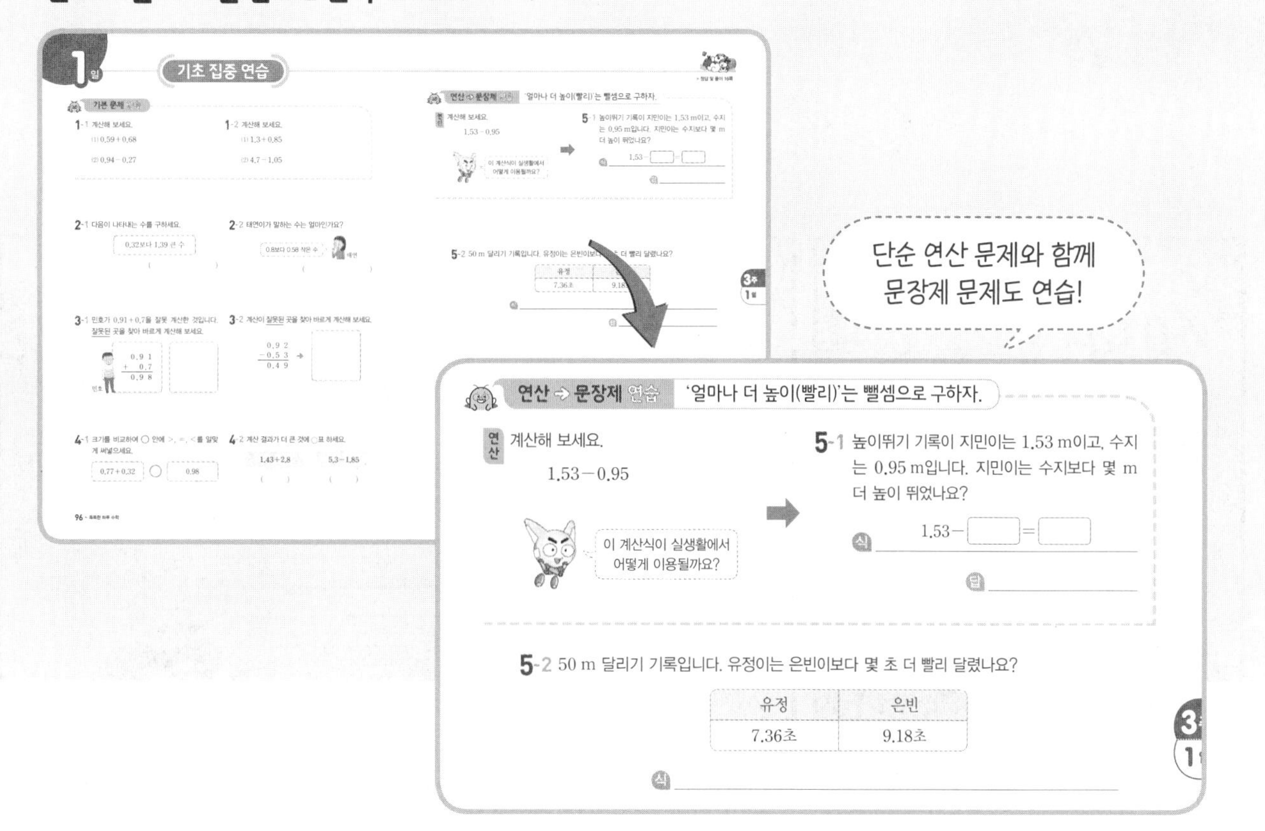

연산 → 문장제 연습 '얼마나 더 높이(빨리)'는 뺄셈으로 구하자.
연산 계산해 보세요.
1.53−0.95
이 계산식이 실생활에서 어떻게 이용될까요?
5-1 높이뛰기 기록이 지민이는 1.53 m이고, 수지는 0.95 m입니다. 지민이는 수지보다 몇 m 더 높이 뛰었나요?
식 1.53−□=□
답
5-2 50 m 달리기 기록입니다. 유정이는 은빈이보다 몇 초 더 빨리 달렸나요?
유정 7.36초
은빈 9.18초
식

평가 + 창의·융합·코딩

한 주에 **배운 내용**을 **테스트**로 마무리!

4차 산업 혁명 시대에 알맞은 최신 트렌드 유형

요즘 수학 문제인 **창의·융합·코딩** 문제 수록

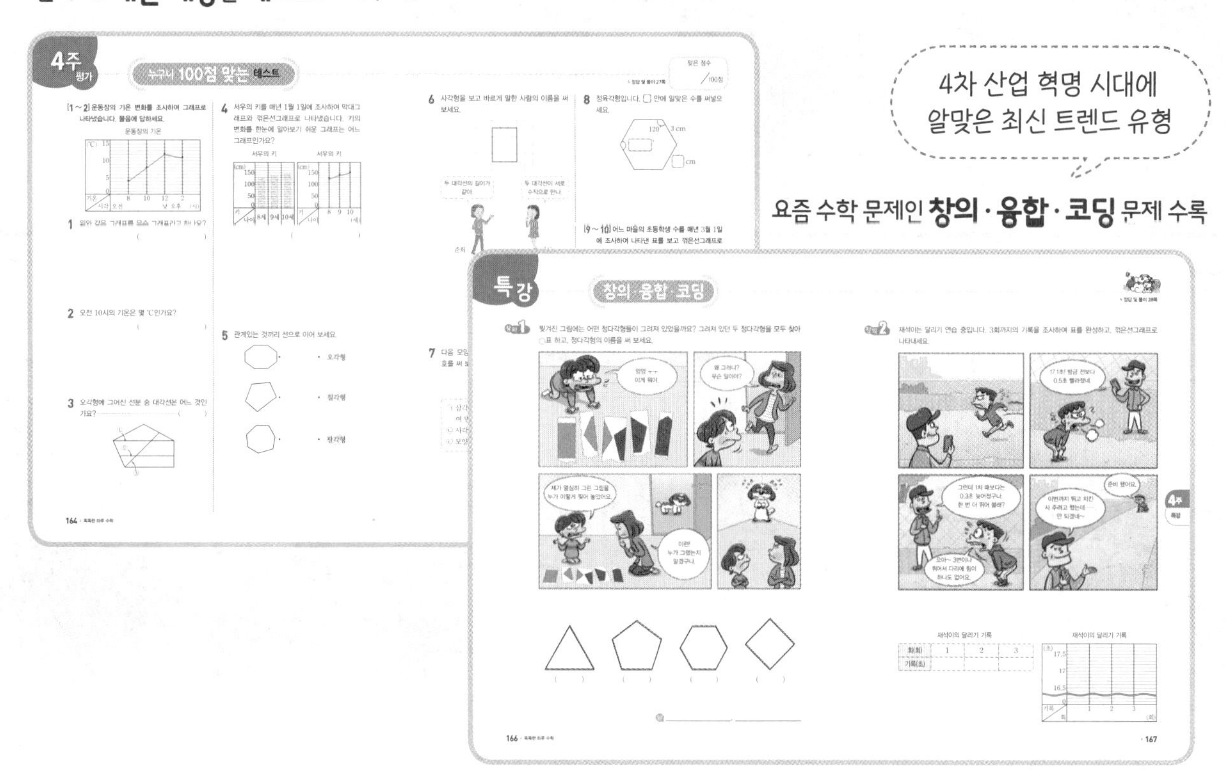

4주 평가
누구나 100점 맞는 테스트
특강
창의·융합·코딩

1주 분수의 덧셈과 뺄셈

생일 축하해~!!
1705
모두 고마워~
그럼 이제 피자 먹자~
짝
짝
짝
잠깐! 나 화장실 좀 다녀와서 먹자~~
응~ 다녀와~
– 잠시 후 –
아니, 피자, 다 어디 갔어?
난 $\frac{3}{8}$판만 먹었어.
난 $\frac{5}{8}$판 밖에 안 먹었는데?
(분수)+(분수)
$\frac{3}{8}+\frac{5}{8}=\frac{3+5}{8}=\frac{8}{8}=1$
크으~!! 그럼 너희가 한 판 다 먹은 거잖아~!!

1주에는 무엇을 공부할까? ①

- 1일 분수의 덧셈 (1), 분수의 뺄셈 (1)
- 2일 분수의 뺄셈 (2), 분수의 덧셈 (2)
- 3일 분수의 덧셈 (3), 분수의 뺄셈 (3)
- 4일 분수의 뺄셈 (4), (5)
- 5일 분수의 뺄셈 (6), (7)

1주에는 무엇을 공부할까? ②

3-1 분수와 소수

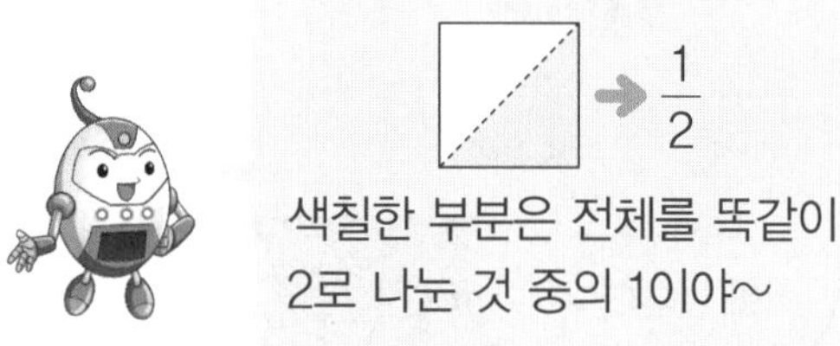

$\frac{1}{2}$
색칠한 부분은 전체를 똑같이
2로 나눈 것 중의 1이야~

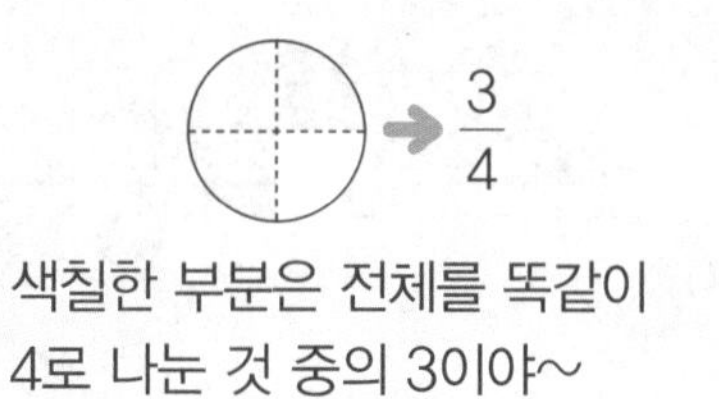

$\frac{3}{4}$
색칠한 부분은 전체를 똑같이
4로 나눈 것 중의 3이야~

1-1 분수만큼 색칠해 보세요.

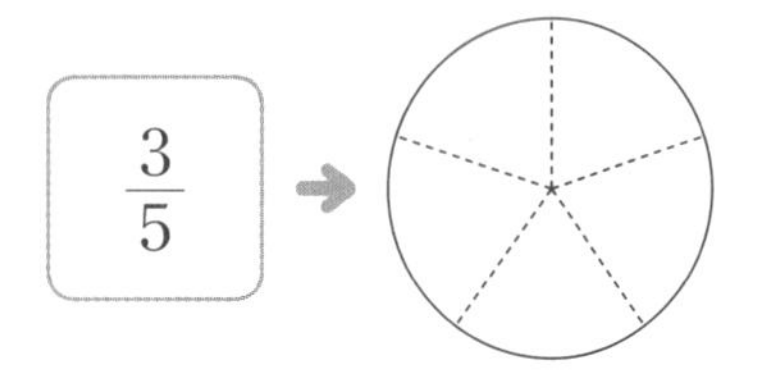

1-2 분수만큼 색칠해 보세요.

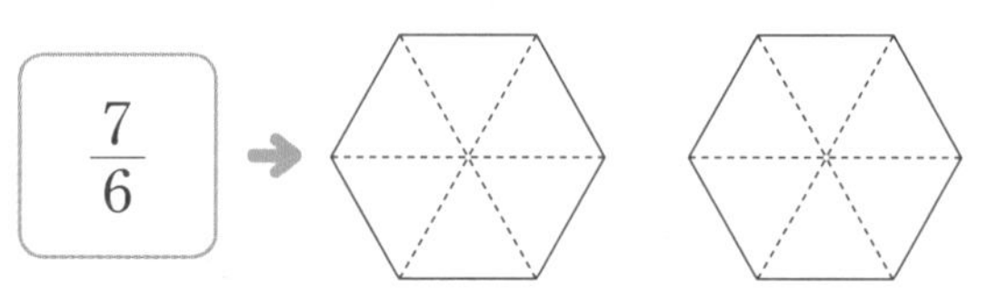

[2-1~2-2] □ 안에 알맞은 분수를 써넣으세요.

2-1

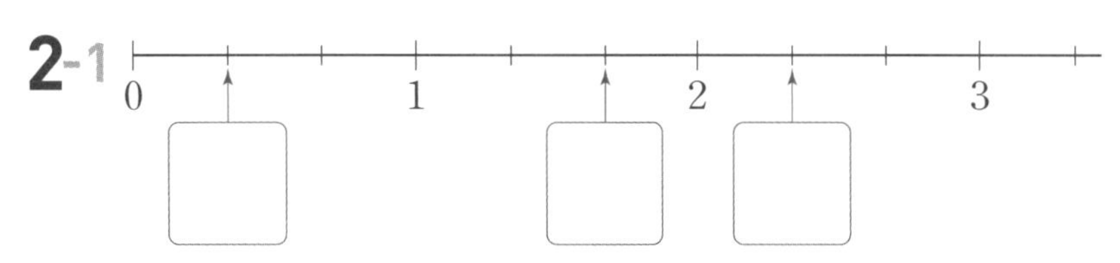

2-2

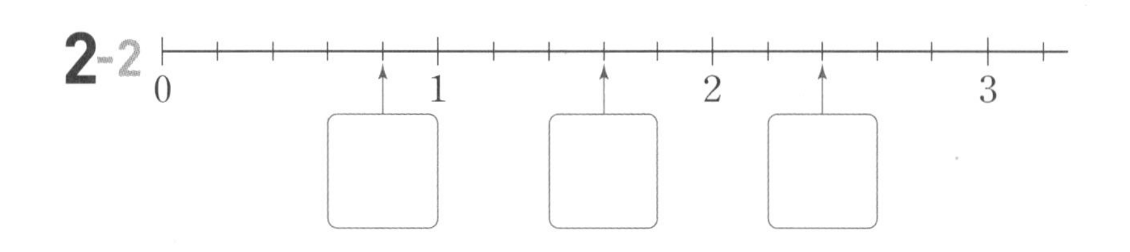

▶정답 및 풀이 1쪽

3-2 분수

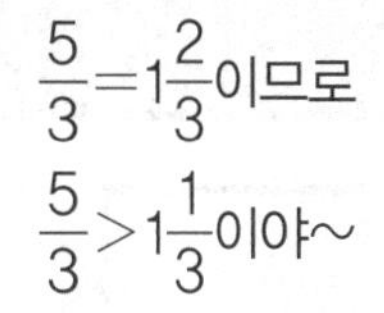

3-1 가분수를 대분수로 나타내세요.

(1) $\frac{23}{5}=$ ☐ (2) $\frac{36}{7}=$ ☐

3-2 가분수를 대분수로 나타내세요.

(1) $\frac{31}{9}=$ ☐ (2) $\frac{25}{4}=$ ☐

4-1 대분수를 가분수로 나타내세요.

(1) $1\frac{3}{8}=$ ☐ (2) $2\frac{4}{9}=$ ☐

4-2 대분수를 가분수로 나타내세요.

(1) $1\frac{5}{6}=$ ☐ (2) $2\frac{5}{12}=$ ☐

5-1 크기를 비교하여 ○ 안에 $>$, $=$, $<$를 알맞게 써넣으세요.

$\frac{7}{2}$ ○ $1\frac{1}{2}$

5-2 크기를 비교하여 ○ 안에 $>$, $=$, $<$를 알맞게 써넣으세요.

$1\frac{4}{7}$ ○ $\frac{12}{7}$

휴~ 삐까야, 난 3/6 칠했어~
난 2/6~~
그럼 3/6+2/6=(3+2)/(6+6)=5/12 칠한 건가?
슥
슥

3/6+2/6=(3+2)/6=5/6
어쩌려고 그러냐? 5/6지~

앗! 내가 칠한 부분인데?
어이쿠!!
엣취!

크으~ 다 흘러내렸네. 다시 칠해야겠네~
헤헤~ 미안 절대 일부러 그런 거 아냐.

교과서 기초 개념

1. 합이 1보다 작은 (진분수)+(진분수)

예 $\frac{1}{4}+\frac{2}{4}$

$$\frac{1}{4}+\frac{2}{4}=\frac{1+2}{4}=\frac{3}{4}$$

2. 합이 1보다 큰 (진분수)+(진분수)

예 $\frac{4}{5}+\frac{3}{5}$

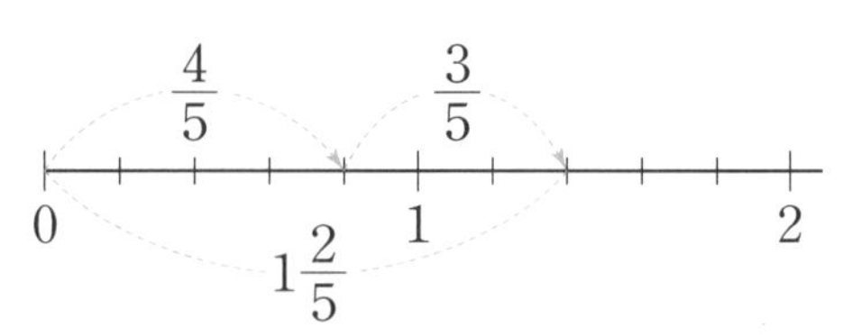

$$\frac{4}{5}+\frac{3}{5}=\frac{4+3}{5}=\frac{7}{5}=\boxed{❶}$$

① 분모는 그대로 두고 분자끼리 더합니다.

② 계산 결과가 가분수이면 대분수로 바꿉니다.

정답 ❶ $1\frac{2}{5}$

개념 · 원리 확인

▶정답 및 풀이 1쪽

1-1 그림을 보고 □ 안에 알맞은 수를 써넣으세요.

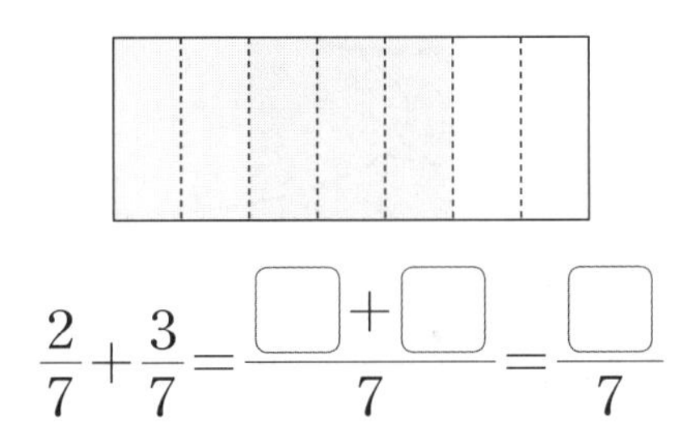

$\frac{2}{7}+\frac{3}{7}=\frac{\square+\square}{7}=\frac{\square}{7}$

1-2 수직선을 보고 □ 안에 알맞은 수를 써넣으세요.

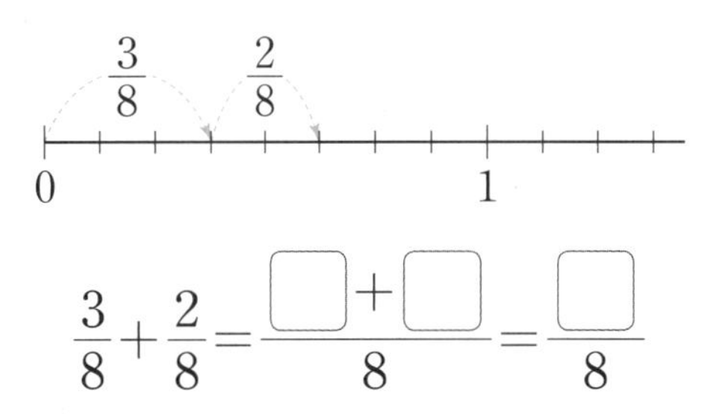

$\frac{3}{8}+\frac{2}{8}=\frac{\square+\square}{8}=\frac{\square}{8}$

2-1 □ 안에 알맞은 수를 써넣으세요.

$\frac{2}{5}$는 $\frac{1}{5}$이 □개, $\frac{1}{5}$은 $\frac{1}{5}$이 1개이므로
$\frac{2}{5}+\frac{1}{5}$은 $\frac{1}{5}$이 □개입니다.

➜ $\frac{2}{5}+\frac{1}{5}=\frac{\square}{5}$

2-2 □ 안에 알맞은 수를 써넣으세요.

$\frac{2}{9}$는 $\frac{1}{9}$이 2개, $\frac{3}{9}$은 $\frac{1}{9}$이 □개이므로
$\frac{2}{9}+\frac{3}{9}$은 $\frac{1}{9}$이 □개입니다.

➜ $\frac{2}{9}+\frac{3}{9}=\frac{\square}{9}$

3-1 계산해 보세요.

(1) $\frac{1}{6}+\frac{4}{6}$

(2) $\frac{2}{3}+\frac{2}{3}$

3-2 계산해 보세요.

(1) $\frac{3}{7}+\frac{3}{7}$

(2) $\frac{9}{10}+\frac{4}{10}$

4-1 빈 곳에 알맞은 수를 써넣으세요.

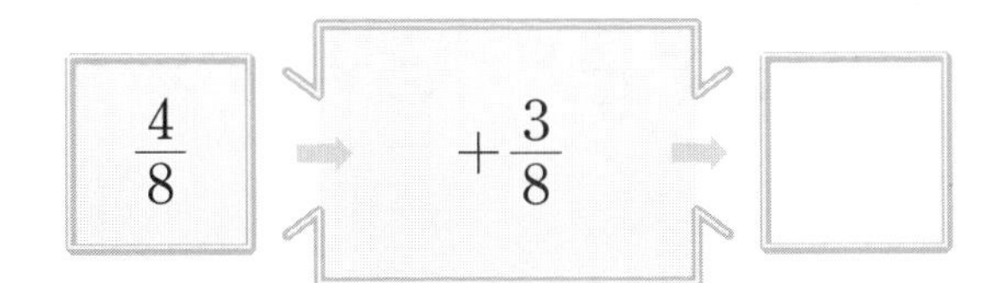

4-2 두 수의 합을 빈칸에 써넣으세요.

$\frac{5}{9}$	$\frac{2}{9}$

분수의 뺄셈(1)

교과서 기초 개념

• (진분수)−(진분수) − 예 $\frac{5}{8}-\frac{2}{8}$

① 그림으로 알아보기

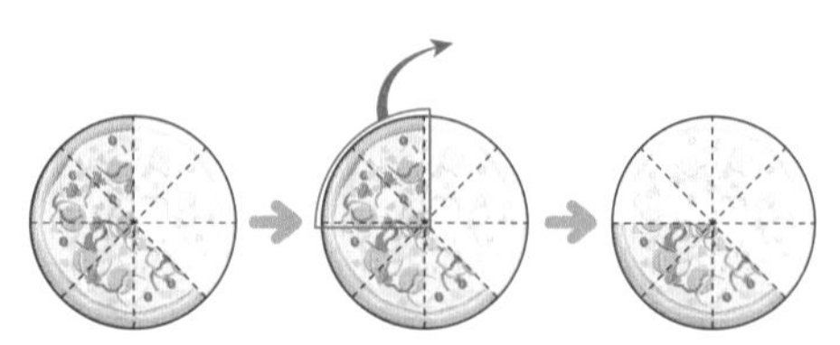

$$\frac{5}{8}-\frac{2}{8}=\frac{5-2}{8}=\frac{3}{8}$$

② $\frac{1}{8}$의 개수로 알아보기

$\frac{5}{8}$는 $\frac{1}{8}$이 5개, $\frac{2}{8}$는 $\frac{1}{8}$이 2개

→ $\frac{5}{8}-\frac{2}{8}$는 $\frac{1}{8}$이 3개이므로 $\frac{3}{8}$ 입니다.
(5−2=3(개))

$\frac{5}{8}-\frac{2}{8}=$ ❶ ☐

정답 ❶ $\frac{3}{8}$

개념 · 원리 확인

▶정답 및 풀이 1쪽

1-1 그림에서 $\frac{1}{4}$만큼 ×표 하고 □ 안에 알맞은 수를 써넣으세요.

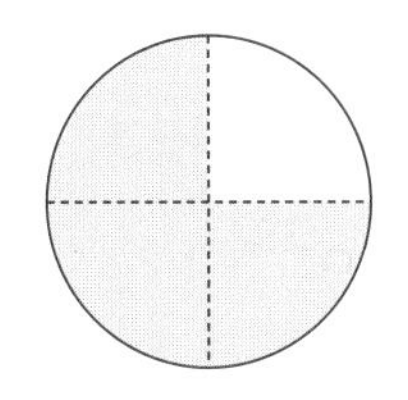

$$\frac{3}{4}-\frac{1}{4}=\frac{\square}{4}$$

1-2 그림에서 $\frac{2}{5}$만큼 ×표 하고 □ 안에 알맞은 수를 써넣으세요.

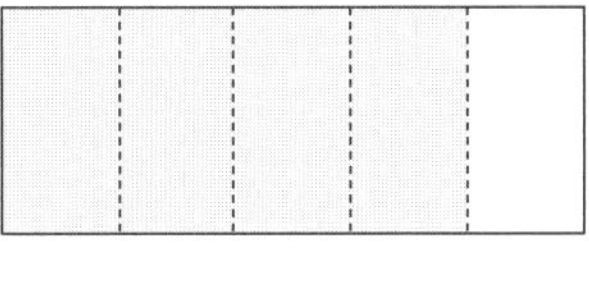

$$\frac{4}{5}-\frac{2}{5}=\square$$

2-1 □ 안에 알맞은 수를 써넣으세요.

$$\frac{6}{7}-\frac{3}{7}=\frac{\square-\square}{7}=\frac{\square}{7}$$

2-2 □ 안에 알맞은 수를 써넣으세요.

$$\frac{6}{9}-\frac{2}{9}=\frac{\square-\square}{9}=\frac{\square}{9}$$

3-1 계산해 보세요.

(1) $\frac{7}{10}-\frac{4}{10}$

(2) $\frac{5}{6}-\frac{4}{6}$

3-2 계산해 보세요.

(1) $\frac{7}{8}-\frac{5}{8}$

(2) $\frac{5}{11}-\frac{3}{11}$

4-1 빈 곳에 알맞은 수를 써넣으세요.

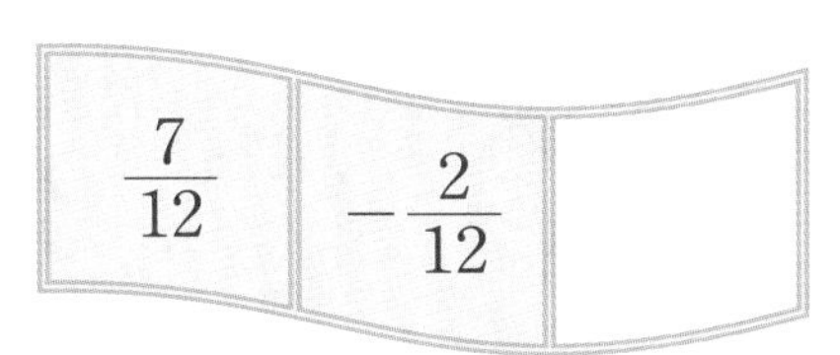

4-2 빈 곳에 알맞은 수를 써넣으세요.

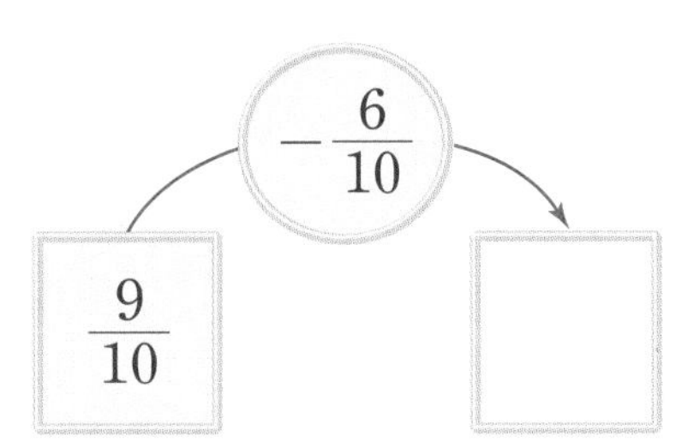

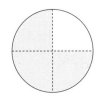

1주 1일

기초 집중 연습

기본 문제 연습

1-1 계산해 보세요.

$\frac{5}{7}-\frac{2}{7}=\square$

1-2 계산해 보세요.

$\frac{7}{9}-\frac{2}{9}=\square$

2-1 수직선을 보고 □ 안에 알맞은 수를 써넣으세요.

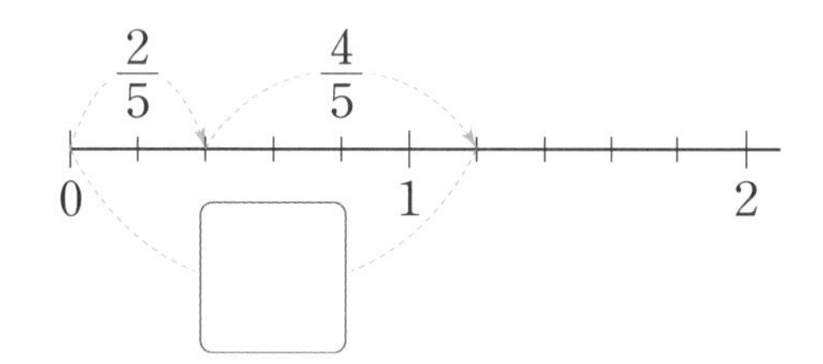

2-2 수직선을 보고 □ 안에 알맞은 수를 써넣으세요.

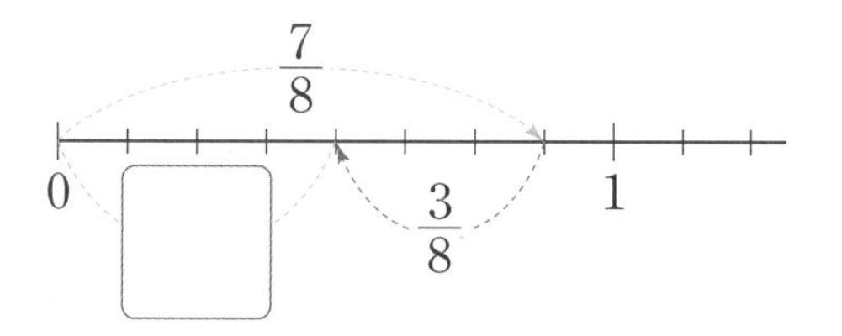

3-1 보기 와 같이 계산해 보세요.

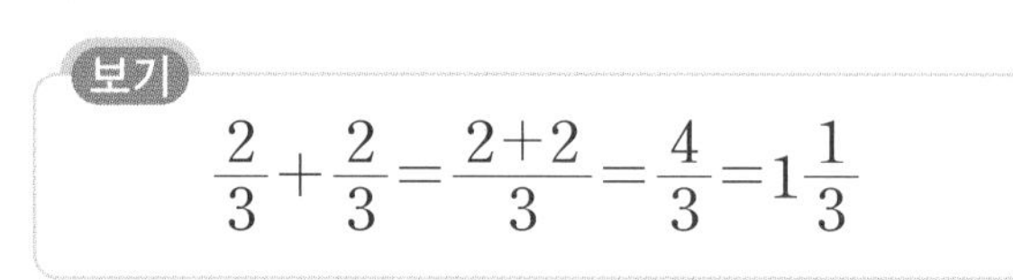
보기

$\frac{2}{3}+\frac{2}{3}=\frac{2+2}{3}=\frac{4}{3}=1\frac{1}{3}$

$\frac{4}{7}+\frac{5}{7}$ ______________________

3-2 3-1의 보기 와 같이 계산해 보세요.

$\frac{7}{9}+\frac{3}{9}$ ______________________

4-1 계산 결과의 크기를 비교하여 ○ 안에 >, =, <를 알맞게 써넣으세요.

$\frac{3}{10}+\frac{3}{10}$ ○ $\frac{8}{10}-\frac{1}{10}$

4-2 계산 결과가 더 큰 식을 말한 사람의 이름을 써 보세요.

(　　　　　　　　)

▶정답 및 풀이 2쪽

연산 → 문장제 연습 '합한 양' → 덧셈, '남은 양' → 뺄셈으로 구하자.

연산 계산해 보세요.

$\frac{2}{5}+\frac{1}{5}=$ ☐

이 덧셈식은 어떤 상황에서 이용될까요?

5-1 물을 오전에는 $\frac{2}{5}$ L, 오후에는 $\frac{1}{5}$ L 마셨습니다. 오전과 오후에 마신 물은 모두 몇 L인가요?

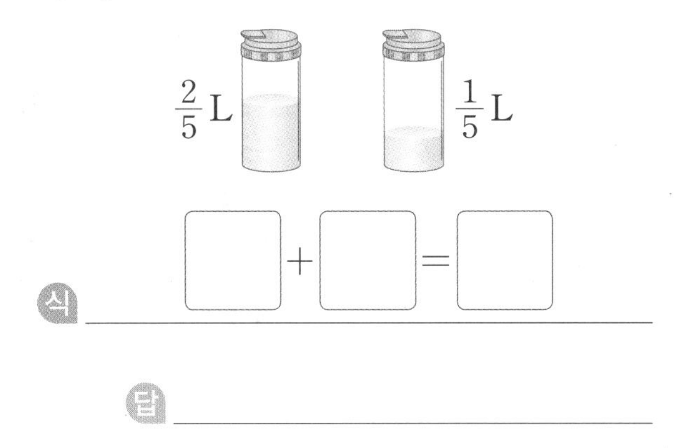

식 ☐ + ☐ = ☐

답 ______

5-2 그림과 같이 분홍색 테이프 $\frac{5}{8}$ m와 연두색 테이프 $\frac{6}{8}$ m를 이어 붙였습니다. 이어 붙인 색 테이프의 길이는 몇 m인가요?

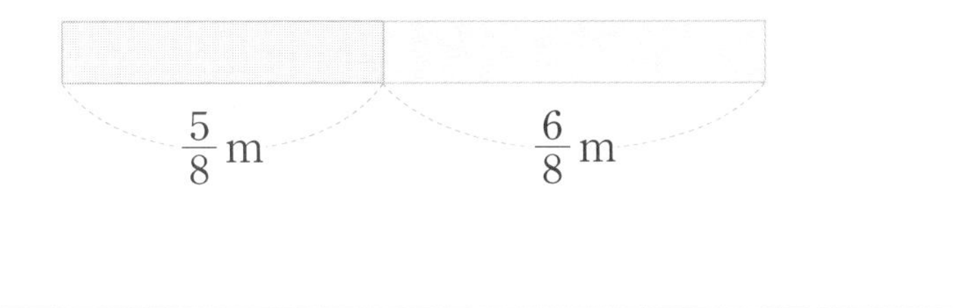

식 ______

답 ______

5-3 냉장고에 우유가 $\frac{9}{10}$ L 있습니다. 우영이가 $\frac{2}{10}$ L 마셨다면 남은 우유는 몇 L인가요?

식 ______

답 ______

교과서 기초 개념

• $1-$(진분수) ─ 예 $1-\frac{3}{4}$

① $\frac{1}{4}$의 개수로 알아보기

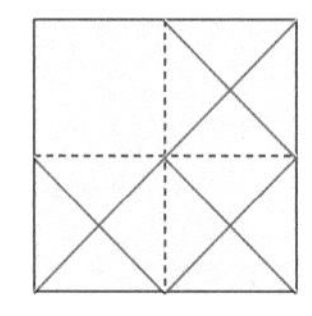

1은 $\frac{1}{4}$이 4개, $\frac{3}{4}$은 $\frac{1}{4}$이 3개

→ $1-\frac{3}{4}$은 $\frac{1}{4}$이 1개이므로 $\frac{1}{4}$
(1개: $4-3=1$(개))

입니다. $1-\frac{3}{4}=$ ❶ □

② 계산 방법 알아보기

$$1-\frac{3}{4}=\frac{4}{4}-\frac{3}{4}=\frac{4-3}{4}=\frac{1}{4}$$

1을 가분수로 바꿉니다.　　분자끼리 뺍니다.

1을 가분수로 바꾼 다음 계산해~

정답 ❶ $\frac{1}{4}$

개념 · 원리 확인

▶정답 및 풀이 2쪽

1-1 그림을 보고 □ 안에 알맞은 수를 써넣으세요.

$1-\frac{1}{4}=\square$

1-2 그림을 보고 □ 안에 알맞은 수를 써넣으세요.

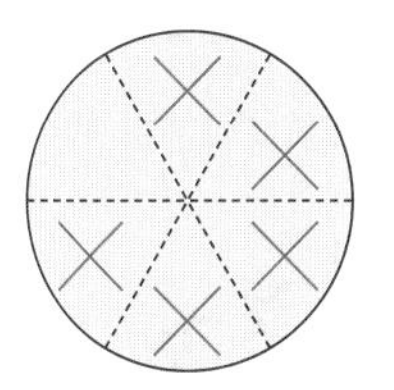

$1-\frac{5}{6}=\square$

2-1 □ 안에 알맞은 수를 써넣으세요.

> 1은 $\frac{1}{7}$이 □개, $\frac{4}{7}$는 $\frac{1}{7}$이 4개이므로
> $1-\frac{4}{7}$는 $\frac{1}{7}$이 □개입니다.

➜ $1-\frac{4}{7}=\square$

2-2 □ 안에 알맞은 수를 써넣으세요.

> 1은 $\frac{1}{5}$이 □개, $\frac{2}{5}$는 $\frac{1}{5}$이 2개이므로
> $1-\frac{2}{5}$는 $\frac{1}{5}$이 □개입니다.

➜ $1-\frac{2}{5}=\square$

3-1 □ 안에 알맞은 수를 써넣으세요.

$1-\frac{2}{3}=\frac{\square}{3}-\frac{2}{3}=\frac{\square-2}{3}=\frac{\square}{3}$

3-2 □ 안에 알맞은 수를 써넣으세요.

$1-\frac{5}{9}=\frac{\square}{9}-\frac{5}{9}=\frac{\square-5}{9}=\frac{\square}{9}$

4-1 계산해 보세요.

(1) $1-\frac{4}{5}$

(2) $1-\frac{2}{9}$

4-2 계산해 보세요.

(1) $1-\frac{1}{6}$

(2) $1-\frac{7}{8}$

분수의 덧셈 (2)

교과서 기초 개념

- **받아올림이 없는 (대분수)+(대분수)** — 예 $1\frac{2}{5}+2\frac{1}{5}$

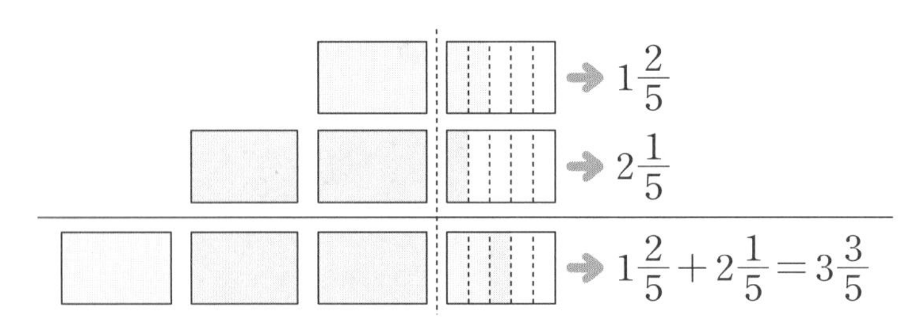

자연수끼리 더합니다.

방법 1 $1\frac{2}{5}+2\frac{1}{5}=(1+2)+\left(\frac{2}{5}+\frac{1}{5}\right)=3\frac{3}{5}$ — 대분수를 자연수와 진분수로 나누어 계산하기

진분수끼리 더합니다.

방법 2 $1\frac{2}{5}+2\frac{1}{5}=\frac{7}{5}+\frac{11}{5}=\frac{18}{5}=3\frac{3}{5}$ — 대분수를 가분수로 바꾸어 계산하기

개념 · 원리 확인

▶ 정답 및 풀이 3쪽

1-1 그림을 보고 □ 안에 알맞은 수를 써넣으세요.

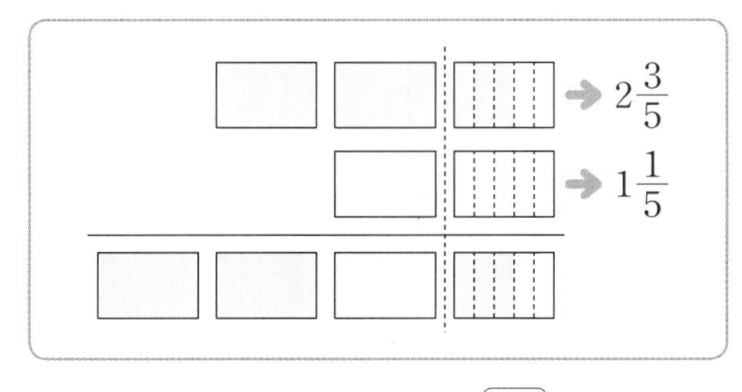

$2\frac{3}{5}+1\frac{1}{5}=\square\frac{\square}{5}$

1-2 그림을 보고 □ 안에 알맞은 수를 써넣으세요.

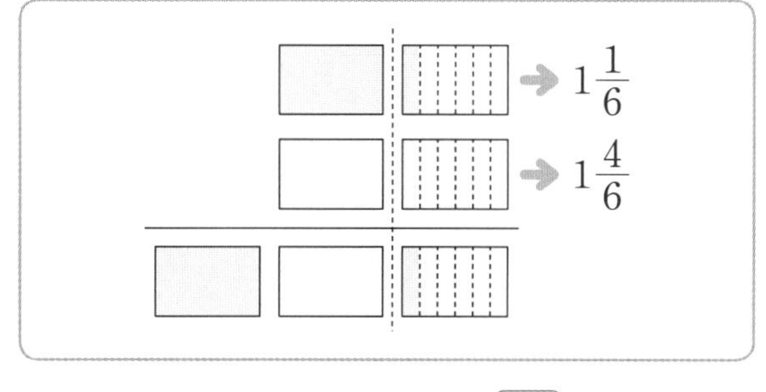

$1\frac{1}{6}+1\frac{4}{6}=\square\frac{\square}{6}$

2-1 대분수를 자연수와 진분수로 나누어 계산해 보세요.

$2\frac{1}{3}+1\frac{1}{3}=(2+\square)+\left(\frac{1}{3}+\frac{\square}{3}\right)$

$=\square+\frac{\square}{3}=\square$

2-2 대분수를 자연수와 진분수로 나누어 계산해 보세요.

$1\frac{2}{7}+3\frac{4}{7}=(\square+3)+\left(\frac{2}{7}+\frac{\square}{7}\right)$

$=\square+\frac{\square}{7}=\square$

3-1 대분수를 가분수로 바꾸어 계산해 보세요.

$1\frac{3}{8}+1\frac{4}{8}=\frac{\square}{8}+\frac{\square}{8}$

$=\frac{\square}{8}=\square$

3-2 대분수를 가분수로 바꾸어 계산해 보세요.

$2\frac{2}{9}+1\frac{5}{9}=\frac{\square}{9}+\frac{\square}{9}$

$=\frac{\square}{9}=\square$

4-1 계산해 보세요.

(1) $1\frac{1}{4}+2\frac{2}{4}$

(2) $2\frac{5}{7}+1\frac{1}{7}$

4-2 계산해 보세요.

(1) $3\frac{1}{5}+2\frac{3}{5}$

(2) $1\frac{5}{8}+3\frac{2}{8}$

기초 집중 연습

기본 문제 연습

1-1 계산해 보세요.

$1\frac{1}{8}+2\frac{2}{8}=\square$

1-2 계산해 보세요.

$2\frac{3}{9}+2\frac{2}{9}=\square$

2-1 빈 곳에 알맞은 수를 써넣으세요.

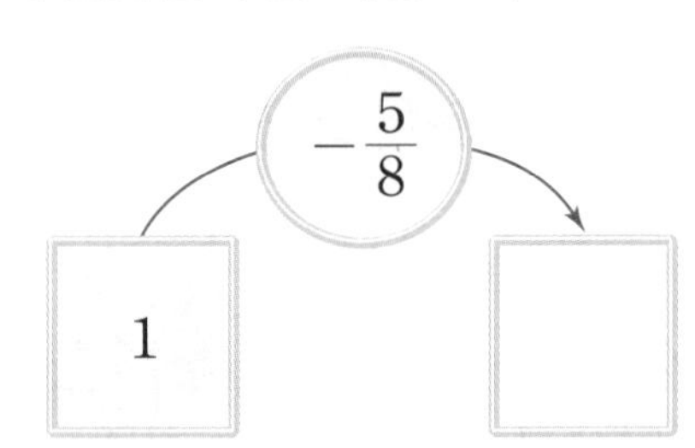

2-2 빈 곳에 알맞은 수를 써넣으세요.

1 → $-\frac{3}{5}$ → $\square$

3-1 바르게 계산한 것을 찾아 기호를 써 보세요.

㉠ $1-\frac{4}{9}=\frac{7}{9}$

㉡ $1-\frac{1}{8}=\frac{7}{8}$

(　　　　　　　)

3-2 바르게 계산한 사람을 찾아 이름을 써 보세요.

(　　　　　　　)

4-1 계산 결과의 크기를 비교하여 ○ 안에 >, =, <를 알맞게 써넣으세요.

$7\frac{2}{7}+1\frac{1}{7}$ ○ $4\frac{3}{7}+2\frac{3}{7}$

4-2 계산 결과가 더 큰 것의 기호를 써 보세요.

㉠ $3\frac{3}{8}+2\frac{2}{8}$　　㉡ $1\frac{1}{8}+4\frac{5}{8}$

(　　　　　　　)

▶ 정답 및 풀이 3쪽

연산 → 문장제 연습 '합한 양' → 덧셈, '얼마 더 많이' → 뺄셈으로 구하자.

연산 계산해 보세요.

$1\frac{2}{5}+1\frac{1}{5}=\square$

5-1 은주는 동화책을 어제는 $1\frac{2}{5}$시간, 오늘은 $1\frac{1}{5}$시간 읽었습니다. 은주가 어제와 오늘 동화책을 읽은 시간은 모두 몇 시간인가요?

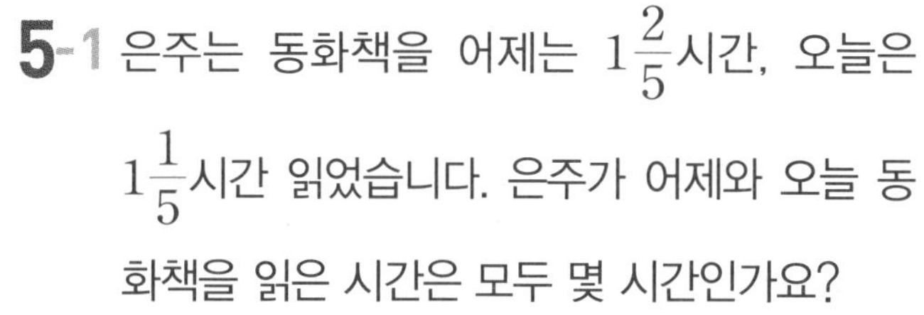

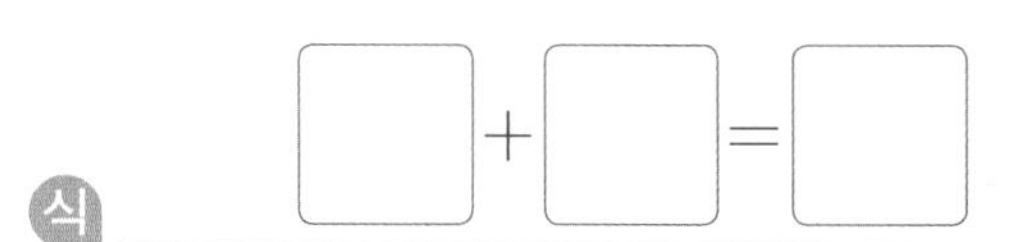

식 $\square+\square=\square$

답 ______

5-2 밤을 도윤이는 1 kg, 지호는 $\frac{5}{6}$ kg 땄습니다. 도윤이는 지호보다 밤을 몇 kg 더 많이 땄나요?

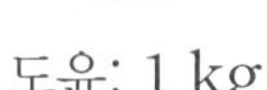

도윤: 1 kg　　지호: $\frac{5}{6}$ kg

식 ______

답 ______

5-3 식빵 한 개를 만드는 데 우유가 $1\frac{1}{5}$컵 필요합니다. 식빵 2개를 만드는 데 필요한 우유는 몇 컵인가요?

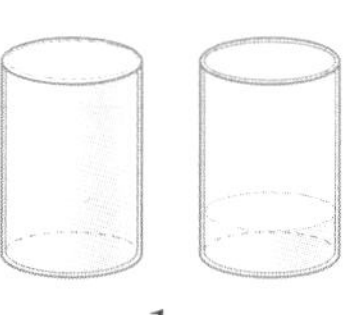

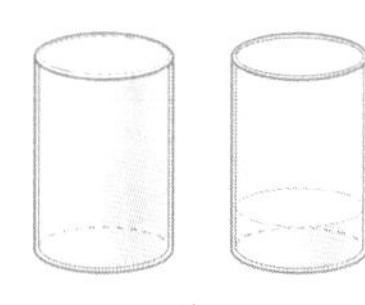

$1\frac{1}{5}$ 컵　　$1\frac{1}{5}$ 컵

식 ______

답 ______

1주 2일

교과서 기초 개념

• **받아올림이 있는 (대분수)+(대분수)** — 예 $1\frac{4}{5}+1\frac{2}{5}$

방법 1 대분수를 자연수와 진분수로 나누어 계산하기

$$1\frac{4}{5}+1\frac{2}{5}=(1+1)+\left(\frac{4}{5}+\frac{2}{5}\right)$$
$$=2+\frac{6}{5}=2+1\frac{1}{5}$$
$$=3\frac{1}{5}$$

자연수끼리 더하고, 진분수끼리 더해~

방법 2 대분수를 가분수로 바꾸어 계산하기

$$1\frac{4}{5}+1\frac{2}{5}=\frac{9}{5}+\frac{7}{5}$$

대분수를 가분수로 바꾸기

$$=\frac{16}{5}$$
$$=\boxed{❶}$$

정답 ❶ $3\frac{1}{5}$

개념 · 원리 확인

▶정답 및 풀이 4쪽

[1-1~2-1] $1\frac{3}{4}+1\frac{2}{4}$를 2가지 방법으로 계산해 보세요.

1-1 $1\frac{3}{4}+1\frac{2}{4}=(1+\square)+\left(\frac{3}{4}+\frac{\square}{4}\right)$

$=\square+\frac{\square}{4}=\square\frac{\square}{4}$

2-1 $1\frac{3}{4}+1\frac{2}{4}=\frac{\square}{4}+\frac{\square}{4}$

$=\frac{\square}{4}=\square$

[1-2~2-2] $2\frac{4}{7}+1\frac{5}{7}$를 2가지 방법으로 계산해 보세요.

1-2 $2\frac{4}{7}+1\frac{5}{7}=(2+\square)+\left(\frac{4}{7}+\frac{\square}{7}\right)$

$=\square+\frac{\square}{7}=\square$

2-2 $2\frac{4}{7}+1\frac{5}{7}=\frac{\square}{7}+\frac{\square}{7}$

$=\frac{\square}{7}=\square$

3-1 보기 와 같이 계산해 보세요.

보기

$1\frac{2}{3}+1\frac{2}{3}=\frac{5}{3}+\frac{5}{3}=\frac{10}{3}=3\frac{1}{3}$

$1\frac{5}{7}+2\frac{3}{7}$ ______________________

3-2 3-1의 보기 와 같이 계산해 보세요.

$1\frac{3}{5}+1\frac{3}{5}$ ______________________

4-1 계산해 보세요.

(1) $2\frac{2}{6}+1\frac{5}{6}$

(2) $1\frac{3}{8}+2\frac{5}{8}$

4-2 계산해 보세요.

(1) $3\frac{6}{7}+1\frac{3}{7}$

(2) $1\frac{4}{9}+1\frac{7}{9}$

분수의 뺄셈 (3)

교과서 기초 개념

• **받아내림이 없는 (대분수)−(대분수)** — 예) $2\frac{3}{5}-1\frac{2}{5}$

방법 1 대분수를 자연수와 진분수로 나누어 계산하기

$$2\frac{3}{5}-1\frac{2}{5}=(2-1)+\left(\frac{3}{5}-\frac{2}{5}\right)$$

$$=1+\frac{1}{5}=\boxed{❶}$$

자연수끼리 빼고,
진분수끼리 빼~

방법 2 대분수를 가분수로 바꾸어 계산하기

$$2\frac{3}{5}-1\frac{2}{5}=\frac{13}{5}-\frac{7}{5}$$

대분수를 가분수로 바꾸기

$$=\frac{6}{5}$$

$$=1\frac{\boxed{❷}}{5}$$

정답 ❶ $1\frac{1}{5}$ ❷ 1

▶정답 및 풀이 4쪽

1-1 대분수를 자연수와 진분수로 나누어 계산해 보세요.

$$3\frac{6}{7}-1\frac{3}{7}=(3-\square)+\left(\frac{6}{7}-\frac{\square}{7}\right)$$
$$=\square+\frac{\square}{7}=\square\frac{\square}{7}$$

1-2 대분수를 자연수와 진분수로 나누어 계산해 보세요.

$$5\frac{5}{6}-2\frac{4}{6}=(5-\square)+\left(\frac{5}{6}-\frac{\square}{6}\right)$$
$$=\square+\frac{\square}{6}=\square$$

2-1 대분수를 가분수로 바꾸어 계산해 보세요.

$$2\frac{3}{4}-1\frac{2}{4}=\frac{\square}{4}-\frac{\square}{4}$$
$$=\frac{\square}{4}=\square$$

2-2 대분수를 가분수로 바꾸어 계산해 보세요.

$$3\frac{2}{3}-2\frac{1}{3}=\frac{\square}{3}-\frac{\square}{3}$$
$$=\frac{\square}{3}=\square$$

3-1 계산해 보세요.

(1) $2\frac{4}{5}-1\frac{1}{5}$

(2) $3\frac{2}{6}-1\frac{1}{6}$

3-2 계산해 보세요.

(1) $2\frac{7}{9}-1\frac{2}{9}$

(2) $4\frac{2}{3}-2\frac{1}{3}$

4-1 빈 곳에 알맞은 수를 써넣으세요.

$4\frac{5}{8}$	$-2\frac{2}{8}$	

4-2 빈 곳에 알맞은 수를 써넣으세요.

$3\frac{6}{7}$ ➡ $-1\frac{1}{7}$ ➡ $\square$

3일 기초 집중 연습

기본 문제 연습

1-1 계산해 보세요.

$1\frac{3}{7}+1\frac{5}{7}=\square$

1-2 계산해 보세요.

$2\frac{4}{5}+1\frac{3}{5}=\square$

2-1 계산 결과를 찾아 선으로 이어 보세요.

$3\frac{6}{9}-1\frac{2}{9}$ •　　• $2\frac{4}{9}$

$7\frac{8}{9}-5\frac{3}{9}$ •　　• $2\frac{5}{9}$

2-2 계산 결과를 찾아 선으로 이어 보세요.

$5\frac{3}{7}-2\frac{1}{7}$　　$4\frac{6}{7}-1\frac{5}{7}$

3　　$3\frac{1}{7}$　　$3\frac{2}{7}$

3-1 계산이 틀린 것에 ○표 하세요.

$2\frac{3}{6}-1\frac{2}{6}=\frac{1}{6}$　　$6\frac{3}{5}-5\frac{2}{5}=1\frac{1}{5}$

(　　　)　　(　　　)

3-2 계산이 틀린 것의 기호를 써 보세요.

㉠ $5\frac{5}{7}-3\frac{2}{7}=2\frac{3}{7}$

㉡ $4\frac{7}{8}-1\frac{2}{8}=3\frac{3}{8}$

(　　　　　)

4-1 계산 결과의 크기를 비교하여 ○ 안에 $>$, $=$, $<$를 알맞게 써넣으세요.

$1\frac{6}{7}+5\frac{4}{7}$ ○ $3\frac{1}{7}+2\frac{6}{7}$

4-2 계산 결과가 더 큰 식을 말한 사람의 이름을 써 보세요.

$2\frac{2}{9}+1\frac{8}{9}$

정우

$1\frac{4}{9}+2\frac{7}{9}$

태연

(　　　　　)

▶ 정답 및 풀이 4쪽

연산 → 문장제 연습 ‘남은 길이, 얼마 더 먼지’ → 뺄셈, ‘합하면’ → 덧셈으로 구하자.

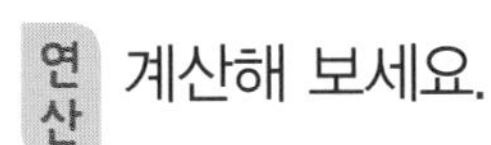

연산 계산해 보세요.

$3\frac{2}{5}-2\frac{1}{5}=\square$

이 뺄셈식은 어떤 상황에서
이용될까요?

5-1 리본이 $3\frac{2}{5}$ m 있습니다. 선물을 포장하는 데 $2\frac{1}{5}$ m 사용했다면 남은 리본의 길이는 몇 m인가요?

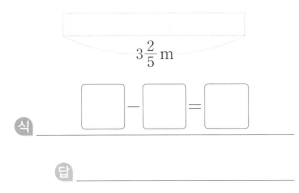

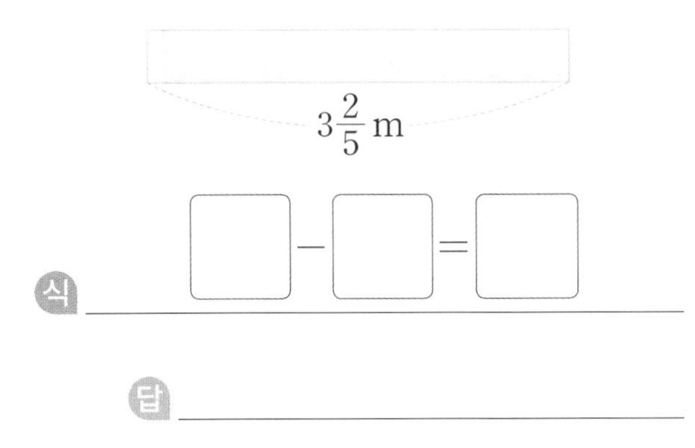

식 $\square - \square = \square$

답 ______

5-2 자루에 쌀이 $2\frac{4}{7}$ kg, 보리가 $1\frac{5}{7}$ kg 들어 있습니다. 쌀과 보리를 합하면 무게는 몇 kg 인가요?

식 ______

답 ______

5-3 진영이네 집에서 공원까지 거리는 $5\frac{5}{8}$ km, 도서관까지 거리는 $3\frac{2}{8}$ km입니다. 진영이네 집에서 공원까지 거리는 도서관까지 거리보다 몇 km 더 먼가요?

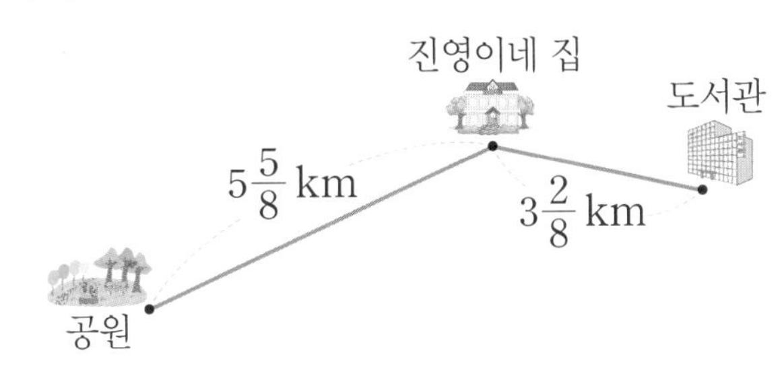

식 ______

답 ______

교과서 기초 개념

• (자연수)−(진분수) — 예 $2-\frac{3}{4}$

방법 1 자연수에서 1만큼을 가분수로 바꾸어 계산하기

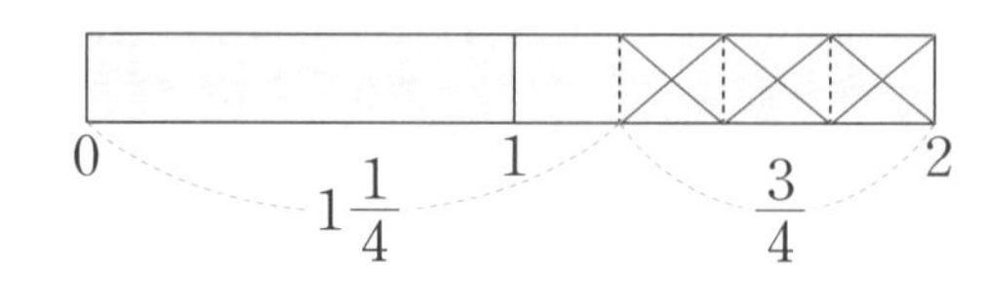

$$2-\frac{3}{4}=1\frac{4}{4}-\frac{3}{4}=1\frac{\boxed{❶}}{4}$$

$2=1+1=1+\frac{4}{4}=1\frac{4}{4}$

방법 2 자연수를 가분수로 바꾸어 계산하기

$$2-\frac{3}{4}=\frac{8}{4}-\frac{3}{4}$$
$$=\frac{5}{4}=1\frac{1}{4}$$

(분자)=(분모)×(자연수)

$2=\frac{4}{2}$ ×2 $3=\frac{6}{2}$ ×3

$2=\frac{8}{4}$ ×2 $3=\frac{12}{4}$ ×3

정답 ❶ 1

개념 · 원리 확인

▶정답 및 풀이 5쪽

1-1 그림을 보고 □ 안에 알맞은 수를 써넣으세요.

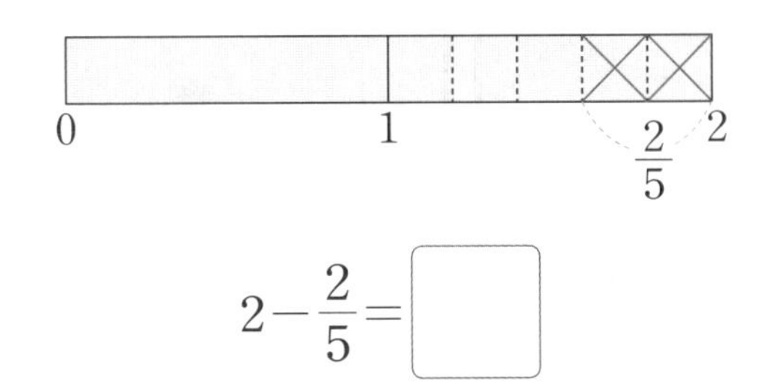

$2-\frac{2}{5}=\square$

1-2 수직선을 보고 □ 안에 알맞은 수를 써넣으세요.

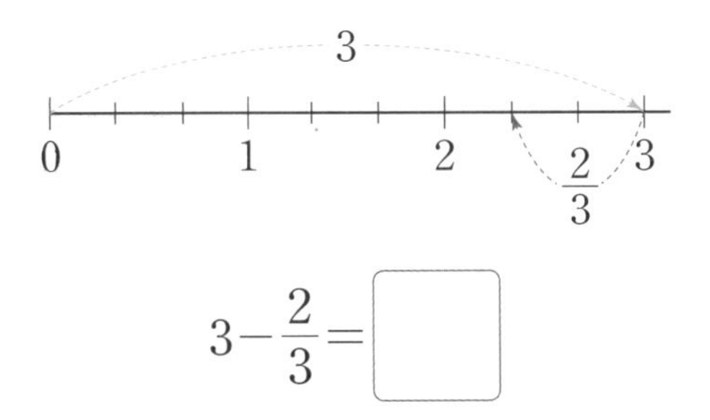

$3-\frac{2}{3}=\square$

2-1 자연수에서 1만큼을 가분수로 바꾸어 계산해 보세요.

$3-\frac{1}{2}=2\frac{\square}{2}-\frac{1}{2}=\square\frac{\square}{2}$

2-2 자연수에서 1만큼을 가분수로 바꾸어 계산해 보세요.

$2-\frac{4}{7}=1\frac{\square}{7}-\frac{4}{7}=\square\frac{\square}{7}$

3-1 자연수를 가분수로 바꾸어 계산해 보세요.

$4-\frac{5}{6}=\frac{\square}{6}-\frac{\square}{6}$

$=\frac{\square}{6}=\square$

3-2 자연수를 가분수로 바꾸어 계산해 보세요.

$3-\frac{3}{8}=\frac{\square}{8}-\frac{\square}{8}$

$=\frac{\square}{8}=\square$

4-1 계산해 보세요.

(1) $5-\frac{3}{5}$

(2) $4-\frac{6}{7}$

4-2 계산해 보세요.

(1) $3-\frac{2}{9}$

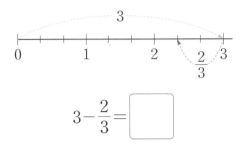

(2) $7-\frac{3}{4}$

교과서 기초 개념

• (자연수)−(대분수) − 예 $3-1\frac{2}{3}$

방법 1 자연수에서 1만큼을 가분수로 바꾸어 계산하기

$$3-1\frac{2}{3}=2\frac{3}{3}-1\frac{2}{3}=1\frac{1}{3}$$

1만큼을 가분수로 바꾸기

$3=2+1=2+\frac{3}{3}=2\frac{3}{3}$

방법 2 자연수와 대분수를 가분수로 바꾸어 계산하기

$$3-1\frac{2}{3}=\frac{9}{3}-\frac{5}{3}$$

가분수로 바꾸기

$$=\frac{4}{3}$$

$$=1\frac{❶\square}{3}$$

정답 ❶ 1

▶정답 및 풀이 5쪽

[1-1~2-1] $4-1\frac{2}{5}$를 2가지 방법으로 계산해 보세요.

1-1 자연수에서 1만큼을 가분수로 바꾸어 계산하기

$$4-1\frac{2}{5}=3\frac{\square}{5}-1\frac{2}{5}=\square\frac{\square}{5}$$

2-1 자연수와 대분수를 가분수로 바꾸어 계산하기

$$4-1\frac{2}{5}=\frac{\square}{5}-\frac{\square}{5}$$
$$=\frac{\square}{5}=\square\frac{\square}{5}$$

3-1 계산해 보세요.

(1) $2-1\frac{5}{6}$

(2) $3-2\frac{3}{8}$

4-1 □ 안에 알맞은 수를 써넣으세요.

2는 $\frac{1}{4}$이 □개, $1\frac{1}{4}$은 $\frac{1}{4}$이 □개이므로 $2-1\frac{1}{4}$은 $\frac{1}{4}$이 □개입니다.

➔ $2-1\frac{1}{4}=\frac{\square}{4}-\frac{\square}{4}=\frac{\square}{4}$

[1-2~2-2] $5-2\frac{4}{7}$를 2가지 방법으로 계산해 보세요.

1-2 자연수에서 1만큼을 가분수로 바꾸어 계산하기

$$5-2\frac{4}{7}=4\frac{\square}{7}-2\frac{4}{7}=\square\frac{\square}{7}$$

2-2 자연수와 대분수를 가분수로 바꾸어 계산하기

$$5-2\frac{4}{7}=\frac{\square}{7}-\frac{\square}{7}$$
$$=\frac{\square}{7}=\square$$

3-2 계산해 보세요.

(1) $3-1\frac{3}{4}$

(2) $6-3\frac{2}{9}$

4-2 □ 안에 알맞은 수를 써넣으세요.

2는 $\frac{1}{3}$이 □개, $1\frac{1}{3}$은 $\frac{1}{3}$이 □개이므로 $2-1\frac{1}{3}$은 $\frac{1}{3}$이 □개입니다.

➔ $2-1\frac{1}{3}=\frac{\square}{3}-\frac{\square}{3}=\frac{\square}{3}$

4일 기초 집중 연습

기본 문제 연습

1-1 계산해 보세요.

$5-\frac{7}{5}=\square$

1-2 계산해 보세요.

$6-\frac{9}{7}=\square$

2-1 빈 곳에 알맞은 수를 써넣으세요.

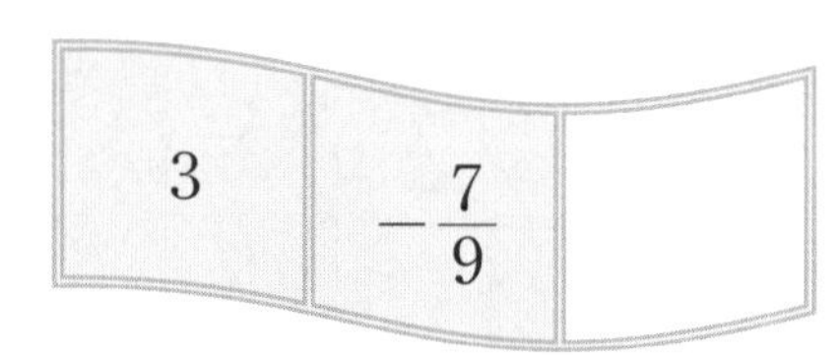

2-2 빈 곳에 알맞은 수를 써넣으세요.

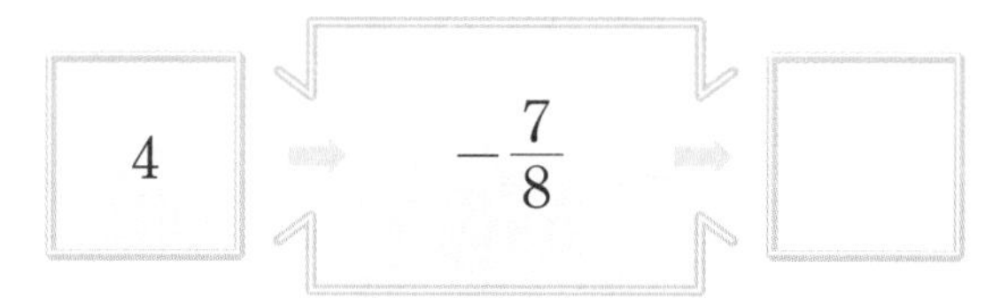

3-1 두 수의 차를 구하세요.

8　　$5\frac{3}{4}$

(　　　　　　　　)

3-2 빈칸에 두 수의 차를 써넣으세요.

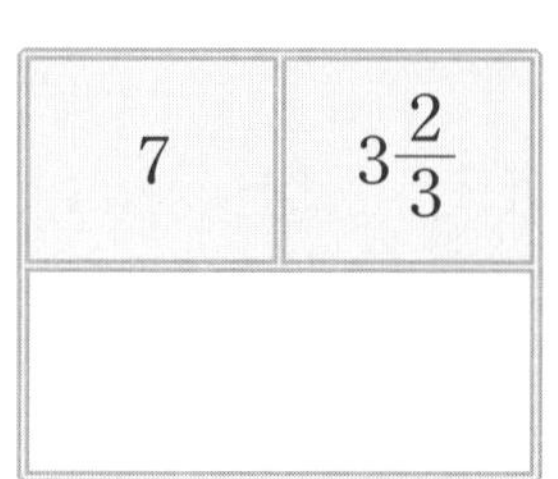

4-1 □ 안에 알맞은 수를 써넣으세요.

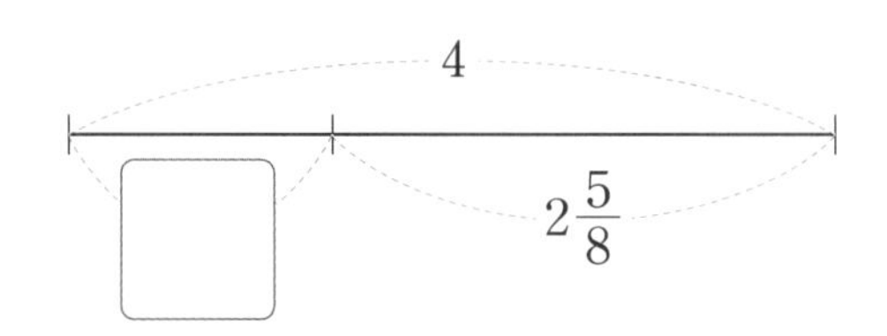

4-2 □ 안에 알맞은 수를 써넣으세요.

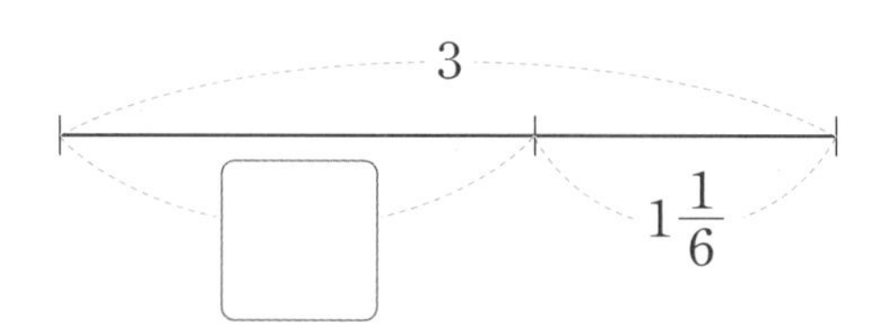

▶정답 및 풀이 5쪽
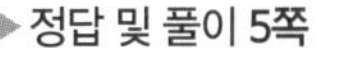

연산 → 문장제 연습 '남은 양, 차, 얼마 더 무거운지'를 구할 때는 뺄셈으로 구하자.

연산 계산해 보세요.

$2-1\frac{2}{5}=\square$

이 뺄셈식은 어떤 상황에서 이용될까요?

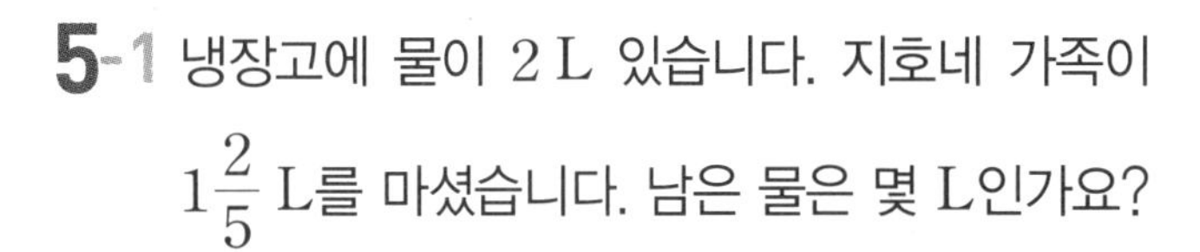

5-1 냉장고에 물이 2 L 있습니다. 지호네 가족이 $1\frac{2}{5}$ L를 마셨습니다. 남은 물은 몇 L인가요?

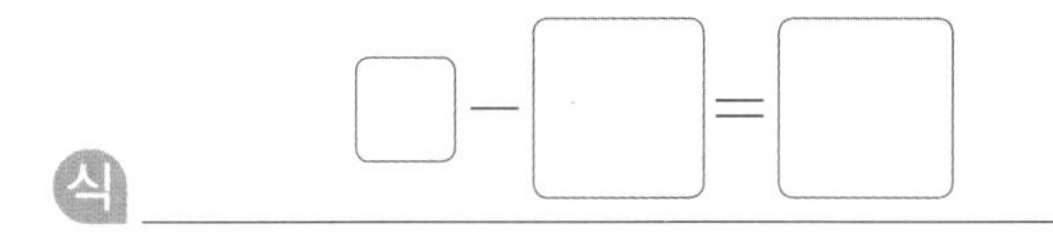

식 $\square-\square=\square$

답

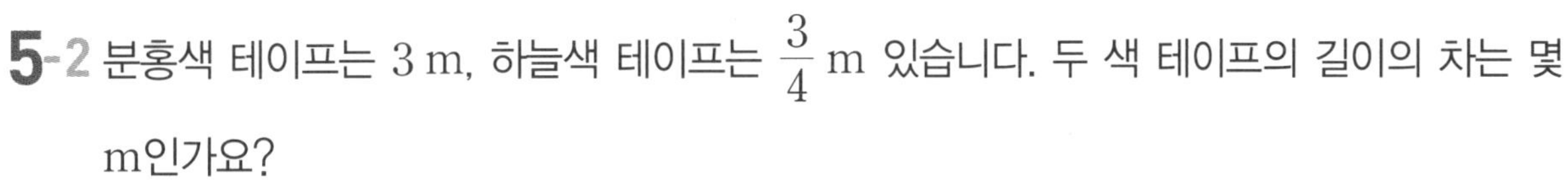

5-2 분홍색 테이프는 3 m, 하늘색 테이프는 $\frac{3}{4}$ m 있습니다. 두 색 테이프의 길이의 차는 몇 m인가요?

3 m

$\frac{3}{4}$ m

식

답

5-3 유나네 개는 6 kg, 고양이는 $3\frac{1}{2}$ kg입니다. 유나네 개는 고양이보다 몇 kg 더 무거운가요?

6 kg

$3\frac{1}{2}$ kg

식

답

교과서 기초 개념

- **받아내림이 있는 (대분수)−(진분수)** — 예 $2\frac{1}{3}-\frac{2}{3}$

방법 1 자연수에서 1만큼을 가분수로 바꾸어 계산하기

$$2\frac{1}{3}-\frac{2}{3}=1\frac{4}{3}-\frac{2}{3}=1\frac{2}{3}$$

1만큼을 가분수로 바꾸기

진분수끼리 뺄 수 없을 때는 자연수에서 1만큼을 가분수로 바꾸어 계산해~

방법 2 대분수를 가분수로 바꾸어 계산하기

$$2\frac{1}{3}-\frac{2}{3}=\frac{7}{3}-\frac{2}{3}$$

대분수를 가분수로 바꾸기

$$=\frac{5}{3}$$

$$=1\frac{❶\square}{3}$$

정답 ❶ 2

개념 · 원리 확인

▶정답 및 풀이 6쪽

1-1 수직선을 보고 □ 안에 알맞은 수를 써넣으세요.

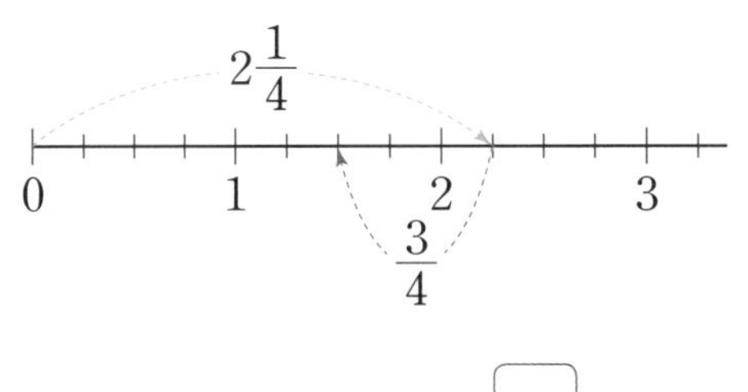

$2\frac{1}{4}-\frac{3}{4}=\square\frac{\square}{4}$

1-2 수직선을 보고 □ 안에 알맞은 수를 써넣으세요.

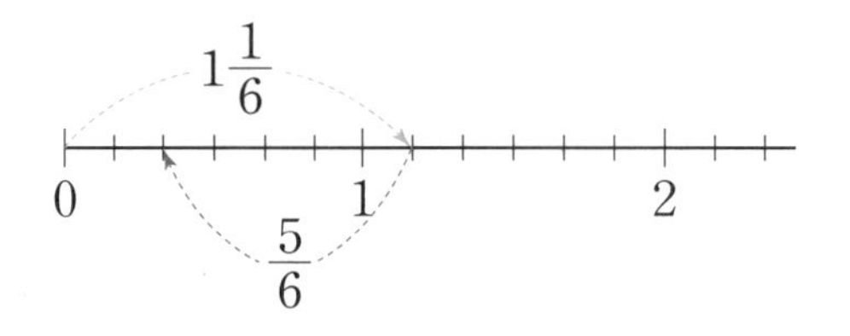

$1\frac{1}{6}-\frac{5}{6}=\frac{\square}{6}$

[2-1~3-1] $2\frac{2}{5}-\frac{3}{5}$을 2가지 방법으로 계산해 보세요.

2-1 $2\frac{2}{5}-\frac{3}{5}=\square\frac{\square}{5}-\frac{3}{5}$

$=\square\frac{\square}{5}$

3-1 $2\frac{2}{5}-\frac{3}{5}=\frac{\square}{5}-\frac{3}{5}$

$=\frac{\square}{5}=\square\frac{\square}{5}$

[2-2~3-2] $3\frac{3}{7}-\frac{4}{7}$를 2가지 방법으로 계산해 보세요.

2-2 $3\frac{3}{7}-\frac{4}{7}=\square\frac{\square}{7}-\frac{4}{7}$

$=\square$

3-2 $3\frac{3}{7}-\frac{4}{7}=\frac{\square}{7}-\frac{4}{7}$

$=\frac{\square}{7}=\square\frac{\square}{7}$

4-1 계산해 보세요.

(1) $1\frac{2}{4}-\frac{3}{4}$

(2) $4\frac{1}{8}-\frac{5}{8}$

4-2 계산해 보세요.

(1) $3\frac{2}{6}-\frac{3}{6}$

(2) $2\frac{4}{9}-\frac{7}{9}$

교과서 기초 개념

• **받아내림이 있는 (대분수)−(대분수)** — 예 $3\frac{1}{5}-1\frac{4}{5}$

방법 1 자연수에서 1만큼을 가분수로 바꾸어 계산하기

$$3\frac{1}{5}-1\frac{4}{5}=2\frac{6}{5}-1\frac{4}{5}$$

1만큼을 가분수로 바꾸기

$$=1\frac{❶\square}{5}$$

자연수에서 1만큼을 $\frac{5}{5}$로 바꾸어 계산해~

방법 2 대분수를 가분수로 바꾸어 계산하기

$$3\frac{1}{5}-1\frac{4}{5}=\frac{16}{5}-\frac{9}{5}$$

대분수를 가분수로 바꾸기

$$=\frac{❷\square}{5}$$

$$=1\frac{2}{5}$$

정답 ❶ 2 ❷ 7

▶정답 및 풀이 6쪽

1-1 자연수에서 1만큼을 가분수로 바꾸어 계산해 보세요.

$$2\frac{2}{7}-1\frac{4}{7}=1\frac{\square}{7}-1\frac{4}{7}=\frac{\square}{7}$$

1-2 자연수에서 1만큼을 가분수로 바꾸어 계산해 보세요.

$$4\frac{1}{4}-2\frac{3}{4}=3\frac{\square}{4}-2\frac{3}{4}=\square\frac{\square}{4}$$

2-1 대분수를 가분수로 바꾸어 계산해 보세요.

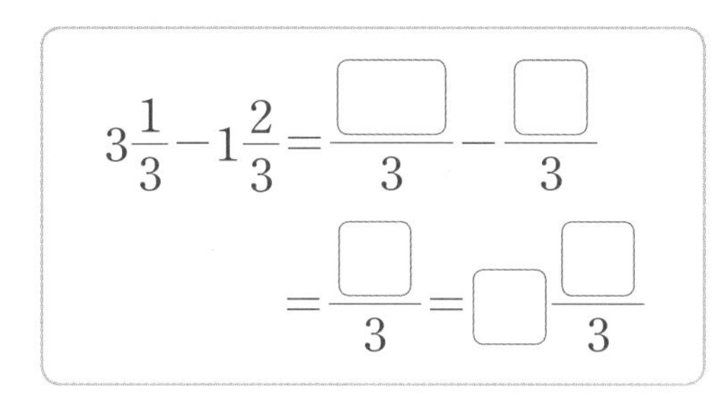

$$3\frac{1}{3}-1\frac{2}{3}=\frac{\square}{3}-\frac{\square}{3}=\frac{\square}{3}=\square\frac{\square}{3}$$

2-2 대분수를 가분수로 바꾸어 계산해 보세요.

$$5\frac{1}{6}-2\frac{5}{6}=\frac{\square}{6}-\frac{\square}{6}=\frac{\square}{6}=\square\frac{\square}{6}$$

3-1 계산해 보세요.

(1) $4\frac{3}{8}-2\frac{7}{8}$

(2) $5\frac{2}{5}-3\frac{3}{5}$

3-2 계산해 보세요.

(1) $3\frac{5}{9}-1\frac{6}{9}$

(2) $6\frac{4}{7}-2\frac{5}{7}$

4-1 보기 와 같은 방법으로 계산해 보세요.

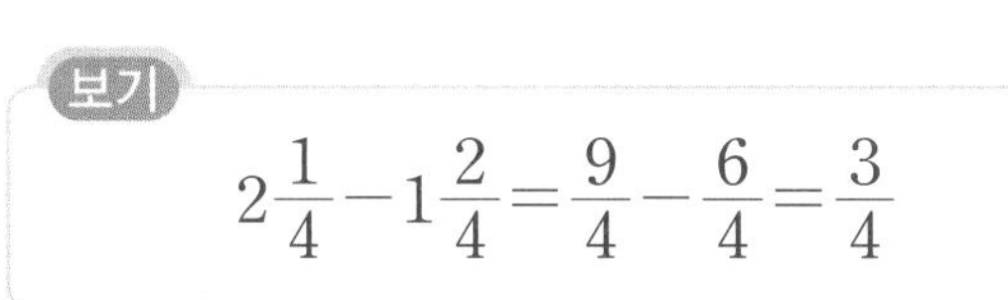

보기

$$2\frac{1}{4}-1\frac{2}{4}=\frac{9}{4}-\frac{6}{4}=\frac{3}{4}$$

$2\frac{1}{7}-1\frac{3}{7}$ ______________________

4-2 4-1의 보기 와 같이 계산해 보세요.

$3\frac{2}{9}-2\frac{7}{9}$ ______________________

5일 기초 집중 연습

기본 문제 연습

1-1 계산해 보세요.

$3\frac{2}{8}-2\frac{7}{8}=\square$

1-2 계산해 보세요.

$4\frac{1}{5}-1\frac{3}{5}=\square$

2-1 빈 곳에 알맞은 수를 써넣으세요.

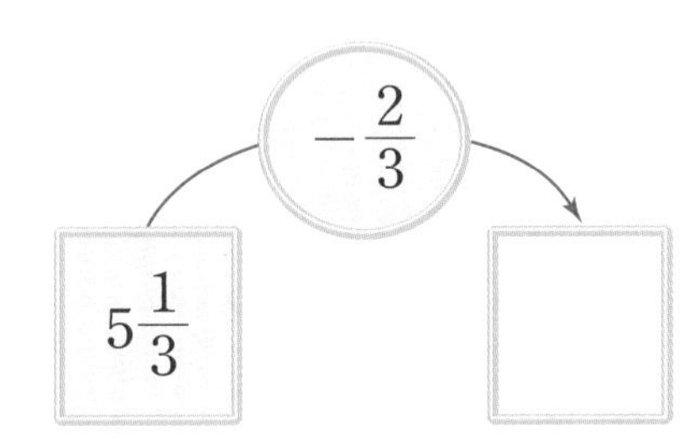

2-2 빈 곳에 알맞은 수를 써넣으세요.

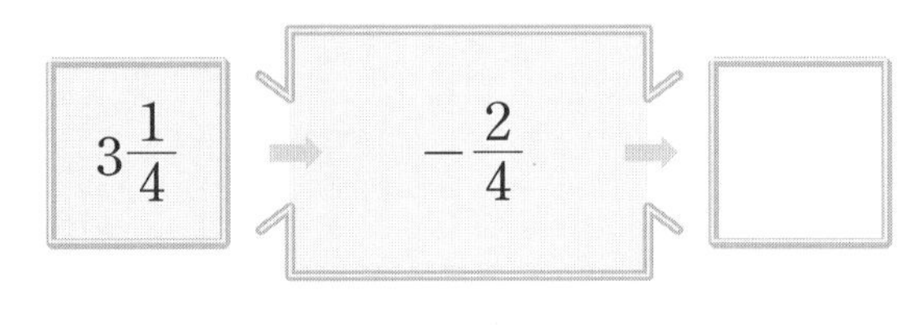

3-1 잘못된 부분을 바르게 고쳐 계산해 보세요.

$2\frac{2}{6}-1\frac{5}{6}=2\frac{8}{6}-1\frac{5}{6}=1\frac{3}{6}$

➔ ______________________

3-2 잘못된 부분을 바르게 고쳐 계산해 보세요.

$4\frac{5}{7}-2\frac{6}{7}=4\frac{12}{7}-2\frac{6}{7}=2\frac{6}{7}$

➔ ______________________

4-1 계산 결과의 크기를 비교하여 ○ 안에 >, =, <를 알맞게 써넣으세요.

$4\frac{3}{8}-1\frac{6}{8}$ 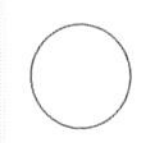 $3\frac{1}{8}-\frac{5}{8}$

4-2 계산 결과가 더 큰 식을 말한 사람의 이름을 써 보세요.

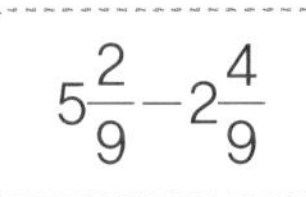

$4\frac{6}{9}-\frac{7}{9}$

수현

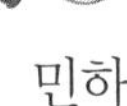

민하

(　　　　　　　　　　)

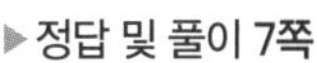

▶정답 및 풀이 7쪽

연산 → 문장제 연습 '남은 양, 얼마 더 많은지'를 구할 때는 뺄셈으로 구하자.

연산 계산해 보세요.

$3\frac{1}{5}-1\frac{2}{5}=\square$

이 뺄셈식은 어떤 상황에서 이용될까요?

5-1 길이가 $3\frac{1}{5}$ m인 끈이 있습니다. $1\frac{2}{5}$ m를 사용하였다면 남은 끈은 몇 m인가요?

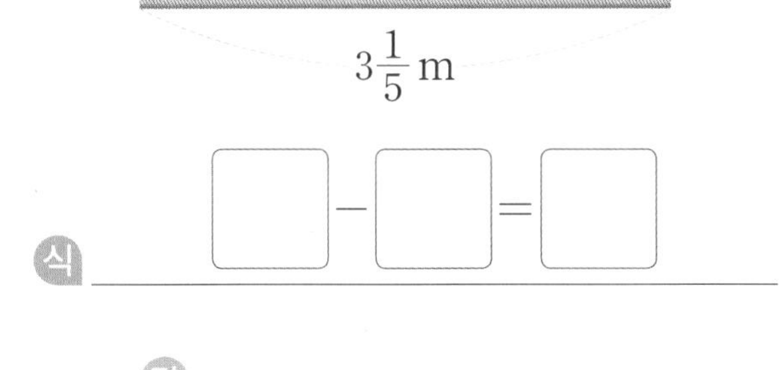

식 $\square-\square=\square$

답 ____________

5-2 소고기가 $2\frac{3}{10}$ kg 있고, 돼지고기가 $1\frac{7}{10}$ kg 있습니다. 소고기는 돼지고기보다 몇 kg 더 많나요?

식 ____________

답 ____________

5-3 생수통에 물이 $2\frac{3}{7}$ L 들어 있습니다. 우진이네 가족이 $1\frac{5}{7}$ L 마셨다면 생수통에 남아 있는 물은 몇 L인가요?

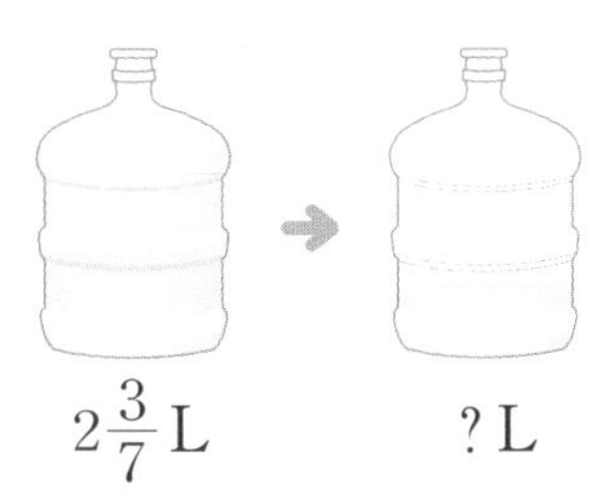

식 ____________

답 ____________

1주 5일

1주 평가

누구나 100점 맞는 테스트

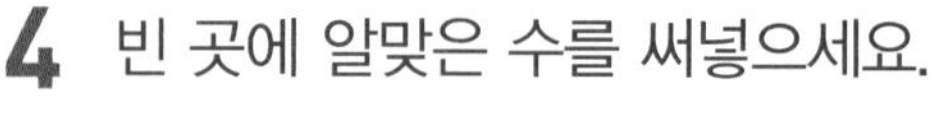

1 그림을 보고 □ 안에 알맞은 수를 써넣으세요.

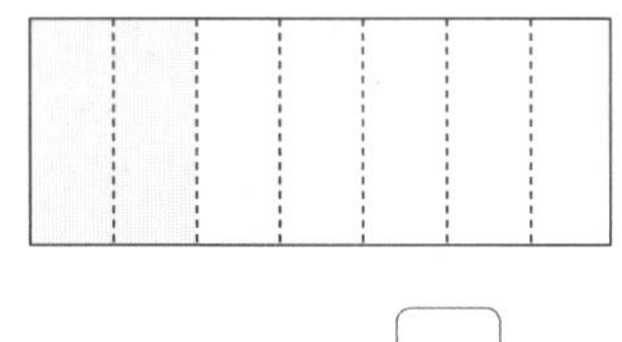

$$\frac{2}{7}+\frac{2}{7}=\frac{\square}{7}$$

2 □ 안에 알맞은 수를 써넣으세요.

$$\frac{6}{8}-\frac{2}{8}=\frac{\square-\square}{8}=\frac{\square}{8}$$

3 계산해 보세요.

(1) $\frac{3}{5}+\frac{4}{5}$

(2) $2\frac{5}{6}-1\frac{1}{6}$

4 빈 곳에 알맞은 수를 써넣으세요.

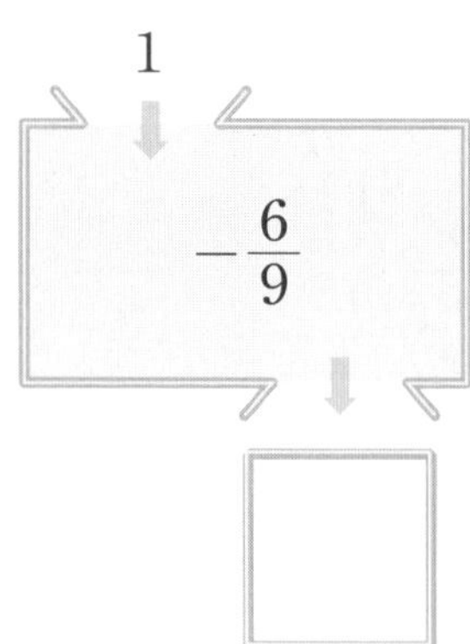

5 정우가 어머니 심부름으로 집에서 마트에 들렀다가 이모 댁에 가려고 합니다. 정우가 가야 하는 거리는 몇 km인가요?

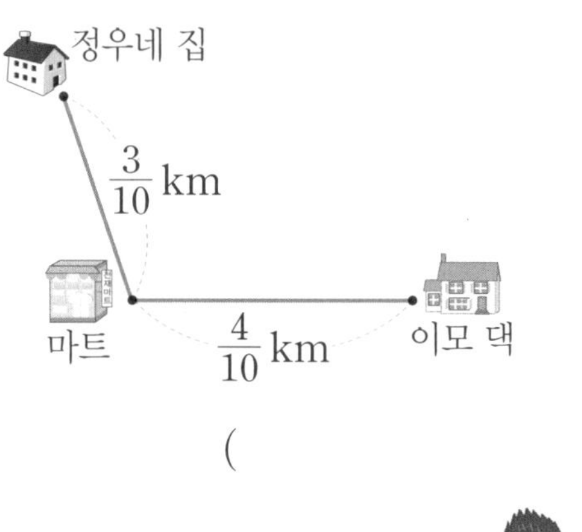

(　　　　　　　　　　)

(우리 집~마트까지 거리)+(마트~이모 댁까지 거리)를 구하면 돼~

▶정답 및 풀이 7쪽

6 빈 곳에 알맞은 수를 써넣으세요.

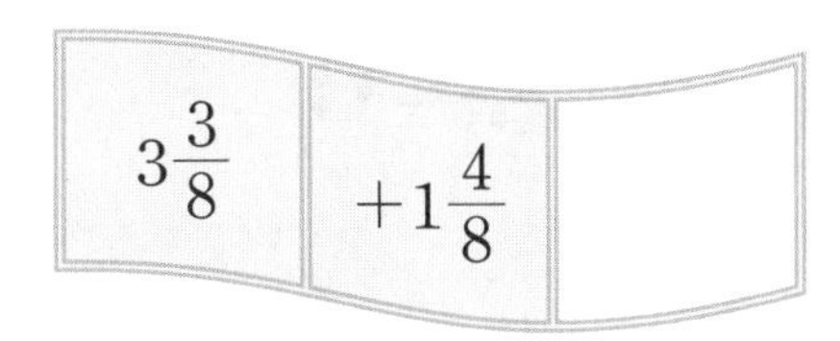

7 □ 안에 알맞은 수를 써넣으세요.

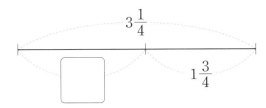

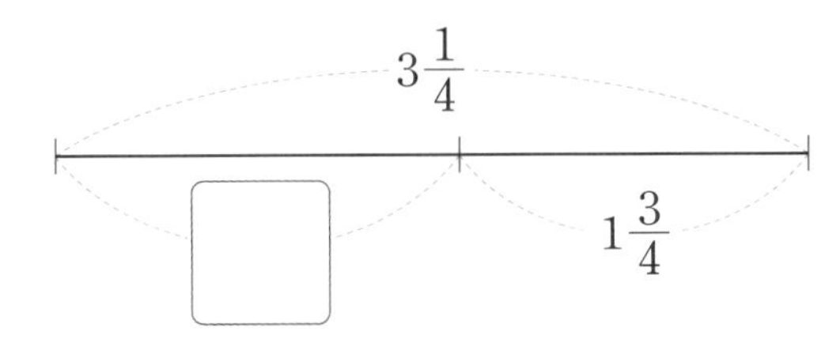

8 계산 결과가 대분수인 것을 찾아 기호를 써 보세요.

㉠ $\frac{4}{9}+\frac{3}{9}$

㉡ $\frac{5}{6}+\frac{2}{6}$

( )

9 계산 결과의 크기를 비교하여 ○ 안에 >, =, <를 알맞게 써넣으세요.

$1\frac{4}{7}+1\frac{5}{7}$ ○ $4-\frac{4}{7}$

10 빈 바구니의 무게는 $\frac{2}{9}$ kg입니다. 바구니에 감을 담고 무게를 재었더니 $1\frac{1}{9}$ kg이었습니다. 감의 무게는 몇 kg인가요?

사막 통과 게임~ 물 좀 주라!

주호는 사막 통과 게임 중입니다.

주호에게 주어진 퀘스트 내용에 맞는 식을 쓰고 답을 구하세요.

분수의 덧셈식: ☐ + ☐

답 ________________

내 친구의 자리는?

유라네 학교 학생들이 모여서 관현악 합주회를 준비하려고 합니다.

위의 빈 자리에 유라 , 은지 , 지호 , 준수 의 이름을 써 넣고, 유라와 준수의 자리 번호를 분자로 하는 분수의 뺄셈식을 완성하고 계산해 보세요.

분수의 뺄셈식: $\frac{\square}{8}-\frac{\square}{8}$

답 ____________________

특강 창의·융합·코딩

재준이가 가 라면과 나 라면의 봉지에 적힌 라면 조리법을 조사하였더니 다음과 같았습니다. 가 라면과 나 라면을 끓일 때 넣어야 하는 물의 양은 몇 컵 차이가 나는지 구하세요.

가 라면

조리법

① 물 550mL

물 $2\frac{3}{4}$컵에 다시마와 건더기스프를 넣고 물을 끓인 후

나 라면

① 물 500mL

물 $2\frac{2}{4}$컵에 건더기스프를 넣고 물을 끓인 후

답 ______________

다음 분수 카드로 만든 계산식을 보고 ★에 알맞은 수를 구하세요.

____

분모가 같은 분수의 덧셈은 분모는 그대로 두고 분자끼리 더해~

▶정답 및 풀이 8쪽

코딩 5 규칙에 따라 수를 계산하는 코딩입니다. 이 코딩을 실행해서 나온 수를 구하세요.

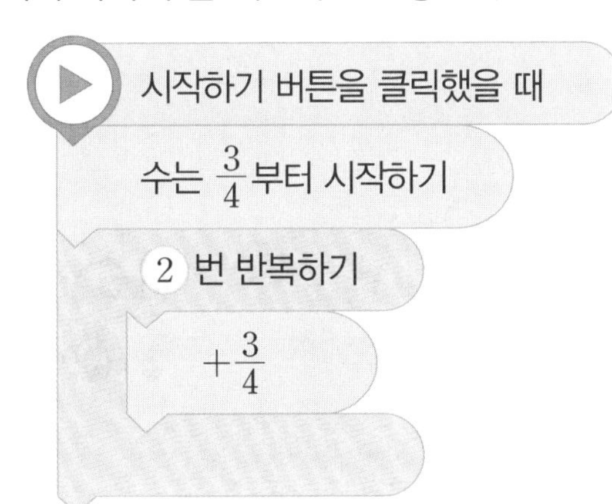

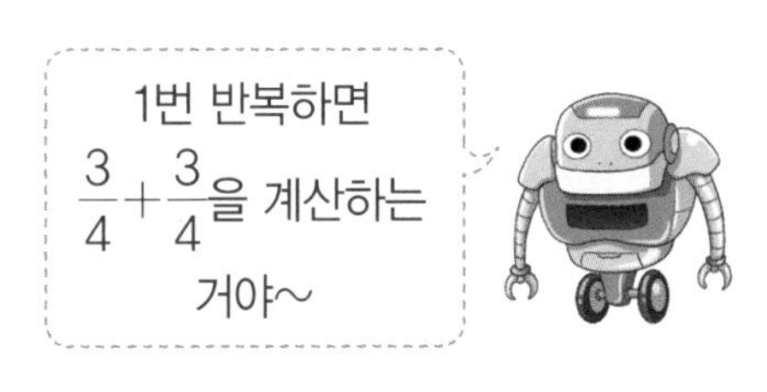

답 ____________

융합 6 민우가 식물원에 놀러 갔습니다. 주제별 식물원의 거리가 다음과 같습니다. 지중해 관의 거리와 아메리카 관의 거리를 합하면 몇 km인가요?

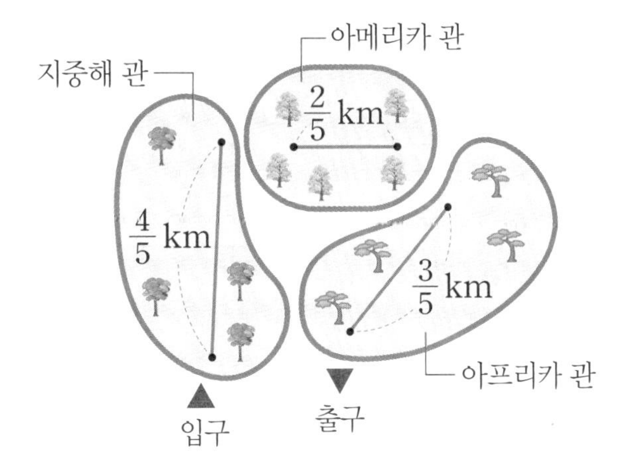

답 ____________

융합 7 3 m 높이에서 공을 떨어뜨렸더니 다음과 같이 튀어 올랐습니다. 떨어진 높이와 튀어 오른 높이의 차는 몇 m인가요?

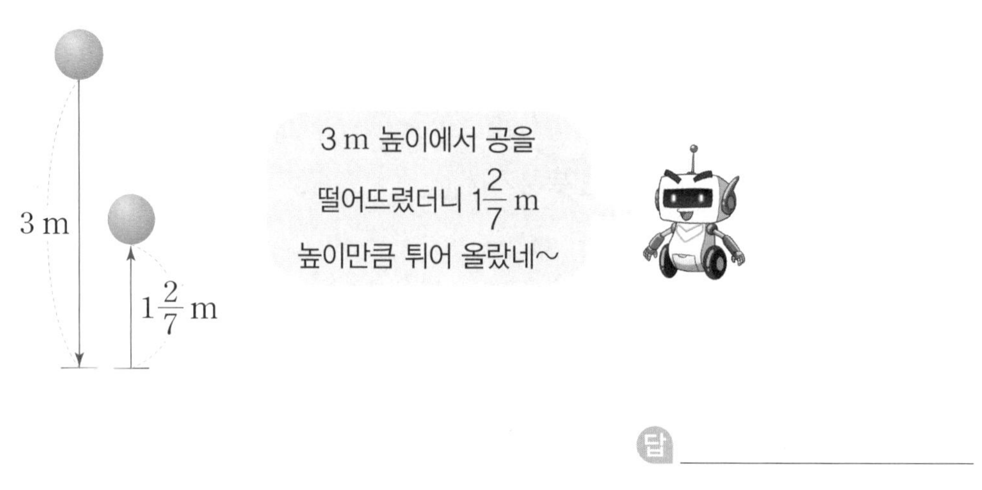
3 m
$1\frac{2}{7}$ m
3 m 높이에서 공을
떨어뜨렸더니 $1\frac{2}{7}$ m
높이만큼 튀어 올랐네~

답 ______________

코딩 8 분모가 같은 분수의 덧셈 $\frac{2}{7}+\frac{4}{7}$를 계산하는 과정입니다. □ 안에 알맞은 알파벳을 써넣으세요.

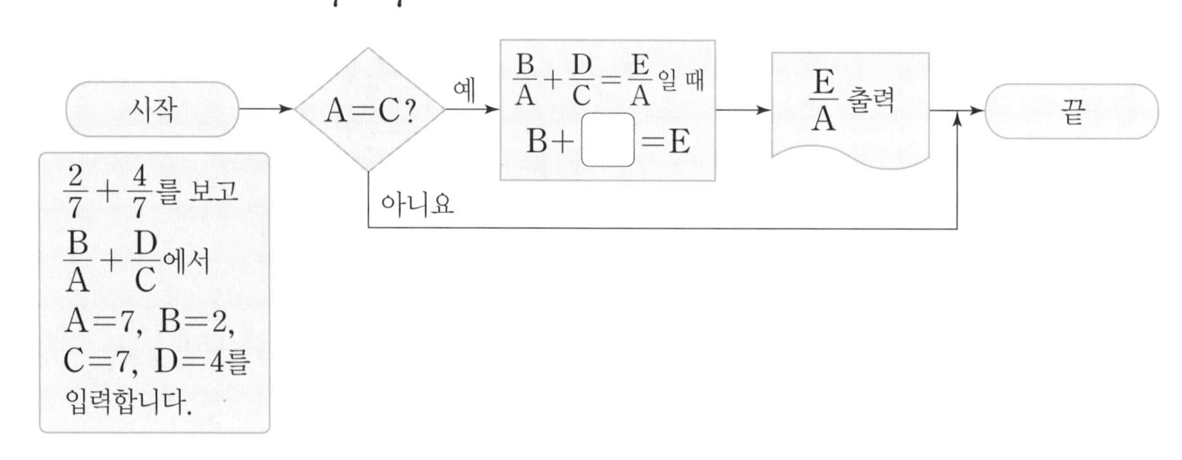
시작
$\frac{2}{7}+\frac{4}{7}$를 보고
$\frac{B}{A}+\frac{D}{C}$에서
A=7, B=2,
C=7, D=4를
입력합니다.
A=C?
예
아니요
$\frac{B}{A}+\frac{D}{C}=\frac{E}{A}$일 때
B+□=E
$\frac{E}{A}$ 출력
끝

▶정답 및 풀이 8쪽

경훈이가 똑같은 책 11권의 무게를 재어 보니 $6\frac{3}{5}$ kg이었습니다. 책 한 권의 무게가 $\frac{3}{5}$ kg일 때 책 9권의 무게는 몇 kg인가요?

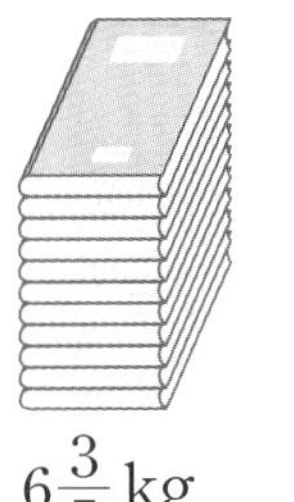

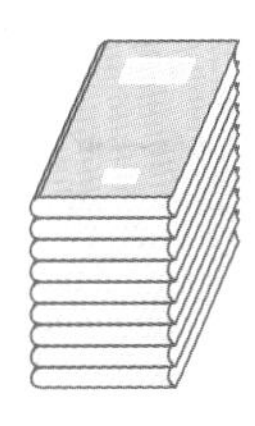

$6\frac{3}{5}$ kg

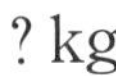

? kg

 ____________________

보라색 철사로 한 변의 길이가 $\frac{3}{8}$ m인 정삼각형을 만들려고 합니다. 보라색 철사는 몇 m 필요한가요?

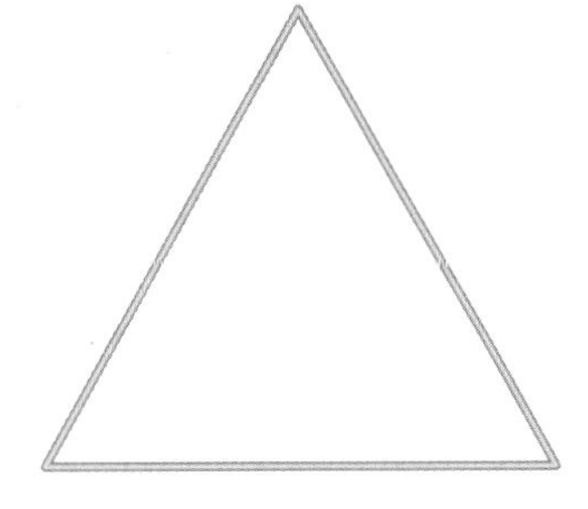

정삼각형이니까
세 변의 길이가
같겠네~

 ____________________

삼각형 / 소수의 덧셈과 뺄셈

2주에는 무엇을 공부할까? ①

- 1일 삼각형 분류하기, 이등변삼각형 / 정삼각형의 성질
- 2일 삼각형 분류하기
- 3일 소수 두 자리 수, 소수 세 자리 수
- 4일 소수의 크기 비교, 소수 사이의 관계
- 5일 소수 한 자리 수의 덧셈, 뺄셈

2주에는 무엇을 공부할까? ②

4-1 각도

삼각형은 곧은 선 3개로 둘러 싸인 도형으로 각은 3개가 있지.

삼각형의 세 각의 크기의 합은 180°야.

1-1 그림을 보고 □ 안에 알맞은 수를 써넣으세요.

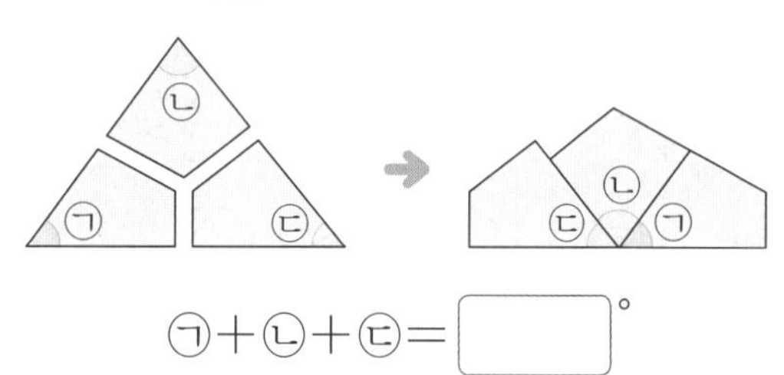

㉠+㉡+㉢= □°

1-2 삼각형을 보고 세 각의 크기의 합을 구하세요.

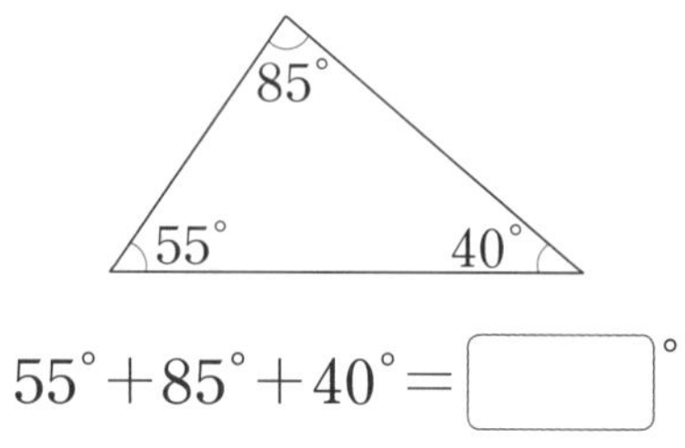

$55° + 85° + 40° = $ □°

2-1 예각에 ○표 하세요.

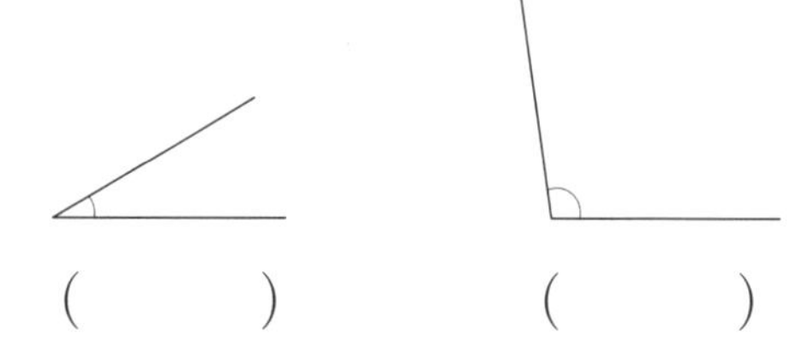

( ) ( )

2-2 둔각에 ○표 하세요.

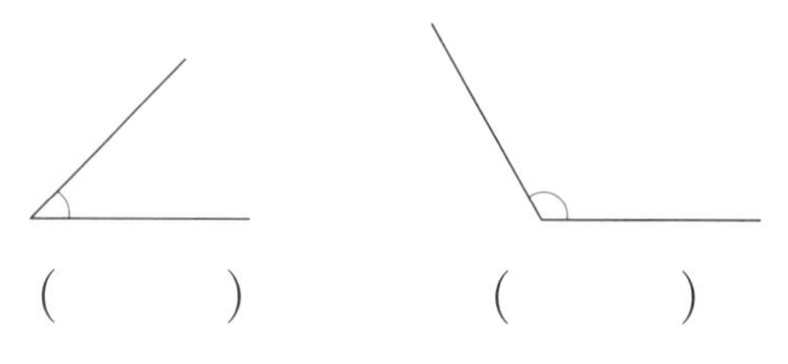

( ) ( )

▶정답 및 풀이 9쪽

3-1 분수와 소수

분수 $\frac{1}{10}$을 0.1이라 쓰고 영 점 일이라고 읽어.

0.1, 0.2, 0.3과 같은 수를 소수라고 해.

3-1 그림을 보고 □ 안에 알맞은 소수를 써넣으세요.

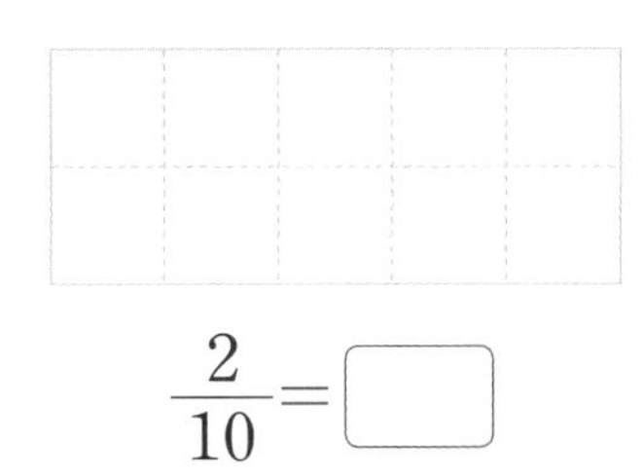

$\frac{2}{10}=$ □

3-2 그림을 보고 □ 안에 알맞은 소수를 써넣으세요.

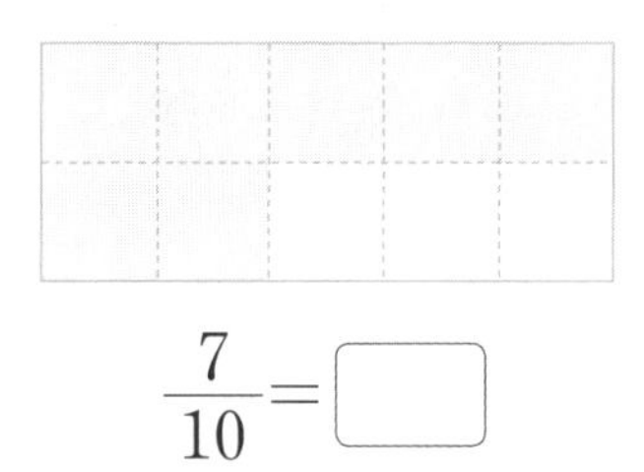

$\frac{7}{10}=$ □

4-1 소수를 읽어 보세요.

0.3

(　　　　　　　　)

4-2 같은 것끼리 선으로 이어 보세요.

$\frac{6}{10}$ •	• 0.6 •	• 영 점 구
$\frac{9}{10}$ •	• 0.9 •	• 영 점 육

변의 길이에 따라 삼각형 분류하기

교과서 기초 개념

• 이등변삼각형

두 변의 길이가 **같은** 삼각형

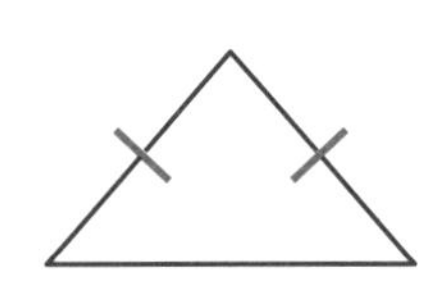

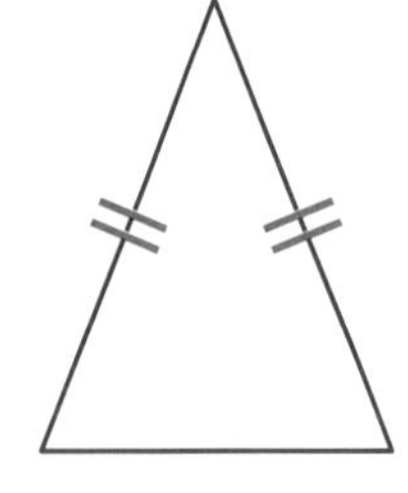

• 정삼각형

세 변의 길이가 **같은** 삼각형

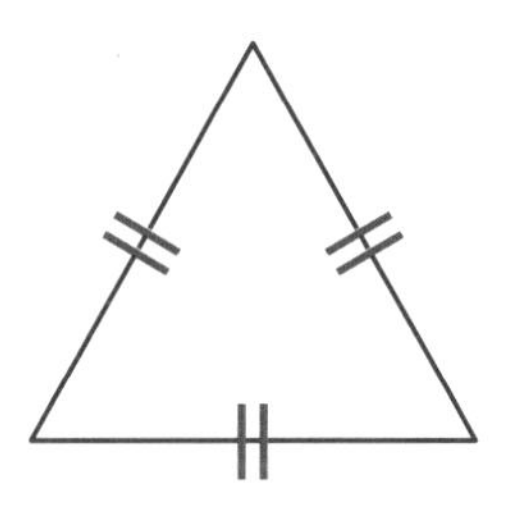

정삼각형은 두 변의 길이가 같으므로
이등변삼각형이라고 할 수 있어.

개념 · 원리 확인

▶정답 및 풀이 9쪽

1-1 이등변삼각형을 찾아 기호를 써 보세요.

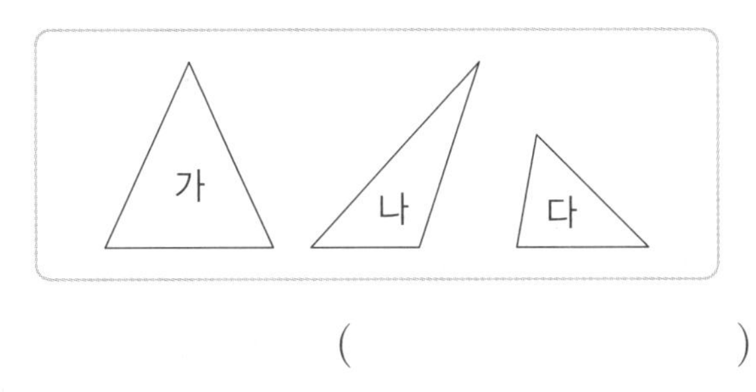

( )

1-2 정삼각형을 찾아 기호를 써 보세요.

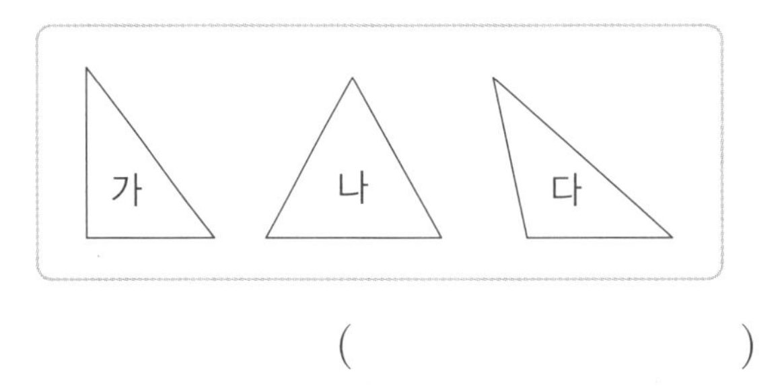

( )

2-1 이등변삼각형입니다. 빨간색 변과 길이가 같은 변에 ◯표 하세요.

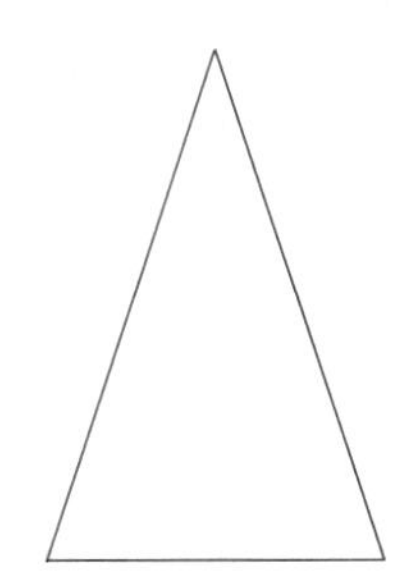

2-2 정삼각형입니다. 빨간색 변과 길이가 같은 변을 모두 찾아 ◯표 하세요.

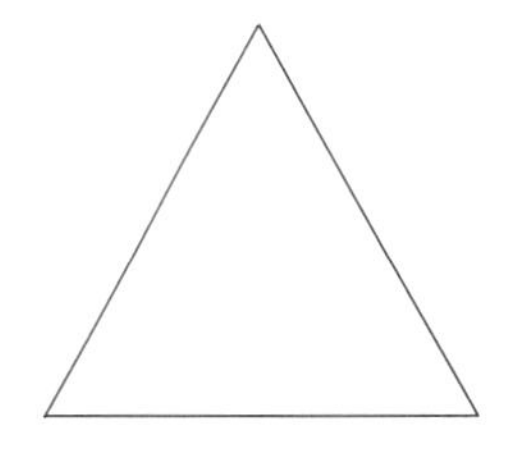

3-1 이등변삼각형입니다. □ 안에 알맞은 수를 써넣으세요.

(1)

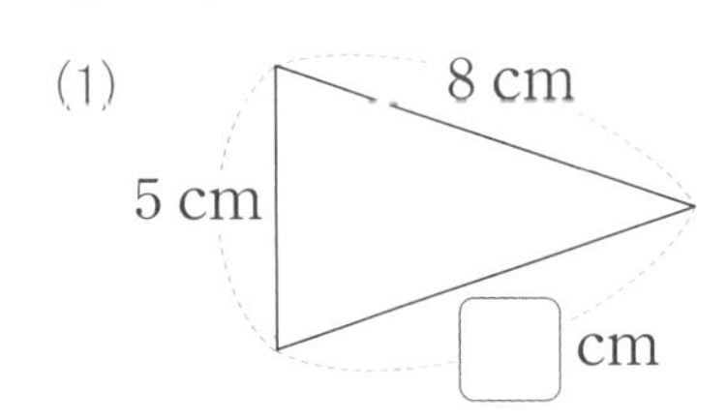

(2)

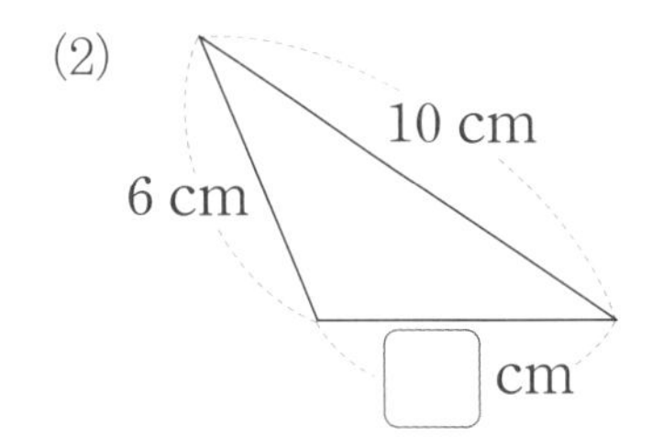

3-2 정삼각형입니다. □ 안에 알맞은 수를 써넣으세요.

(1)

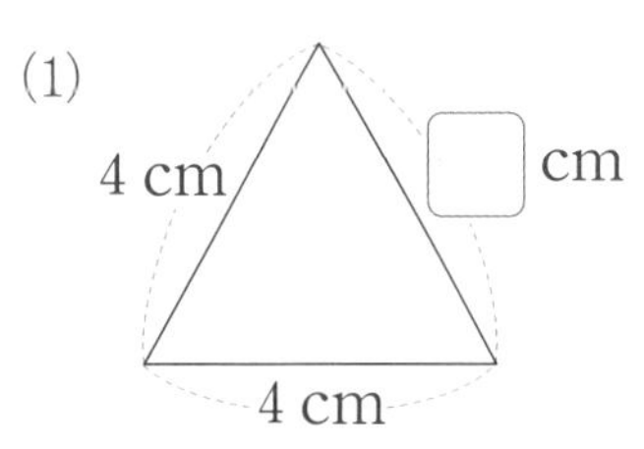

(2)

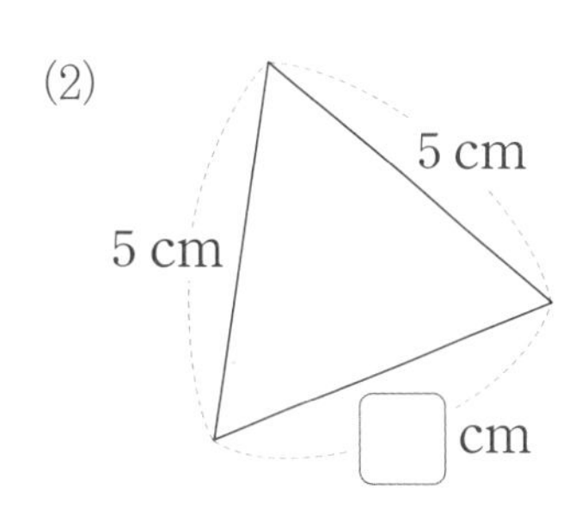

이등변삼각형 / 정삼각형의 성질

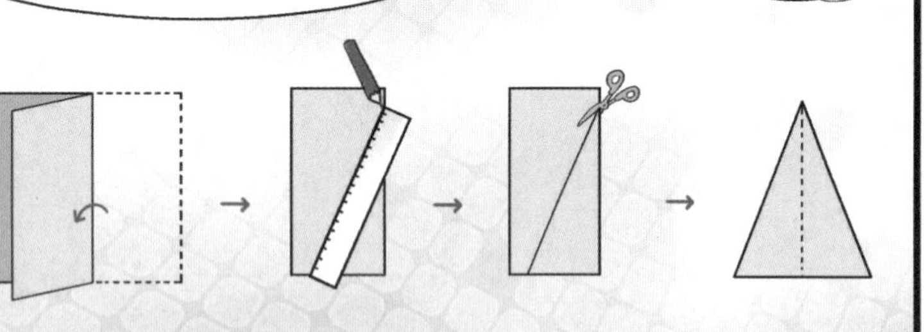

교과서 기초 개념

• 이등변삼각형의 성질

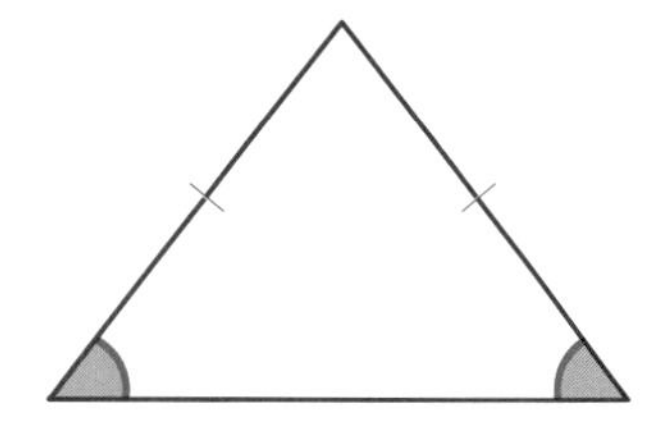

① 두 변의 길이가 같습니다.
② **두 각의 크기가 같습니다.**

크기가 같은 두 각은 길이가 같은
두 변과 함께 하는 각이야.

• 정삼각형의 성질

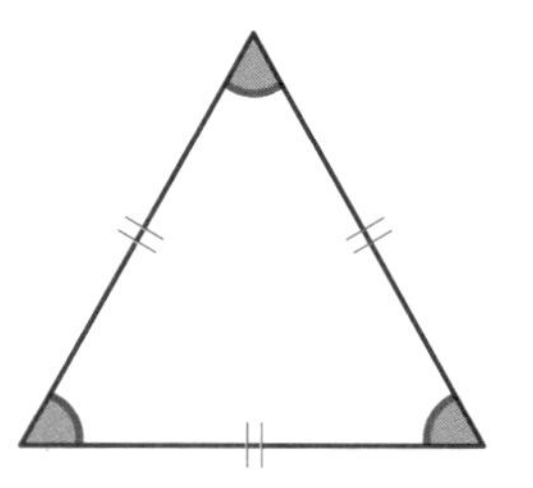

① 세 변의 길이가 같습니다.
② **세 각의 크기가 같습니다.**

참고 (정삼각형의 한 각의 크기)

$=180^\circ \div 3 =$ ❶ $\square^\circ$

└ 삼각형의 세 각의 크기의 합

정답 ❶ 60

개념 · 원리 확인

▶정답 및 풀이 9쪽

1-1 이등변삼각형입니다. 크기가 같은 두 각에 ∠ 표 하세요.

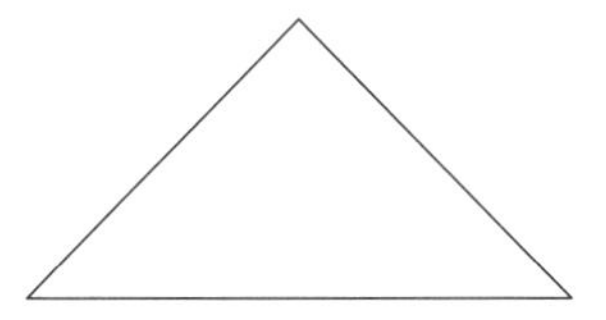

1-2 정삼각형입니다. 크기가 같은 각을 모두 찾아 ∠ 표 하세요.

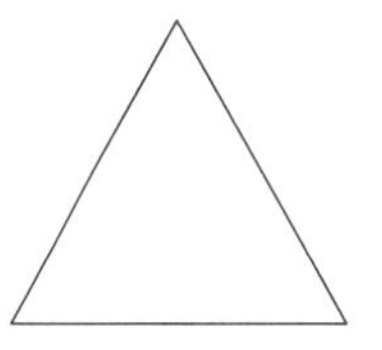

2-1 이등변삼각형입니다. 각도기를 사용하여 각의 크기를 재어 알맞은 말에 ○표 하세요.

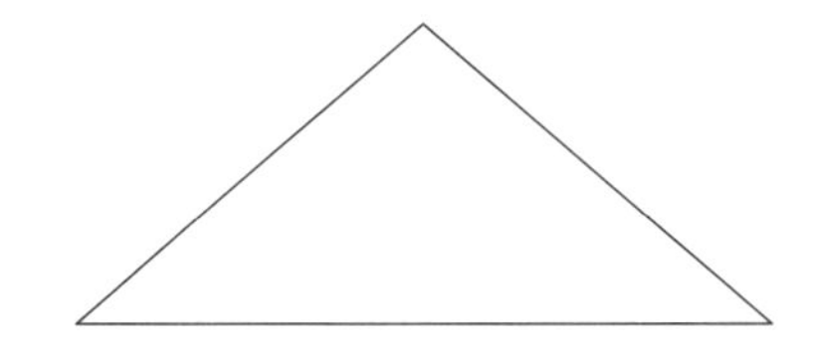

이등변삼각형은 (두 , 세) 각의 크기가 같습니다.

2-2 정삼각형입니다. 각도기를 사용하여 각의 크기를 재어 알맞은 말에 ○표 하세요.

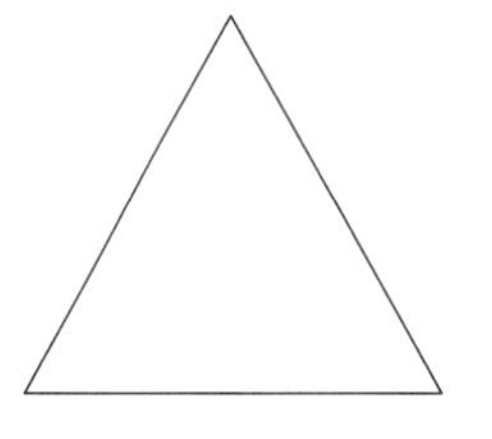

정삼각형은 세 각의 크기가 (같습니다 , 다릅니다).

3-1 이등변삼각형입니다. □ 안에 알맞은 수를 써넣으세요.

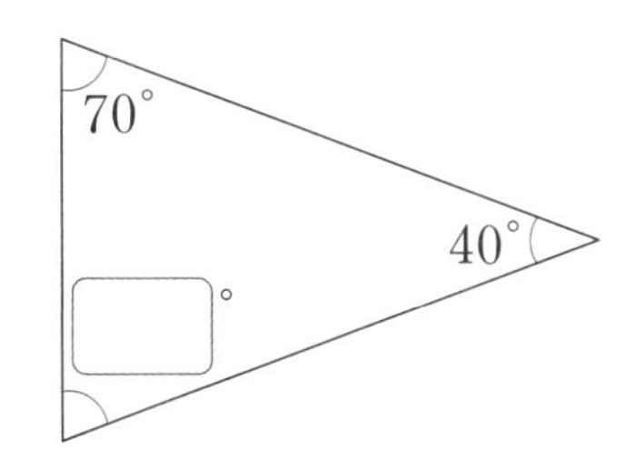

3-2 정삼각형입니다. □ 안에 알맞은 수를 써넣으세요.

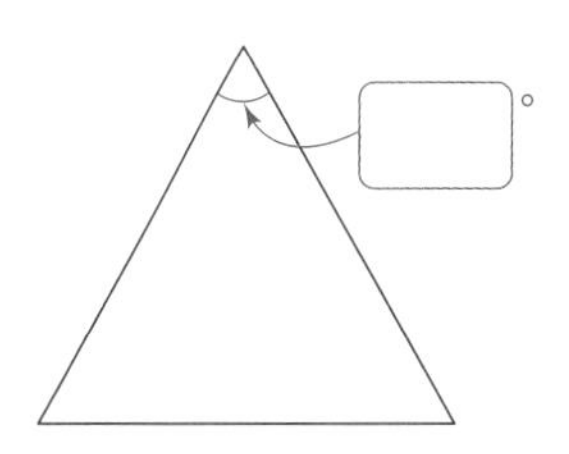

기초 집중 연습

기본 문제 연습

[1-1~1-2] 자를 사용하여 이등변삼각형과 정삼각형을 모두 찾아 기호를 써 보세요.

1-1

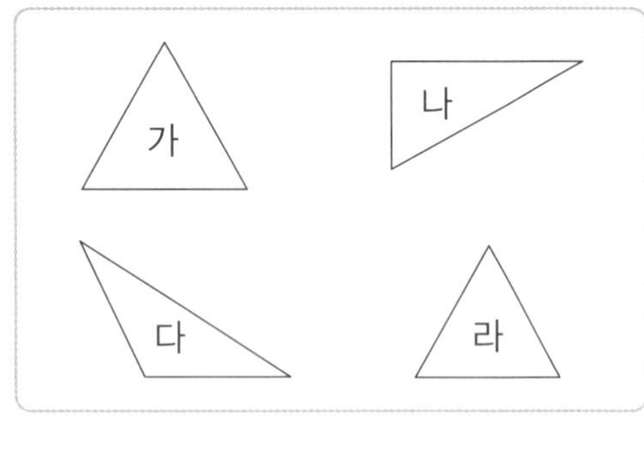

이등변삼각형 (　　　　　　　　　　)

정삼각형 (　　　　　　　　　　)

1-2

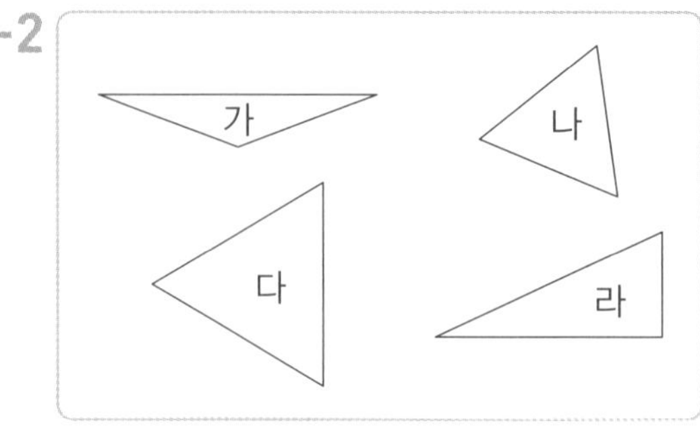

이등변삼각형 (　　　　　　　　　　)

정삼각형 (　　　　　　　　　　)

2-1 □ 안에 알맞은 수를 써넣으세요.

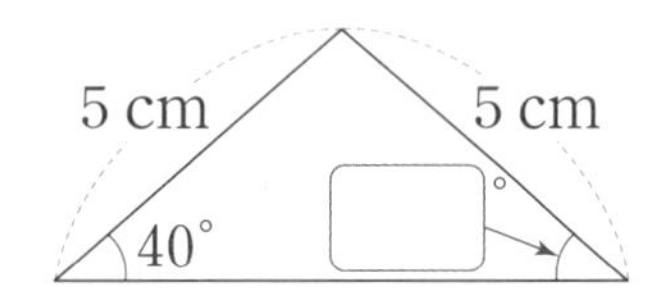

2-2 □ 안에 알맞은 수를 써넣으세요.

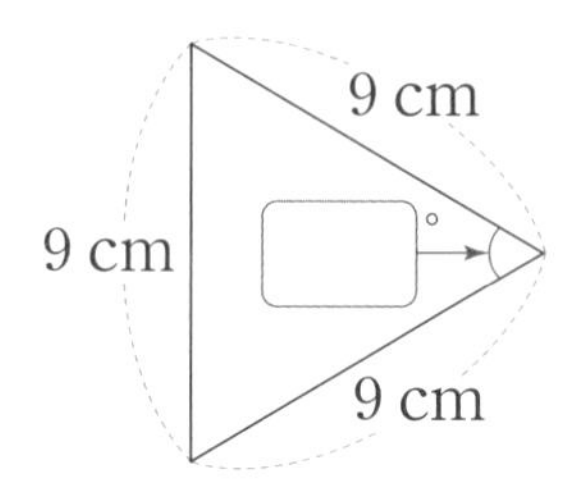

3-1 이등변삼각형입니다. ㉠의 각도를 알아보세요.

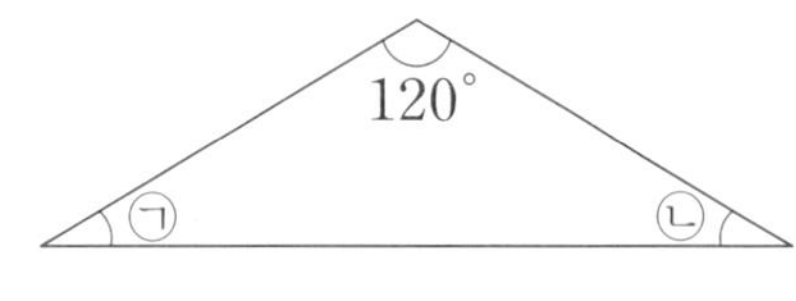

(1) ㉠과 ㉡의 각도의 합을 구하세요.

(　　　　　　　　　　)

(2) ㉠의 각도를 구하세요.

(　　　　　　　　　　)

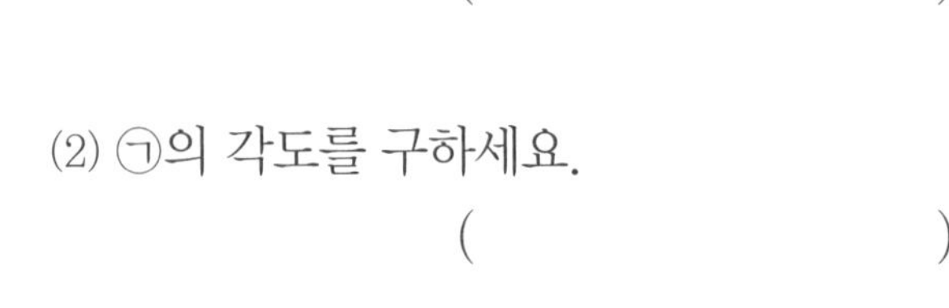

3-2 이등변삼각형입니다. □ 안에 알맞은 수를 써넣으세요.

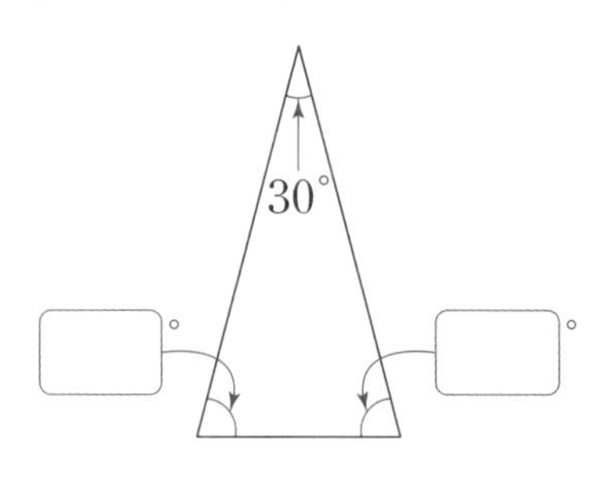

▶ 정답 및 풀이 10쪽

기초 → 문장제 연습 정삼각형은 세 변의 길이가 같은 삼각형

기초 정삼각형입니다. □ 안에 알맞은 수를 써넣으세요.

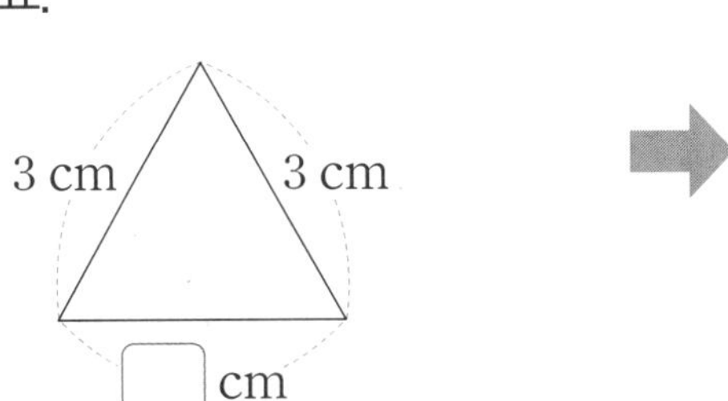

정삼각형은 세 변의 길이가 같아요.

4-1 한 변의 길이가 3 cm인 정삼각형의 세 변의 길이의 합은 몇 cm인가요?

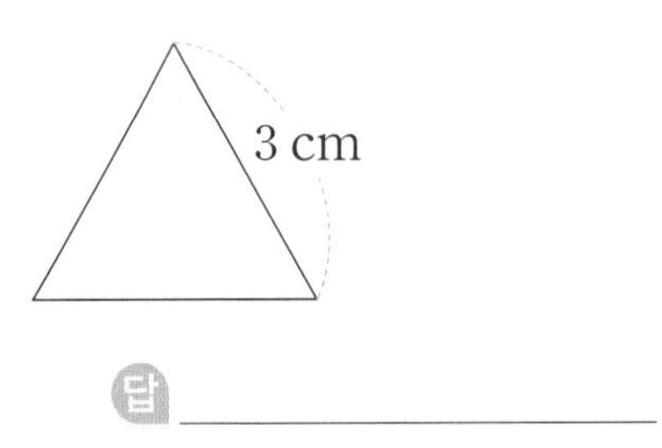

답 ____________________

4-2 한 변의 길이가 8 cm인 정삼각형의 세 변의 길이의 합은 몇 cm인가요?

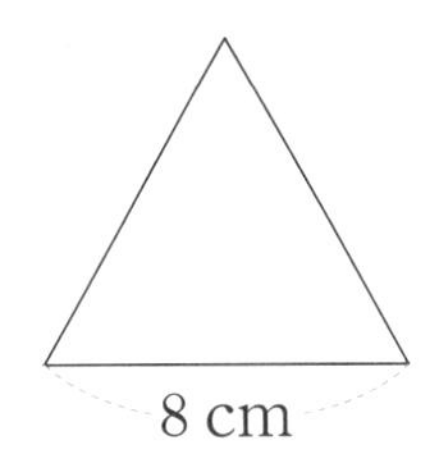

답 ____________________

4-3 세 변의 길이의 합이 39 cm인 정삼각형입니다. 이 정삼각형의 한 변의 길이는 몇 cm인가요?

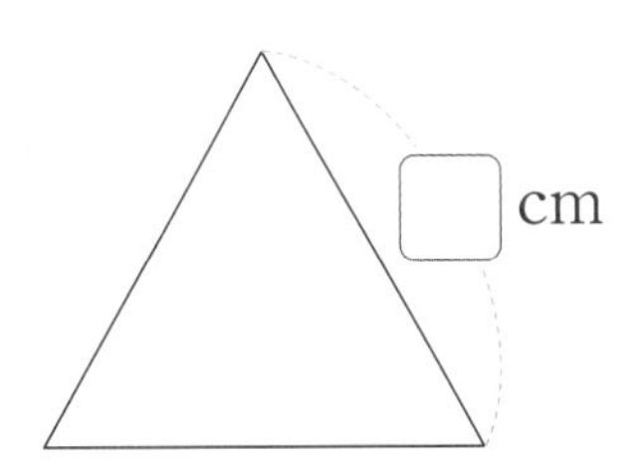

답 ____________________

각의 크기에 따라 삼각형 분류하기

와~
과자 집이다!

진짜로
과자야.
뚝

예각삼각형과 둔각삼각형이네~
예각삼각형은 세 각이 모두 예각인 삼각형이고,
둔각삼각형은 한 각이 둔각인 삼각형이야.
예각
예각
예각
둔각

응~
맛있다.
와삭
이 녀석들!
남의 집을 뜯어
먹다니!
헉!
마녀 할머니다!

교과서 기초 개념

• **예각삼각형**

각도가 0°보다 크고 직각보다 작은 각

세 각이 모두 **예각**인 삼각형

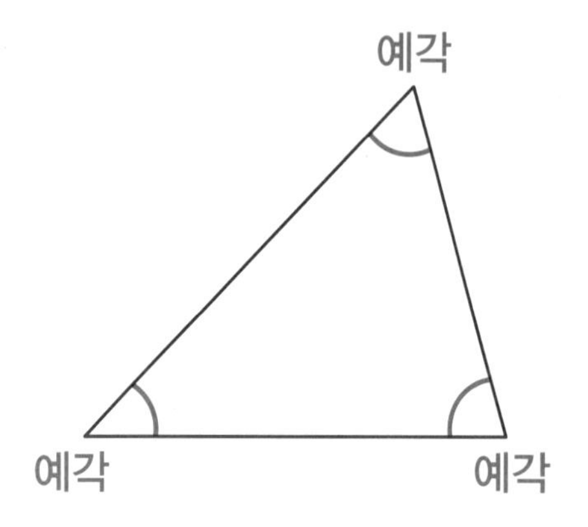
예각
예각
예각

➜ 예각삼각형은 예각이 ❶ [ ] 개 있습니다.

• **둔각삼각형**

각도가 직각보다 크고 180°보다 작은 각

한 각이 **둔각**인 삼각형

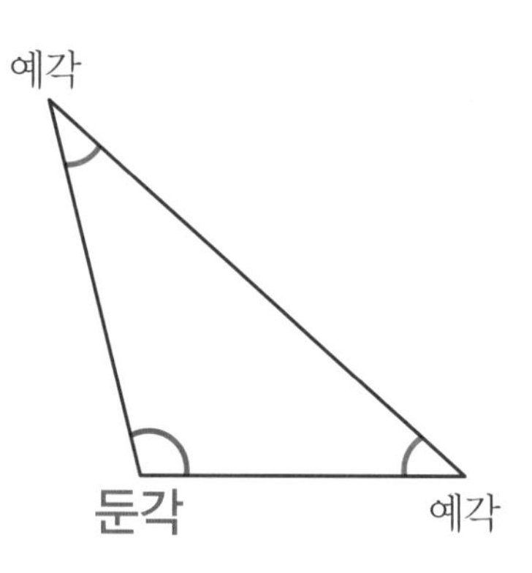
예각
둔각
예각

➜ 둔각삼각형은 둔각이 ❷ [ ] 개, 예각이 2개 있습니다.

정답 ❶ 3 ❷ 1

개념·원리 확인

▶ 정답 및 풀이 10쪽

1-1 예각삼각형을 보고 알맞은 말에 ○표 하세요.

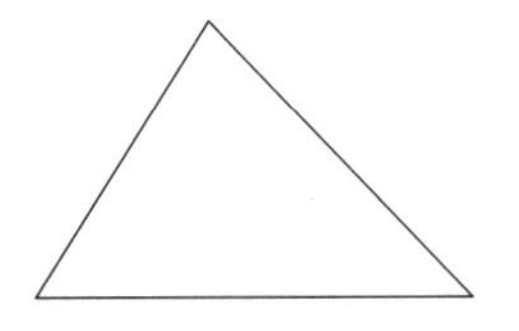

예각삼각형은 (한 , 두 , 세) 각이 모두
(예각 , 둔각)인 삼각형입니다.

1-2 둔각삼각형을 보고 알맞은 말에 ○표 하세요.

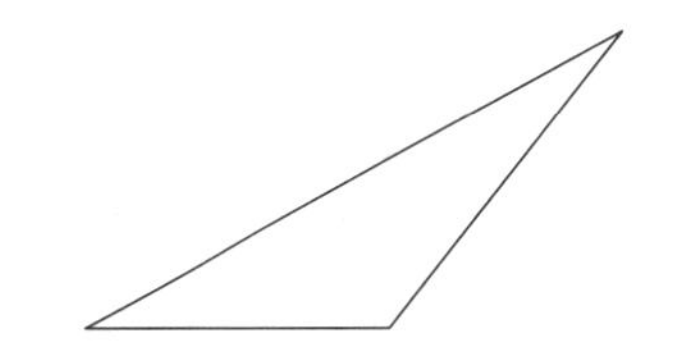

둔각삼각형은 (한 , 두 , 세) 각이
(예각 , 둔각)인 삼각형입니다.

2-1 예각삼각형에 ○표 하세요.

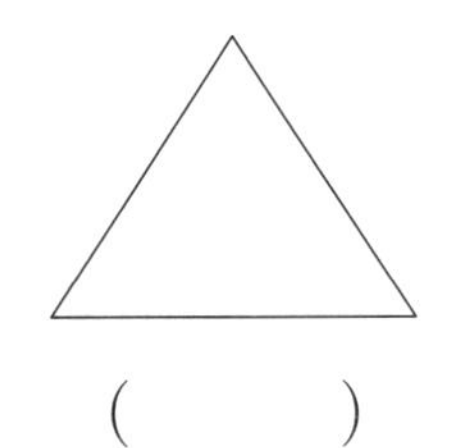

(　　　)

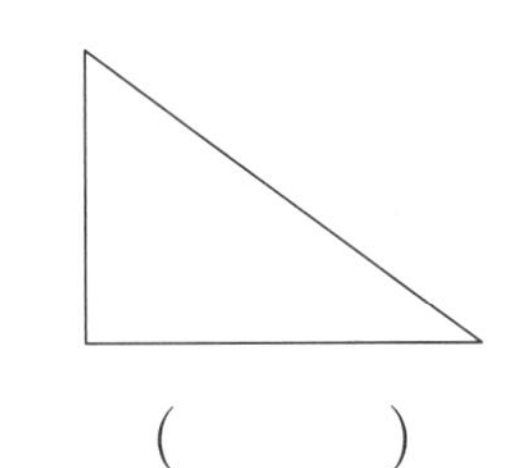

(　　　)

2-2 둔각삼각형에 ○표 하세요.

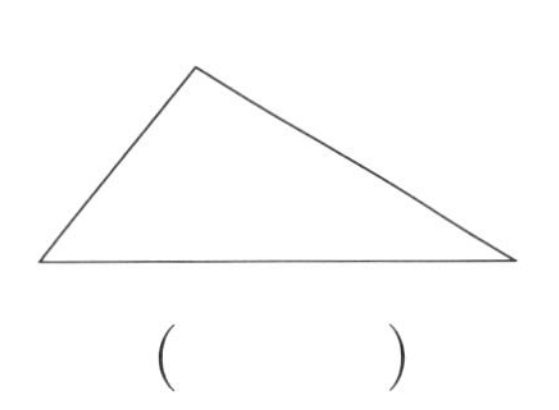

(　　　)

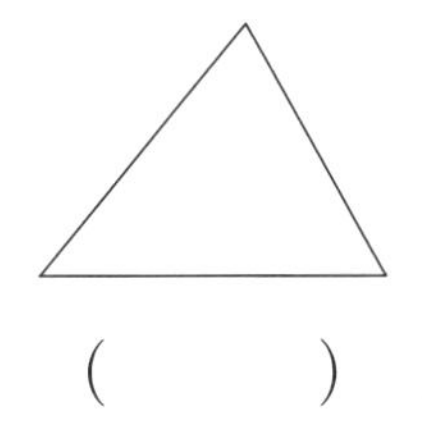

(　　　)

3-1 예각삼각형입니다. 예각을 모두 찾아 ○표 하세요.

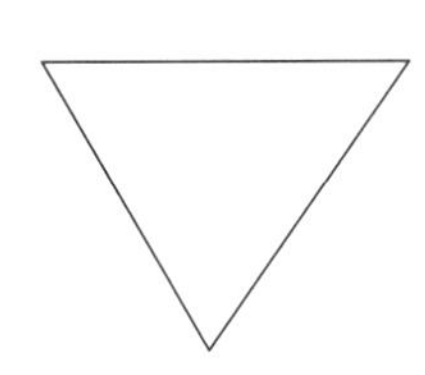

3-2 둔각삼각형입니다. 둔각을 찾아 ○표 하세요.

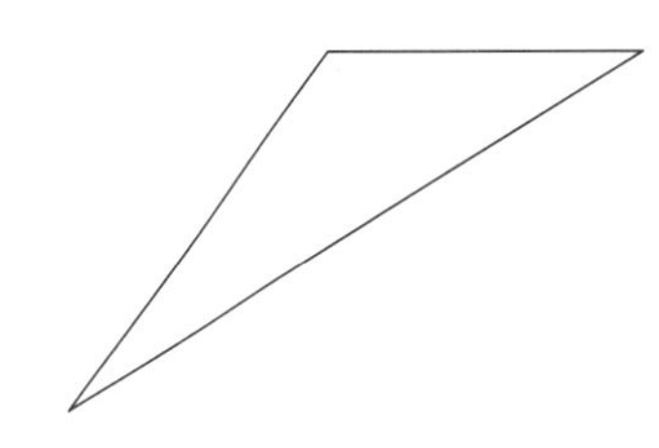

[4-1~4-2] 섬 종이에 주어진 선분을 한 변으로 하는 주어진 삼각형을 그리려고 합니다. 선분의 양 끝점과 어느 점을 이어야 하는지 기호를 써 보세요.

4-1

예각삼각형

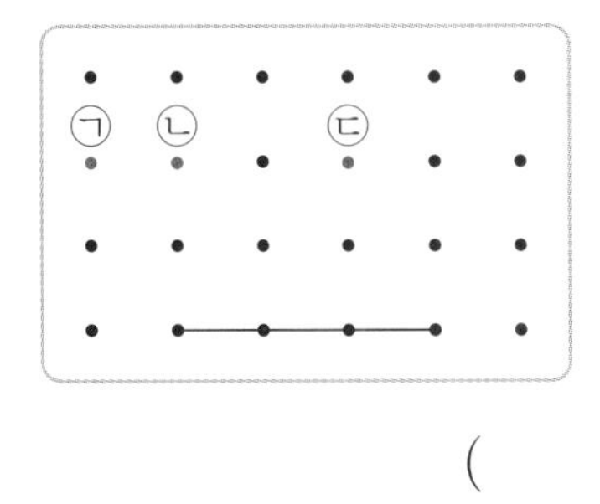

(　　　　　　　)

4-2

둔각삼각형

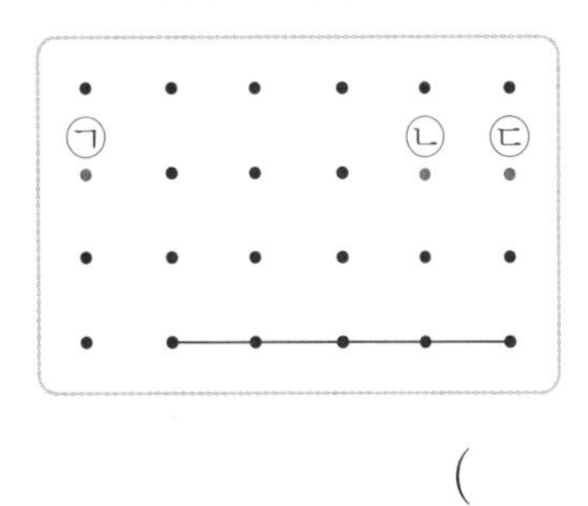

(　　　　　　　)

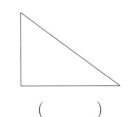

2일 삼각형

두 가지 기준으로 삼각형 분류하기

교과서 기초 개념

• 삼각형을 변의 길이와 각의 크기에 따라 분류하기

	예각삼각형	직각삼각형	둔각삼각형
이등변삼각형	가	나	다
세 변의 길이가 모두 다른 삼각형	라	마	바

(1) 이등변삼각형: 가, 나, 다

(2) 둔각삼각형: 다, ❶ 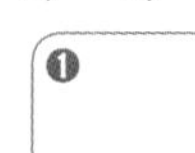

(3) 이등변삼각형이면서 둔각삼각형: ❷

정답 ❶ 바 ❷ 다

개념·원리 확인

▶ 정답 및 풀이 10쪽

1-1 □ 안에 알맞은 삼각형의 이름을 써넣으세요.

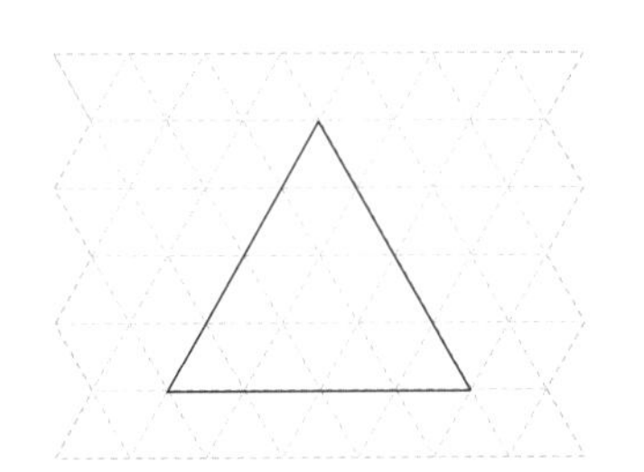

(1) 이 삼각형은 세 변의 길이가 같기 때문에 [　　　　] 입니다.

(2) 이 삼각형은 세 각이 모두 예각이기 때문에 [　　　　] 입니다.

1-2 □ 안에 알맞은 삼각형의 이름을 써넣으세요.

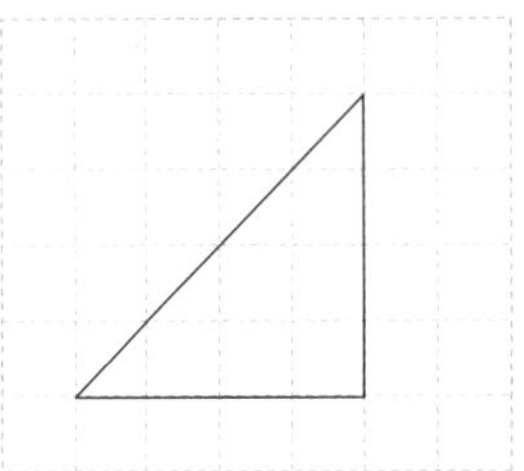

(1) 이 삼각형은 두 변의 길이가 같기 때문에 [　　　　] 입니다.

(2) 이 삼각형은 직각이 있기 때문에 [　　　　] 입니다.

2-1 삼각형을 주어진 기준에 따라 분류하여 기호를 써 보세요.

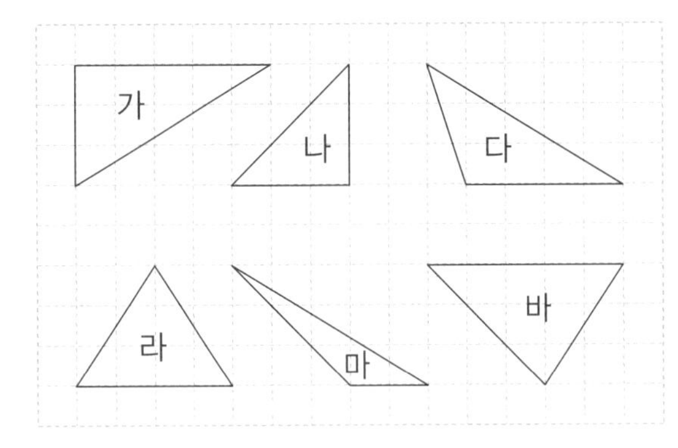

(1) 변의 길이에 따라 분류하기

이등변삼각형	세 변의 길이가 모두 다른 삼각형

(2) 각의 크기에 따라 분류하기

예각삼각형	직각삼각형	둔각삼각형

2-2 삼각형을 변의 길이와 각의 크기에 따라 분류하여 기호를 써 보세요.

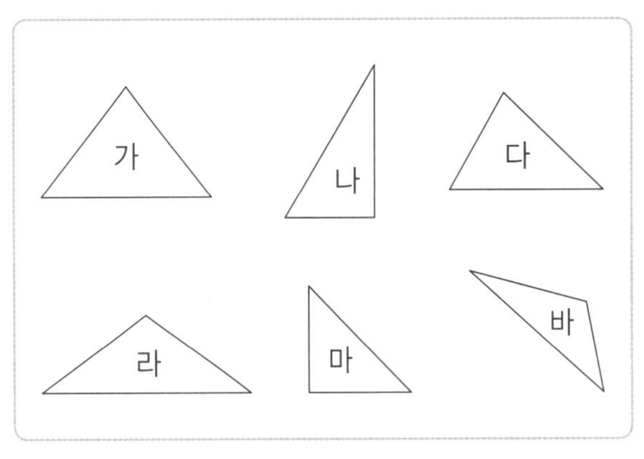

	예각 삼각형	직각 삼각형	둔각 삼각형
이등변삼각형			
세 변의 길이가 모두 다른 삼각형			

2주 2일

2일 기초 집중 연습

기본 문제 연습

[1-1~1-2] 주어진 삼각형은 예각삼각형인지, 둔각삼각형인지 써 보세요.

1-1

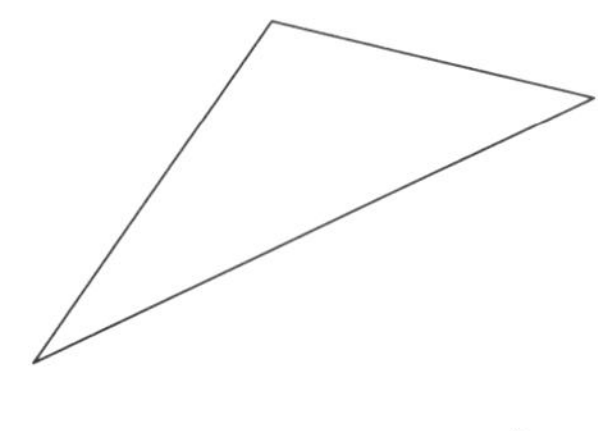

(　　　　　　　　)

1-2

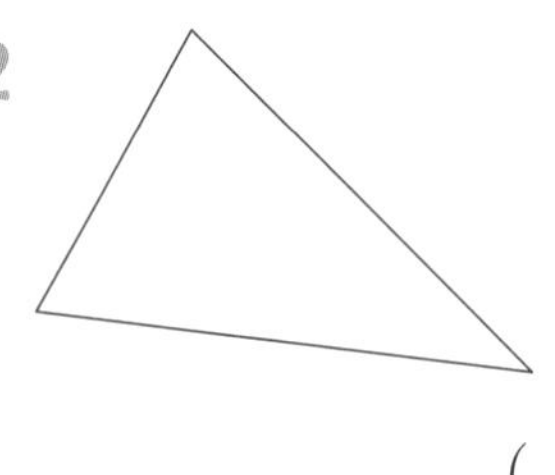

(　　　　　　　　)

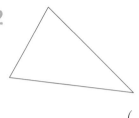

2-1 알맞은 것끼리 선으로 이어 보세요.

이등변삼각형	정삼각형

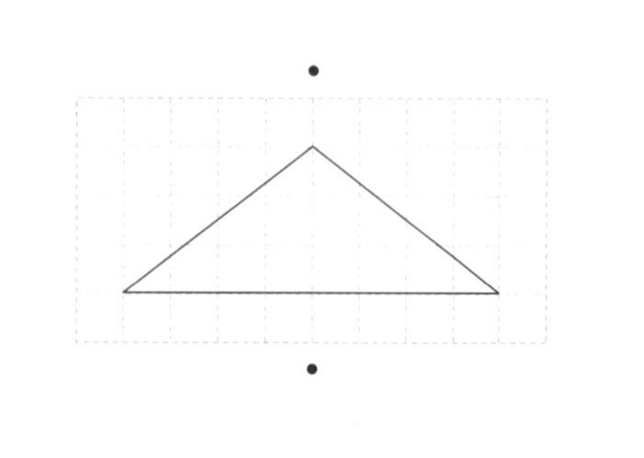

예각삼각형	직각삼각형	둔각삼각형

2-2 삼각형의 이름이 될 수 있는 것에 모두 ○표 하세요.

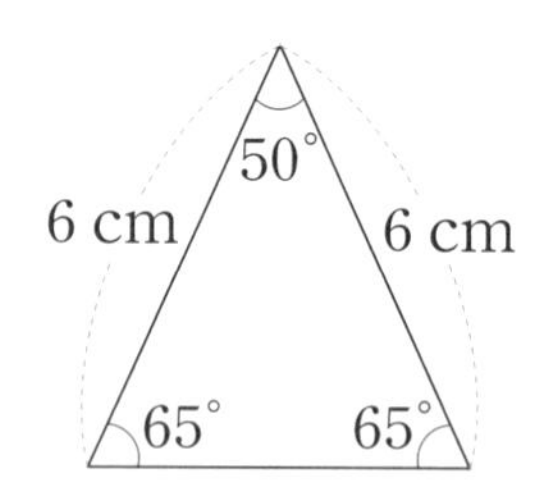

이등변삼각형　정삼각형
예각삼각형　직각삼각형　둔각삼각형

3-1 이등변삼각형이면서 직각삼각형인 것을 찾아 기호를 써 보세요.

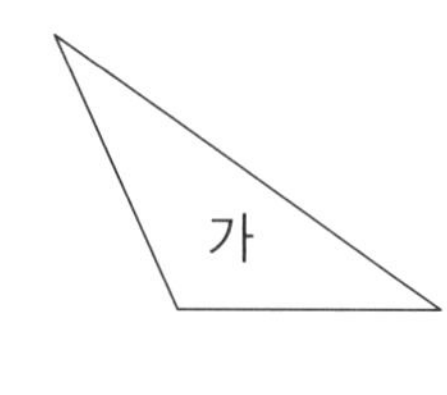

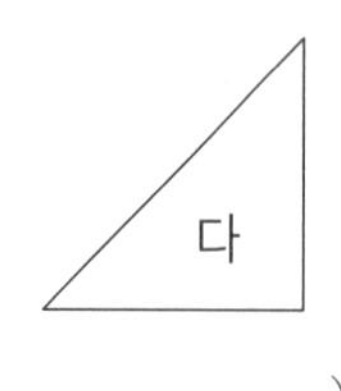

(　　　　　　　　)

3-2 세 변의 길이가 모두 다른 예각삼각형을 찾아 기호를 써 보세요.

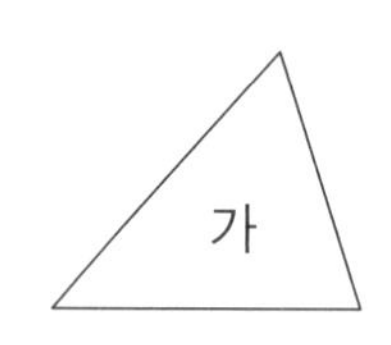

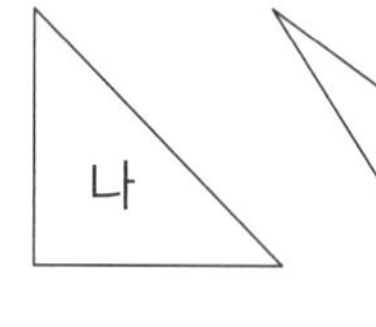

다

(　　　　　　　　)

▶정답 및 풀이 11쪽

기초 → 문장제 연습 삼각형의 세 각의 크기를 확인하여 삼각형을 분류하자.

기초 삼각형의 이름으로 알맞은 것에 ○표 하세요.

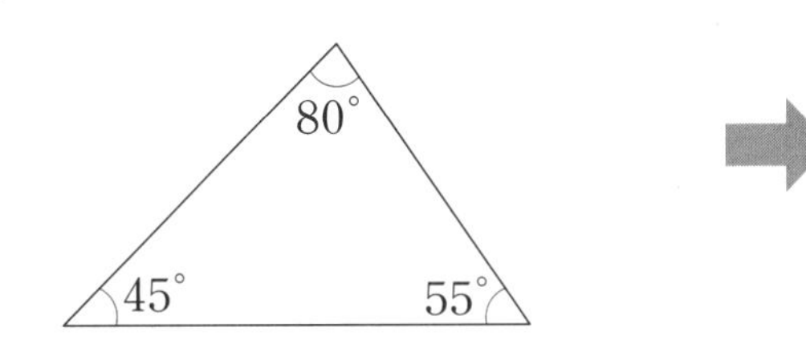

(예각삼각형 , 둔각삼각형)

4-1 세 각의 크기가 다음과 같은 삼각형이 있습니다. 이 삼각형은 예각삼각형인지, 둔각삼각형인지 써 보세요.

80° 45° 55°

답 ______________

4-2 세 각의 크기가 다음과 같은 삼각형이 있습니다. 이 삼각형은 예각삼각형인지, 둔각삼각형인지 써 보세요.

45° 35° 100°

답 ______________

4-3 세 각 중에서 두 각의 크기가 다음과 같은 삼각형이 있습니다. 이 삼각형은 예각삼각형인지, 둔각삼각형인지 알아보세요.

50° 70°

(1) 나머지 한 각의 크기는 몇 도인가요?

답 ______________

(2) 이 삼각형은 예각삼각형인지, 둔각삼각형인지 써 보세요.

답 ______________

3일 소수의 덧셈과 뺄셈

소수 두 자리 수 알아보기

교과서 기초 개념

• 0.01 알아보기

분수 $\frac{1}{100}$은 소수로 0.01이라고 씁니다.

$\frac{1}{100}=$ **0.01** → 읽기 **영 점 영일**

예 분수 $\frac{23}{100}$은 소수로 0.23이라고 씁니다.

$\frac{23}{100}=$ ❶ [ ] → 읽기 **영 점 이삼**

• 1.23 알아보기

$1\frac{23}{100}=$ **1.23** → 읽기 **일 점 이삼**

└ 1과 $\frac{23}{100}$ → 1과 0.23 → 1.23

1.23의 각 자리와 나타내는 수

숫자	자리	나타내는 수
1	일의 자리	**1**
2	소수 첫째 자리	**0.2**
3	소수 둘째 자리	**0.03**

1.23은 1이 1개, 0.1이 2개,
0.01이 3개인 수야.

정답 ❶ 0.23

▶정답 및 풀이 11쪽

[1-1~1-2] 모눈종이 전체 크기를 1이라고 할 때 색칠한 부분의 크기를 분수와 소수로 각각 나타내세요.

1-1

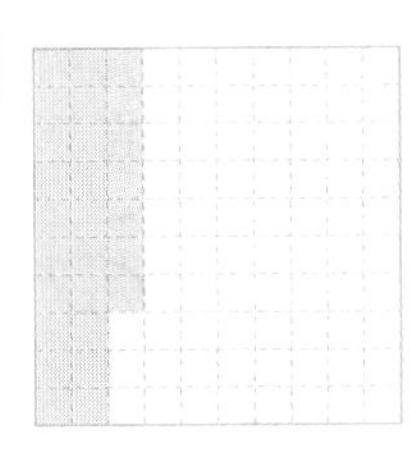

$\frac{\square}{100} = \square$

1-2

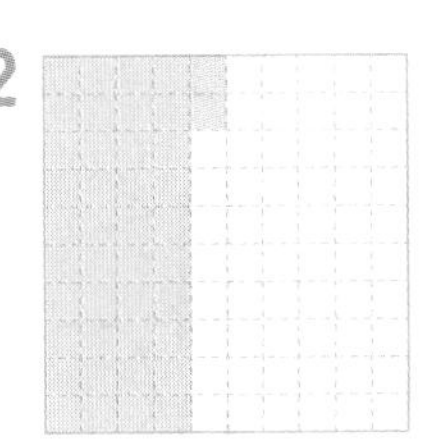

$\frac{\square}{100} = \square$

2-1 소수를 읽어 보세요.

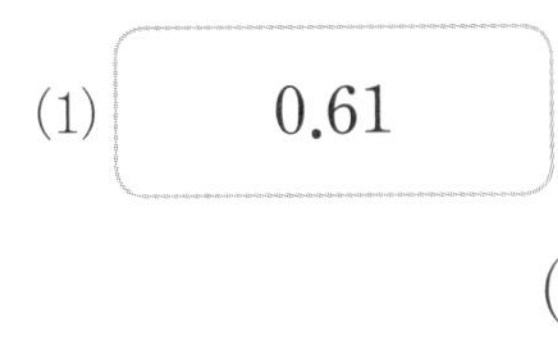

(1) 0.61

(   )

(2) 1.24

(   )

2-2 소수로 써 보세요.

(1) 삼 점 영이

(   )

(2) 영 점 칠일

(   )

3-1 빈칸에 4.36의 각 자리 숫자를 써넣으세요.

일의 자리		소수 첫째 자리	소수 둘째 자리
4	.		

3-2 빈칸에 1.97의 각 자리 숫자를 써넣으세요.

일의 자리		소수 첫째 자리	소수 둘째 자리
	.		

4-1 수를 보고 □ 안에 알맞은 수를 써넣으세요.

3.25

소수 첫째 자리 숫자는 □이고,
□을/를 나타냅니다.

4-2 수를 보고 □ 안에 알맞은 수를 써넣으세요.

2.79

소수 둘째 자리 숫자는 □이고,
□을/를 나타냅니다.

2주 3일

소수 세 자리 수 알아보기

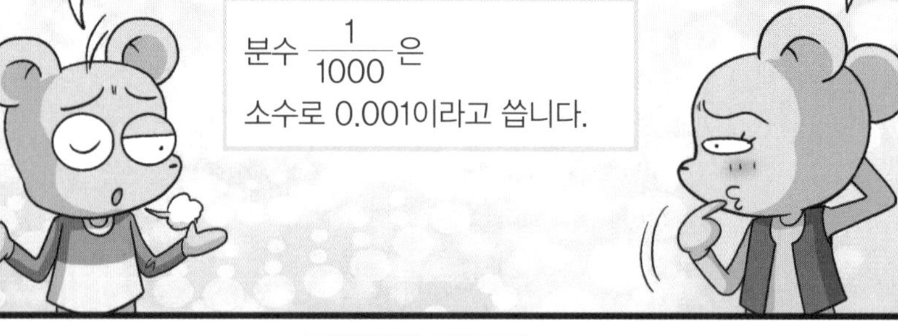

교과서 기초 개념

• 0.001 알아보기

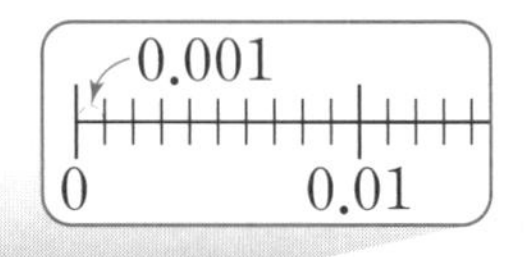

0 0.01 0.02 0.03 0.04 0.05 0.06 0.07 0.08 0.09 0.1

분수 $\frac{1}{1000}$은 소수로 0.001이라고 씁니다.

$\frac{1}{1000}$ = **0.001** → 읽기 **영 점 영영일**

예 분수 $\frac{359}{1000}$는 소수로 0.359라고 씁니다.

$\frac{359}{1000}$ = ❶ → 읽기 **영 점 삼오구**

• 1.359 알아보기

$1\frac{359}{1000}$ = **1.359** → 읽기 **일 점 삼오구**

└ 1과 $\frac{359}{1000}$ → 1과 0.359 → 1.359

1.359의 각 자리와 나타내는 수

숫자	자리	나타내는 수
1	일의 자리	**1**
3	소수 첫째 자리	**0.3**
5	소수 둘째 자리	**0.05**
9	소수 셋째 자리	**0.009**

정답 ❶ 0.359

개념·원리 확인

▶정답 및 풀이 11쪽

1-1 □ 안에 알맞은 수를 써넣으세요.

$$\frac{1}{1000}=\square$$

1-2 □ 안에 알맞은 수를 써넣으세요.

$$\frac{426}{1000}=\square$$

2-1 소수를 읽어 보세요.

(1) 0.719

(　　　　　　　　)

(2) 5.491

(　　　　　　　　)

2-2 소수로 써 보세요.

(1) 삼 점 영영오

(　　　　　　　　)

(2) 이 점 삼육사

(　　　　　　　　)

3-1 수를 보고 □ 안에 알맞은 수를 써넣으세요.

1.234

소수 첫째 자리 숫자는 □이고,
□을/를 나타냅니다.

3-2 수를 보고 □ 안에 알맞은 수를 써넣으세요.

7.469

소수 셋째 자리 숫자는 □이고,
□을/를 나타냅니다.

4-1 □ 안에 알맞은 수를 써넣으세요.

2.512는
- 1이 □개
- 0.1이 □개
- 0.01이 □개
- 0.001이 □개

4-2 □ 안에 알맞은 수를 써넣으세요.

3.678은
- 1이 □개
- 0.1이 □개
- 0.01이 □개
- 0.001이 □개

2주 3일

3일 기초 집중 연습

기본 문제 연습

1-1 다음 소수에서 소수 둘째 자리 숫자를 써 보세요.

7.51

(   )

1-2 다음 소수에서 소수 셋째 자리 숫자를 써 보세요.

3.572

(   )

2-1 □ 안에 알맞은 수를 써넣으세요.

5.64는
- 1이 □개
- 0.1이 □개
- 0.01이 □개

2-2 □ 안에 알맞은 수를 써넣으세요.

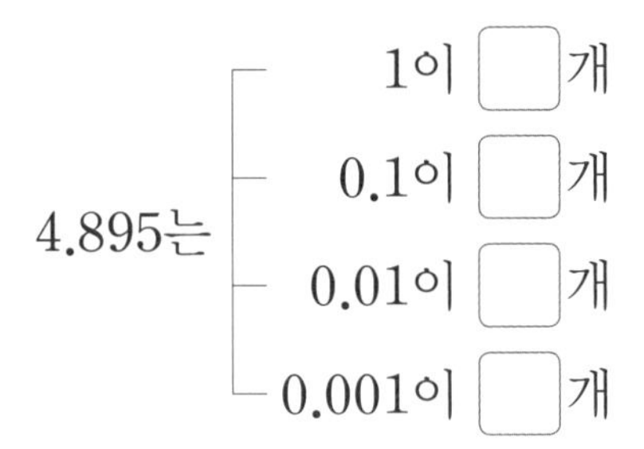

4.895는
- 1이 □개
- 0.1이 □개
- 0.01이 □개
- 0.001이 □개

3-1 □ 안에 알맞은 소수를 써넣으세요.

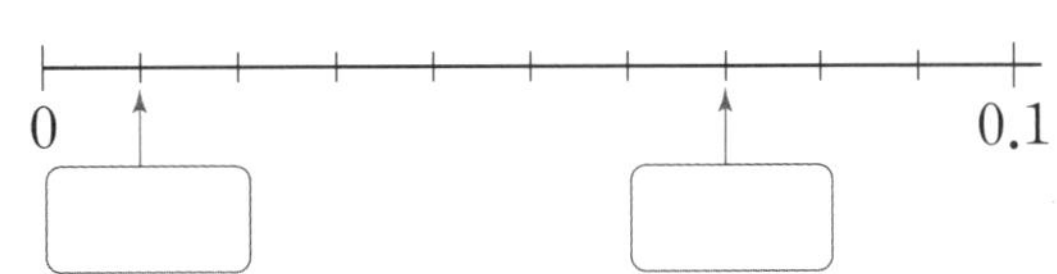

3-2 □ 안에 알맞은 소수를 써넣으세요.

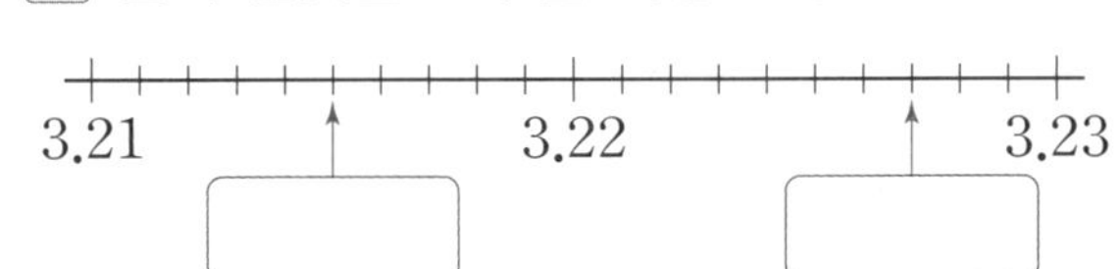

4-1 관계있는 것끼리 선으로 이어 보세요.

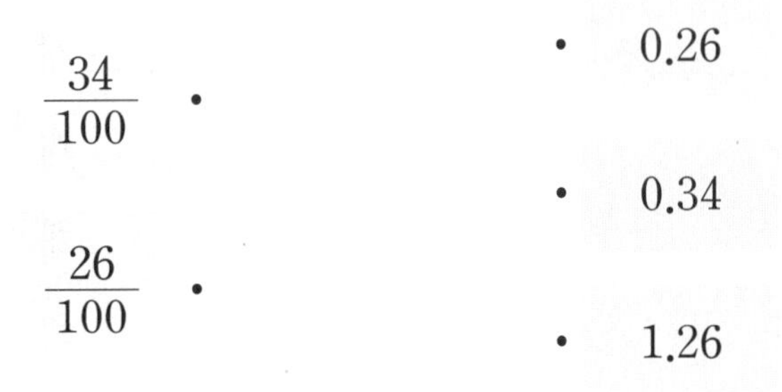

$\frac{34}{100}$ •	• 0.26
	• 0.34
$\frac{26}{100}$ •	• 1.26

4-2 관계있는 것끼리 선으로 이어 보세요.

$\frac{21}{1000}$ •	• 0.21
	• 0.113
$\frac{113}{1000}$ •	• 0.021

▶정답 및 풀이 12쪽

기초 → 기본 연습 나타내는 수를 구하려면 어느 자리 숫자인지 알아보자.

기초 6이 나타내는 수를 알아보려고 합니다. 알맞은 수나 말에 ○표 하세요.

7.63

6은 소수 (첫째 , 둘째) 자리 숫자이므로 (0.6 , 0.06)을 나타냅니다.

5-1 5가 나타내는 수를 구하세요.

8.235

답 ______

5-2 7이 나타내는 수를 구하세요.

6.374

답 ______

5-3 9가 나타내는 수가 0.09인 것은 어느 것인지 알아보세요.

㉠ 7.932　　㉡ 6.295

(1) ㉠과 ㉡에서 9가 나타내는 수를 각각 구하세요.

답 ㉠: ______ , ㉡: ______

(2) 9가 나타내는 수가 0.09인 것의 기호를 써 보세요.

답 ______

2주 3일

소수의 덧셈과 뺄셈

소수의 크기 비교하기

교과서 기초 개념

• 두 소수의 크기 비교하기

자연수 부분을 비교합니다.	자연수 부분이 같으면? →	소수 첫째 자리 수를 비교합니다.	소수 첫째 자리까지 같으면? →	소수 둘째 자리 수를 비교합니다.	소수 둘째 자리까지 같으면? →	소수 셋째 자리 수를 비교합니다.
$2.46 > 1.51$ (2>1)		$1.56 > 1.43$ (5>4)		$2.35 > 2.31$ (5>1)		4.159 ❶ ◯ 4.156 (9>6)

• 0.2와 0.20 비교하기

0.2와 0.20은 같은 수입니다.

$$0.2 = 0.20$$

소수는 필요한 경우 오른쪽 끝자리에 0을 붙여서 나타낼 수 있어.

정답 ❶ >

개념 · 원리 확인

▶정답 및 풀이 12쪽

[1-1~1-2] 모눈종이 전체 크기가 1이라고 할 때 두 수의 크기를 비교하여 ◯ 안에 >, =, <를 알맞게 써넣으세요.

1-1

0.6 ◯ 0.69

1-2

0.48 ◯ 0.42

[2-1~2-2] 수직선을 보고 두 수의 크기를 비교하여 ◯ 안에 >, <를 알맞게 써넣으세요.

2-1

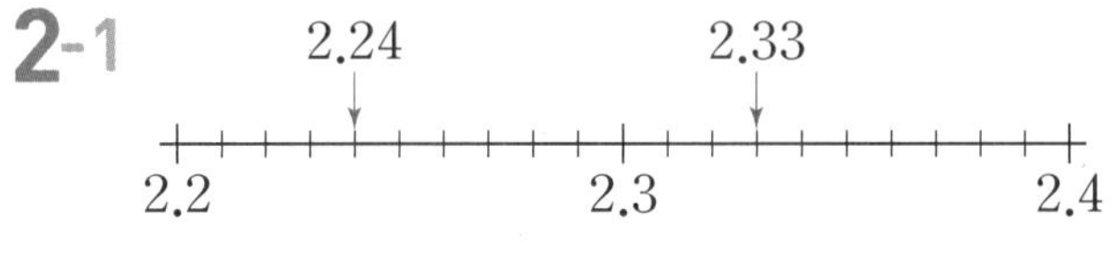

2.24 ◯ 2.33

2-2

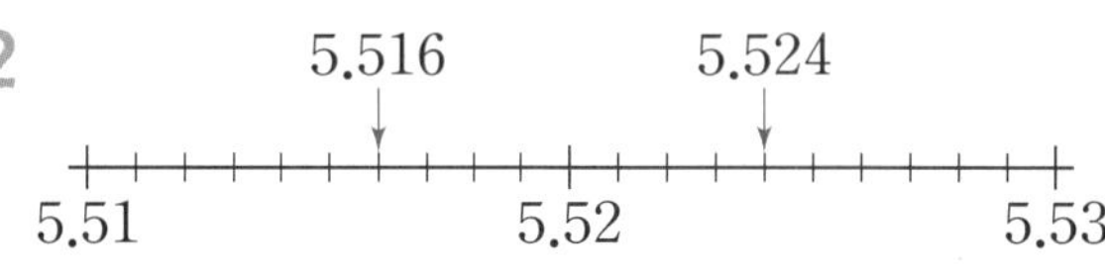

5.516 ◯ 5.524

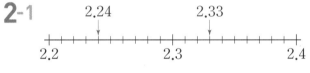

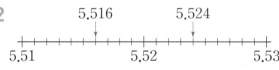

3-1 0.9와 크기가 같은 수의 기호를 써 보세요.

㉠ 0.90 ㉡ 0.91

( )

3-2 4.71과 크기가 같은 수의 기호를 써 보세요.

㉠ 4.701 ㉡ 4.710

( )

[4-1~4-2] 두 수의 크기를 비교하여 ◯ 안에 >, =, <를 알맞게 써넣으세요.

4-1 7.42 ◯ 5.61

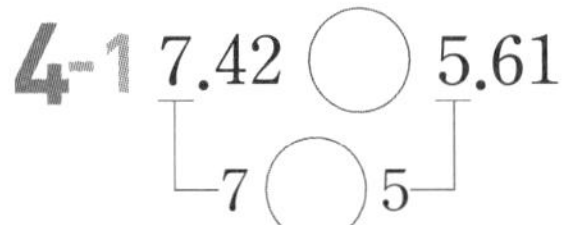

4-2 3.69 ◯ 3.51

6 ◯ 5

소수 사이의 관계 알아보기

너희 집 옥수수 양은 한 보따리의 0.1이지? 우리 집에는 그의 10배만큼 있지! 다른 것도 구경시켜 줄게~

10배 10배

1 0.1 0.01

$\frac{1}{10}$ $\frac{1}{10}$

교과서 기초 개념

• 1, 0.1, 0.01, 0.001 사이의 관계

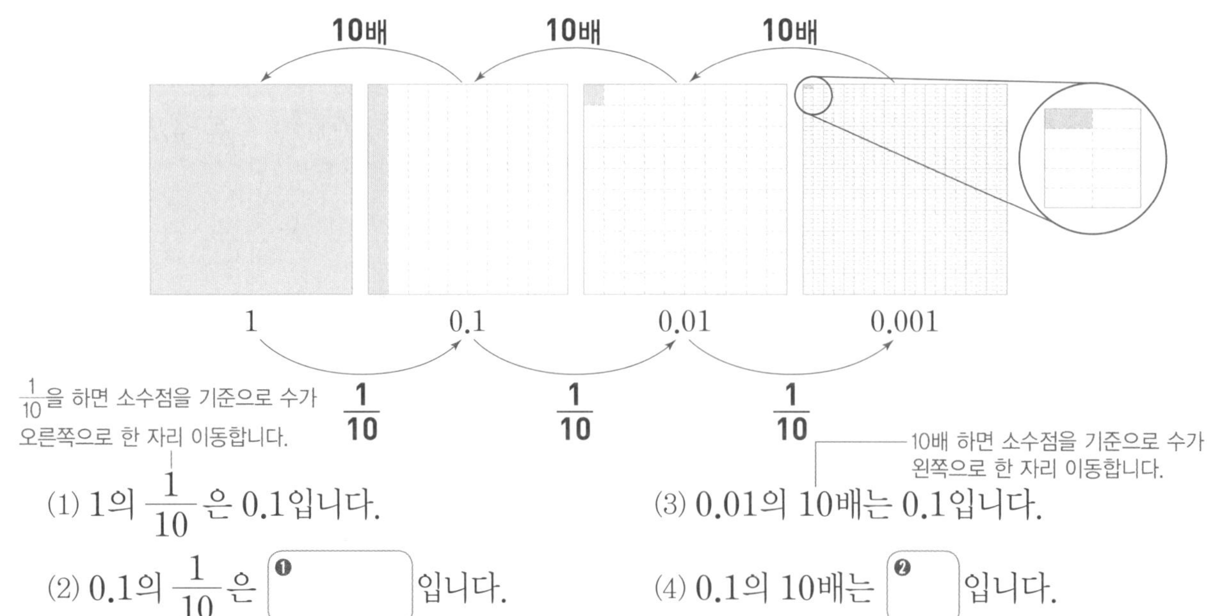

$\frac{1}{10}$을 하면 소수점을 기준으로 수가 오른쪽으로 한 자리 이동합니다.

10배 하면 소수점을 기준으로 수가 왼쪽으로 한 자리 이동합니다.

(1) 1의 $\frac{1}{10}$은 0.1입니다.

(2) 0.1의 $\frac{1}{10}$은 ❶ ☐ 입니다.

(3) 0.01의 10배는 0.1입니다.

(4) 0.1의 10배는 ❷ ☐ 입니다.

정답 ❶ 0.01 ❷ 1

개념 · 원리 확인

▶정답 및 풀이 12쪽

1-1 □ 안에 알맞은 수를 써넣으세요.

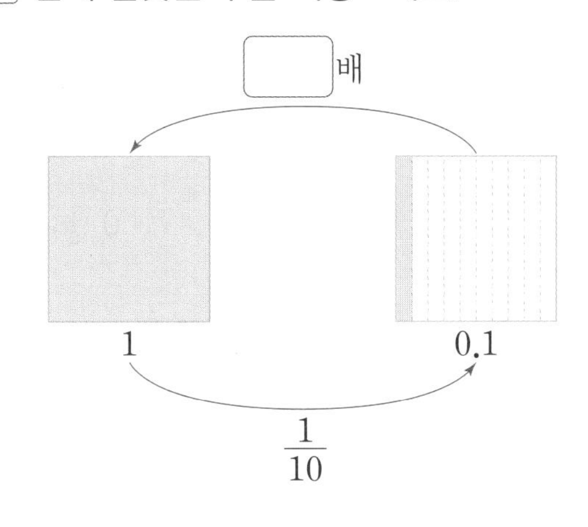

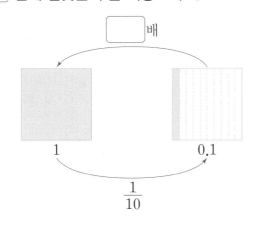

1-2 □ 안에 알맞은 수를 써넣으세요.

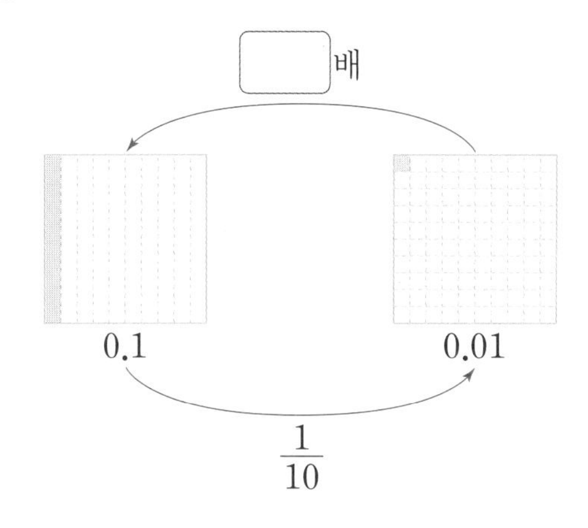

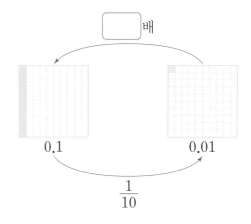

2-1 빈칸에 알맞은 수를 써넣으세요.

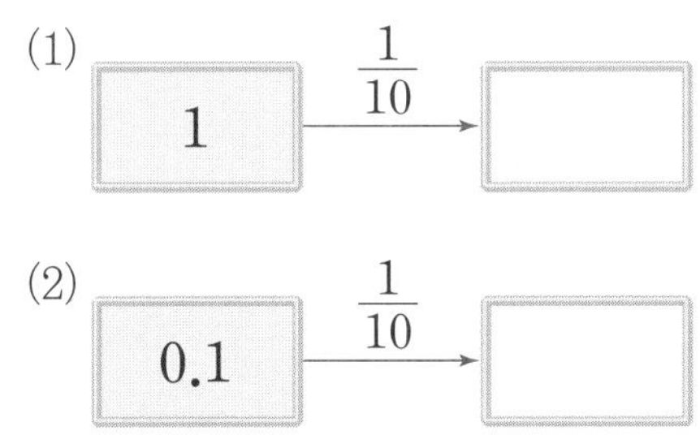

2-2 빈칸에 알맞은 수를 써넣으세요.

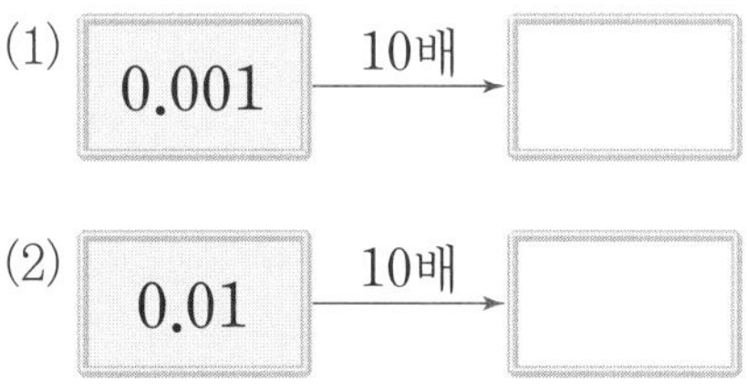

3-1 알맞은 수에 ○표 하세요.

0.63의 10배는 (6.3 , 63)입니다.

3-2 알맞은 수에 ○표 하세요.

4.32의 $\frac{1}{10}$ 은 (0.432 , 43.2)입니다.

4-1 □ 안에 알맞은 수를 써넣으세요.

2.5의 $\frac{1}{10}$ 은 □이고,

$\frac{1}{100}$ 은 □입니다.

4-2 □ 안에 알맞은 수를 써넣으세요.

0.51의 10배는 □이고,

100배는 □입니다.

2주 4일

4일 기초 집중 연습

기본 문제 연습

1-1 두 수 중에서 더 큰 수에 ○표 하세요.

6.81 ( )   4.84 ( )

1-2 두 수 중에서 더 큰 수에 ○표 하세요.

0.86 ( )   0.98 ( )

2-1 0을 생략할 수 <u>없는</u> 소수를 찾아 써 보세요.

2.10   3.05   4.0

( )

2-2 0을 생략할 수 <u>없는</u> 소수를 찾아 써 보세요.

15.80   9.450   10.5

( )

3-1 빈칸에 알맞은 수를 써넣으세요.

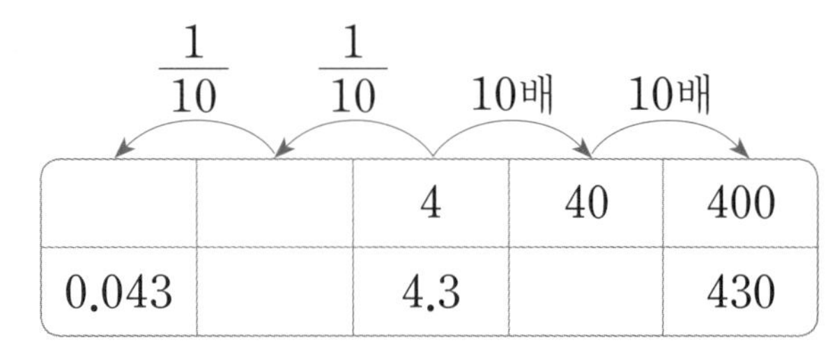

$\frac{1}{10}$ $\frac{1}{10}$ 10배   10배

		4	40	400
0.043		4.3		430

3-2 빈칸에 알맞은 수를 써넣으세요.

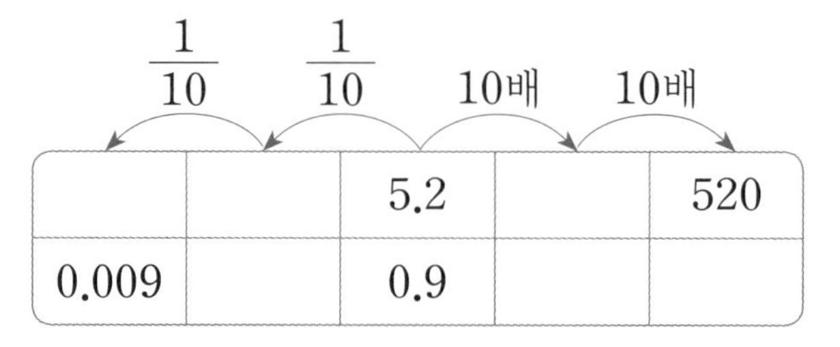

$\frac{1}{10}$ $\frac{1}{10}$ 10배   10배

		5.2		520
0.009		0.9		

4-1 6.61을 나타내는 것의 기호를 써 보세요.

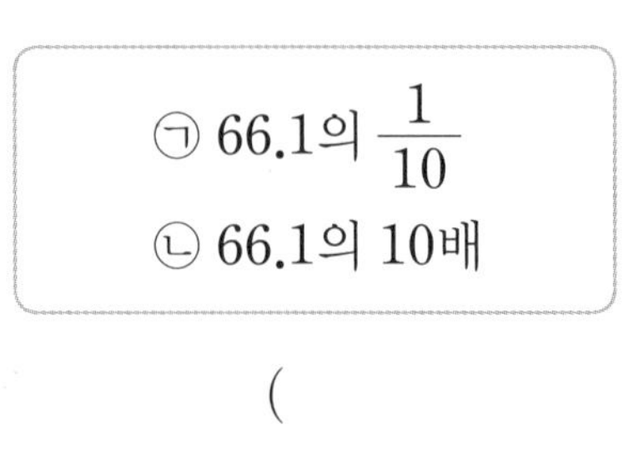

㉠ 66.1의 $\frac{1}{10}$

㉡ 66.1의 10배

( )

4-2 9.47을 나타내는 것의 기호를 써 보세요.

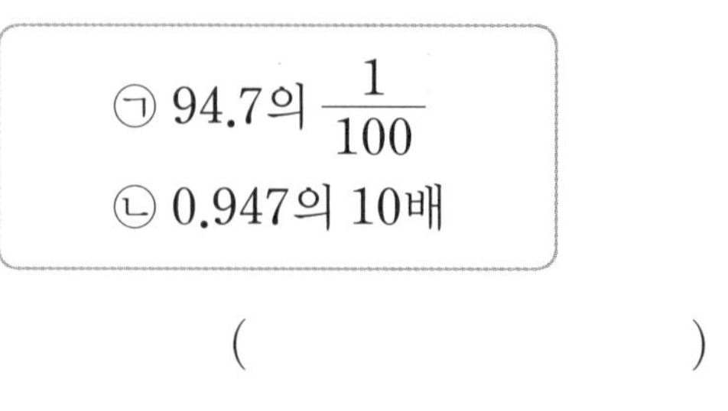

㉠ 94.7의 $\frac{1}{100}$

㉡ 0.947의 10배

( )

▶정답 및 풀이 13쪽

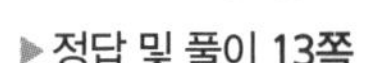

기초 → 문장제 연습　소수의 크기 비교는 높은 자리의 수부터 차례로 비교하자.

기초 두 수의 크기를 비교하여 ◯ 안에 $>$, $=$, $<$를 알맞게 써넣으세요.

3.92 ◯ 3.64

소수의 크기 비교가 어떤 상황에서 이용될까요?

5-1 빨간색 리본은 3.92 m, 노란색 리본은 3.64 m입니다. 길이가 더 긴 리본은 무슨 색인가요?

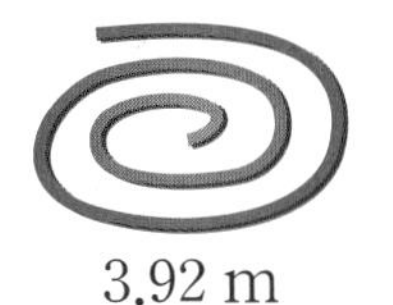

3.92 m

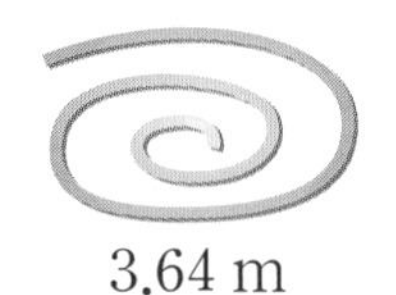

3.64 m

5-2 민서의 책가방의 무게는 2.13 kg, 준하의 책가방의 무게는 2.04 kg입니다. 누구의 책가방의 무게가 더 가벼운가요?

민서의 책가방
2.13 kg

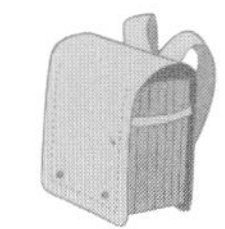

준하의 책가방
2.04 kg

5-3 수아네 집에서 학교까지의 거리와 도서관까지의 거리를 각각 알아보았습니다. 학교와 도서관 중 수아네 집에서 더 가까운 곳은 어디인가요?

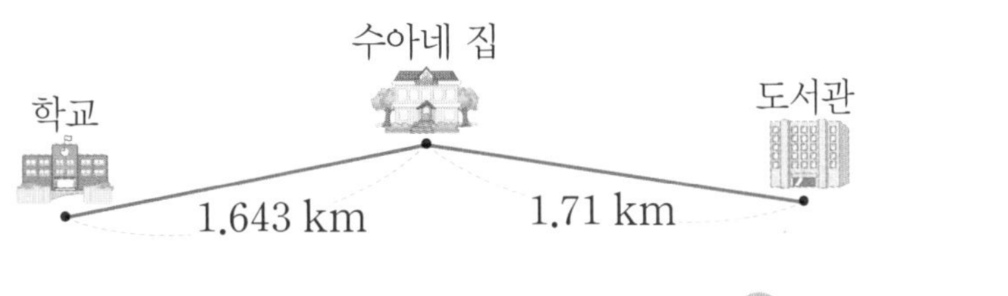

답 ______________

2주 4일

소수의 덧셈과 뺄셈

소수 한 자리 수의 덧셈

교과서 기초 개념

• 받아올림이 없는 소수 한 자리 수의 덧셈

	0 . 6	← 0.1이 6개
+	0 . 3	← 0.1이 3개
	0 . ❶ □	← 0.1이 6+3=9(개)

• 받아올림이 있는 소수 한 자리 수의 덧셈

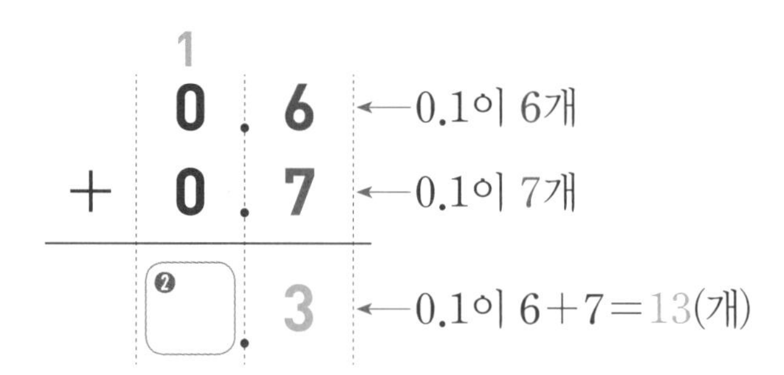

① 소수점끼리 맞추어 세로로 쓰고,
② 같은 자리 수끼리 더합니다. 이때 받아올림이 있으면 바로 윗자리로 받아올려 계산합니다.

정답 ❶ 9 ❷ 1

개념 · 원리 확인

▶정답 및 풀이 13쪽

1-1 그림을 보고 □ 안에 알맞은 수를 써넣으세요.

$0.3+0.4=$ □

1-2 그림을 보고 □ 안에 알맞은 수를 써넣으세요.

$0.4+0.5=$ □

2-1 □ 안에 알맞은 수를 써넣으세요.

0.2는 0.1이 2개입니다.
0.6은 0.1이 □개입니다.
0.2+0.6은 0.1이 □개입니다.
➔ $0.2+0.6=$ □

2-2 □ 안에 알맞은 수를 써넣으세요.

0.8은 0.1이 8개입니다.
0.5는 0.1이 □개입니다.
0.8+0.5는 0.1이 □개입니다.
➔ $0.8+0.5=$ □

3-1 계산해 보세요.

(1) $\begin{array}{r} 0.1 \\ +\ 0.7 \\ \hline \end{array}$

(2) $\begin{array}{r} 1.5 \\ +\ 1.3 \\ \hline \end{array}$

3-2 계산해 보세요.

(1) $\begin{array}{r} 0.2 \\ +\ 1.5 \\ \hline \end{array}$

(2) $\begin{array}{r} 1.6 \\ +\ 1.9 \\ \hline \end{array}$

4-1 빈칸에 알맞은 수를 써넣으세요.

2.2	+2.4	

4-2 빈칸에 알맞은 수를 써넣으세요.

1.8	+2.7	

소수 한 자리 수의 뺄셈

교과서 기초 개념

• 받아내림이 없는 소수 한 자리 수의 뺄셈

	0	.	8	←0.1이 8개
−	0	.	6	←0.1이 6개
	0	.	❶	←0.1이 8−6=2(개)

• 받아내림이 있는 소수 한 자리 수의 뺄셈

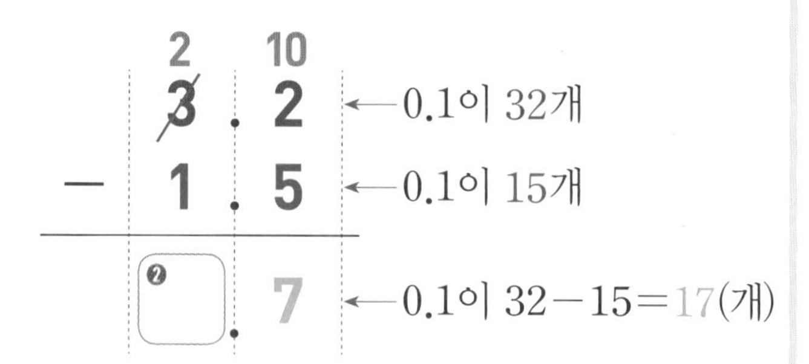

① 소수점끼리 맞추어 세로로 쓰고,
② 같은 자리 수끼리 뺍니다. 이때 받아내림이 있으면 바로 윗자리에서 받아내려 계산합니다.

정답 ❶ 2 ❷ 1

개념 · 원리 확인

▶ 정답 및 풀이 14쪽

1-1 그림을 보고 □ 안에 알맞은 수를 써넣으세요.

$0.9-0.5=$ □

1-2 그림을 보고 □ 안에 알맞은 수를 써넣으세요.

$1.4-0.7=$ □

2-1 □ 안에 알맞은 수를 써넣으세요.

0.7은 0.1이 7개입니다.
0.4는 0.1이 □개입니다.
0.7－0.4는 0.1이 □개입니다.
➜ $0.7-0.4=$ □

2-2 □ 안에 알맞은 수를 써넣으세요.

1.5는 0.1이 15개입니다.
0.9는 0.1이 □개입니다.
1.5－0.9는 0.1이 □개입니다.
➜ $1.5-0.9=$ □

3-1 계산해 보세요.

(1) $\begin{array}{r} 0.5 \\ -\ 0.3 \\ \hline \end{array}$

(2) $\begin{array}{r} 3.8 \\ -\ 2.5 \\ \hline \end{array}$

3-2 계산해 보세요.

(1) $\begin{array}{r} 1.9 \\ -\ 1.1 \\ \hline \end{array}$

(2) $\begin{array}{r} 2.1 \\ -\ 1.6 \\ \hline \end{array}$

4-1 빈칸에 알맞은 수를 써넣으세요.

4.8	－2.4	

4-2 빈칸에 알맞은 수를 써넣으세요.

5.2	－3.3	

5일 기초 집중 연습

기본 문제 연습

1-1 □ 안에 알맞은 수를 써넣으세요.

(1) $1.2+2.2=\square$

(2) $0.4+1.7=\square$

1-2 □ 안에 알맞은 수를 써넣으세요.

(1) $3.5-2.4=\square$

(2) $1.6-0.9=\square$

2-1 수직선을 보고 □ 안에 알맞은 수를 써넣으세요.

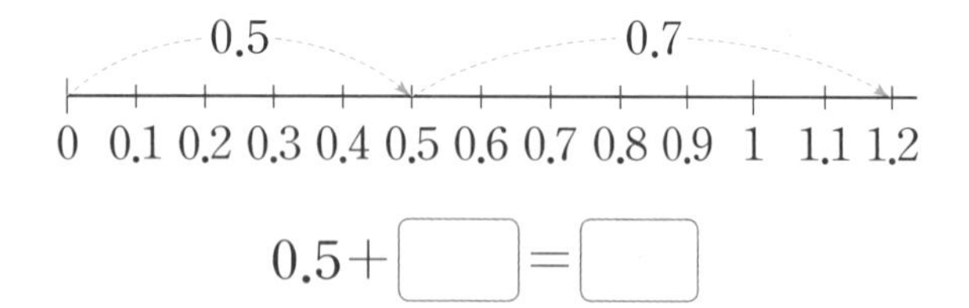

$0.5+\square=\square$

2-2 수직선을 보고 □ 안에 알맞은 수를 써넣으세요.

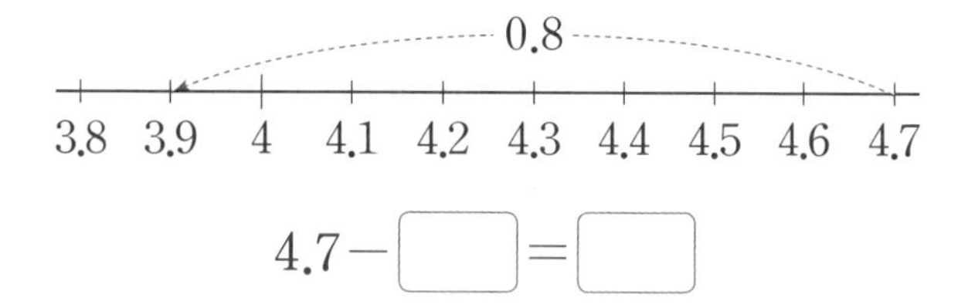

$4.7-\square=\square$

3-1 두 수의 합을 구하세요.

3.4   1.8

(   )

3-2 두 수의 차를 구하세요.

5.2   4.5

(   )

4-1 크기를 비교하여 ○ 안에 >, =, <를 알맞게 써넣으세요.

$6.1+3.6$ ○ 10

4-2 크기를 비교하여 ○ 안에 >, =, <를 알맞게 써넣으세요.

$6.2-3.8$ ○ 2.5

▶ 정답 및 풀이 14쪽

연산 → 문장제 연습 ‘모두’는 덧셈으로, ‘~보다 더 긴’은 뺄셈으로 구하자.

연산 계산해 보세요.

$2.8+2.3$

5-1 사과가 2.8 kg, 귤이 2.3 kg 있습니다. 사과와 귤은 모두 몇 kg인가요?

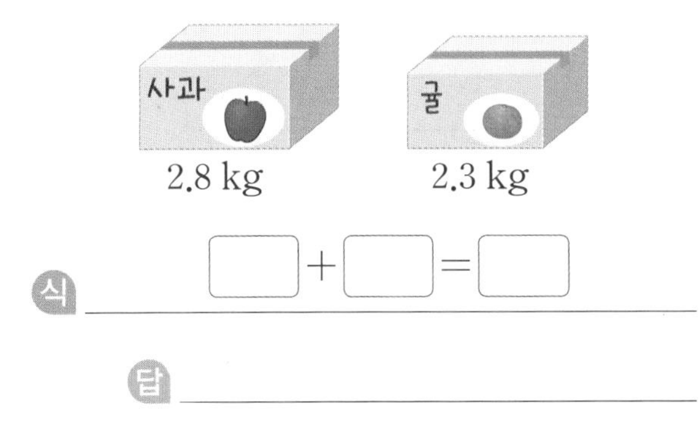

식 ☐+☐=☐

답 ________

5-2 물통에 물이 1.3 L 있었습니다. 이 물통에 물을 0.5 L만큼 더 담았다면 물통에 있는 물은 모두 몇 L인가요?

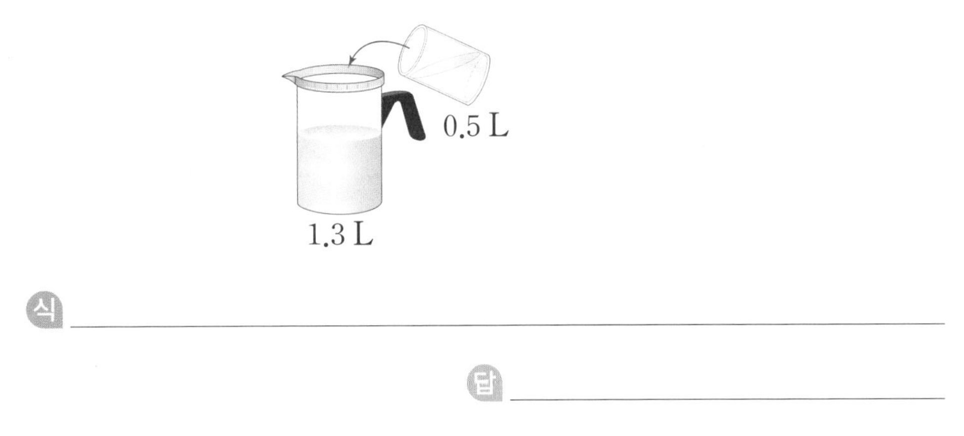

식 ________

답 ________

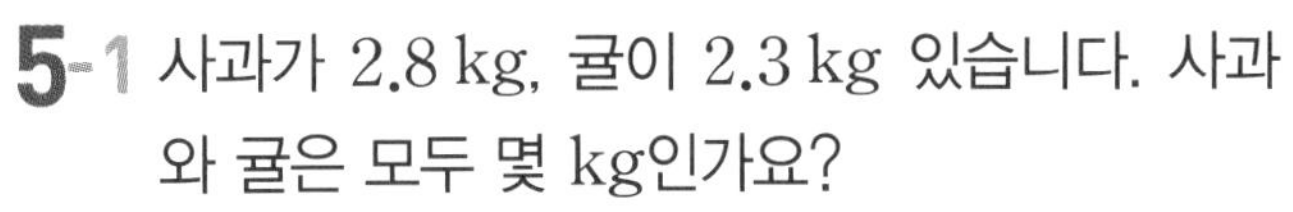

5-3 빨간색 색연필의 길이는 9.4 cm, 파란색 색연필의 길이는 8.5 cm입니다. 어느 색 색연필의 길이가 몇 cm 더 긴지 차례로 써 보세요.

답 ☐ 색연필 , ________

누구나 100점 맞는 테스트

1 그림과 같이 세 각이 모두 예각인 삼각형을 무엇이라고 하나요?

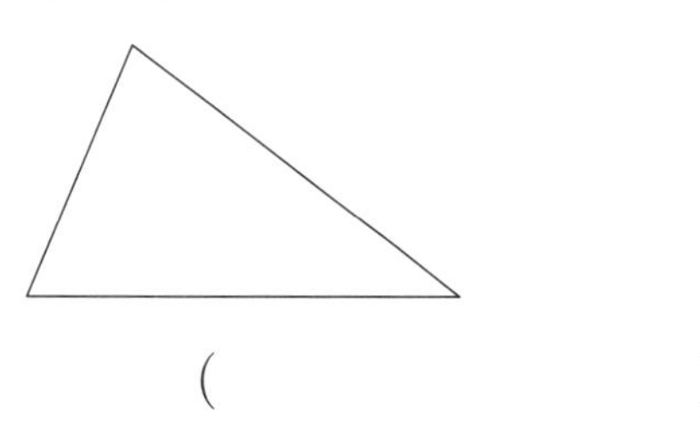

( )

[2~3] □ 안에 알맞은 수를 써넣으세요.

2 이등변삼각형

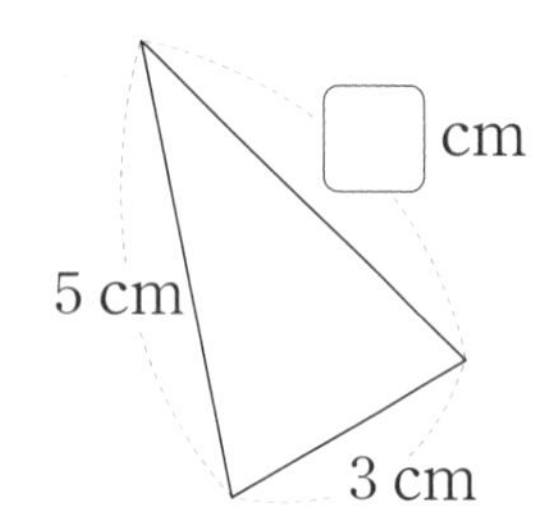

3 정삼각형

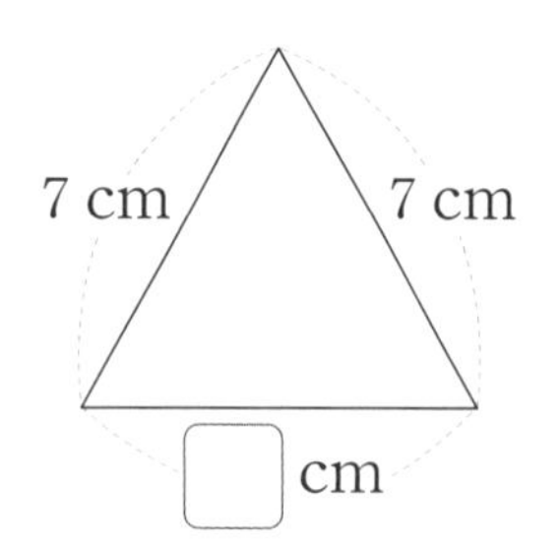

4 □ 안에 알맞은 수를 써넣으세요.

6.319에서

- 일의 자리 숫자는 □
- 소수 첫째 자리 숫자는 □
- 소수 둘째 자리 숫자는 □
- 소수 셋째 자리 숫자는 □

5 수현이가 설명하는 수를 구하세요.

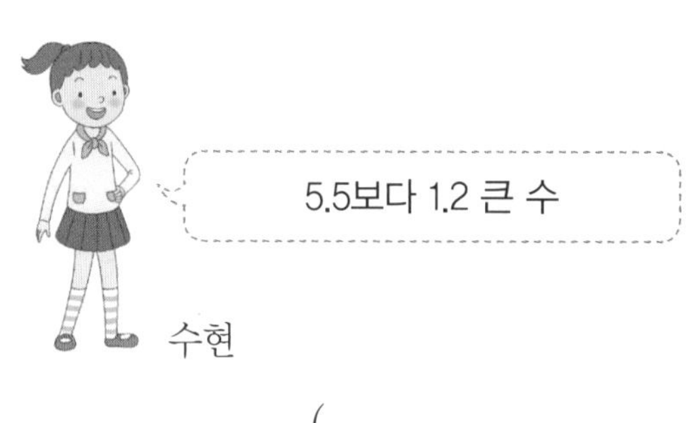

( )

▶정답 및 풀이 14쪽

6 5가 나타내는 수를 써 보세요.

7.53

( )

7 2.71을 나타내는 것의 기호를 써 보세요.

㉠ 0.271의 10배
㉡ 271의 $\frac{1}{10}$

( )

8 4.7보다 큰 수를 찾아 써 보세요.

4.51	4.09	4.8

( )

9 다음 교통 표지판이 정삼각형일 때 ㉠과 ㉡의 각도의 합은 몇 도인지 구하세요.

( )

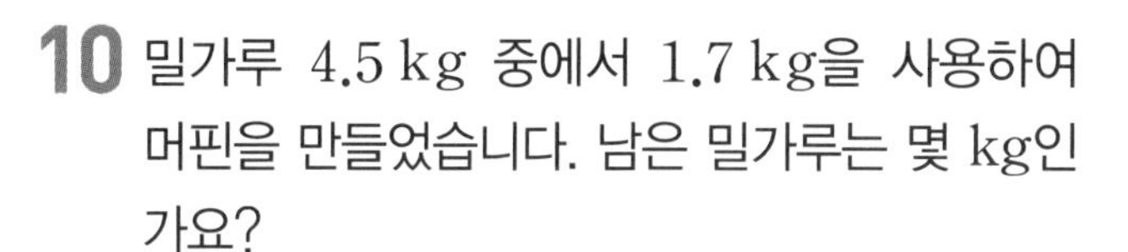

10 밀가루 4.5 kg 중에서 1.7 kg을 사용하여 머핀을 만들었습니다. 남은 밀가루는 몇 kg인가요?

( )

특강 창의·융합·코딩

쿠키의 주인은?

 각자 한 가지 모양으로 쿠키를 구웠습니다.

다미

진우

수진

다미, 진우, 수진이가 구운 쿠키 모양을 찾아 빈칸에 기호를 써넣자!

이름	다미	진우	수진
쿠키			

▶ 정답 및 풀이 15쪽

보물을 찾아라!

창의 2

탐정이 보물이 숨겨진 장소를 찾으려고 합니다.

범인은 훔친 보물을
과일 가게, 우물, 보물상,
생선 가게 중 궁전에서
두 번째로 가까운 곳에
숨겼다고 하는군.

네 곳의 위치를
알려 주시오.
궁전에서
가장 먼 곳은
보물상이에요.

궁전에서 0.955 km
떨어진 곳에는 생선 가게,
1.31 km 떨어진 곳에는
우물이 있어요.
과일 가게는
궁전과 생선 가게
사이에 있어요.

바로 이 곳에
보물을 숨겼군!

2주
특강

□ 안에 장소를 써넣고, 보물이 숨겨진 장소를 찾아봐.

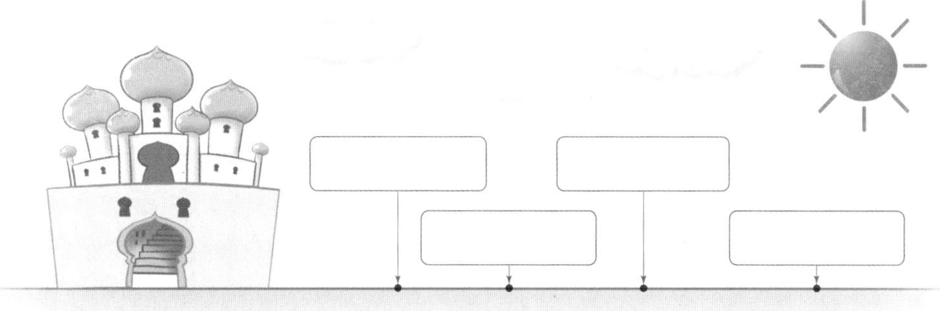

답 ____________________

코딩 3 보기 와 같이 분수를 소수로 나타내는 상자가 있습니다. 빈칸에 알맞은 분수나 소수를 써넣으세요.

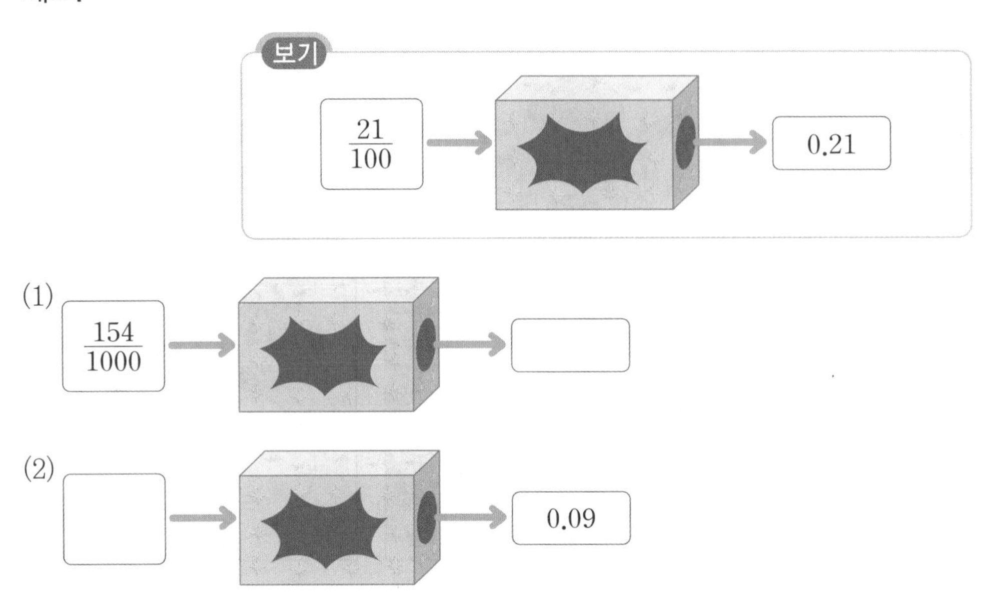

코딩 4 삼각형을 각의 크기에 따라 분류하는 순서도입니다. □ 안에 알맞은 말을 써넣으세요.

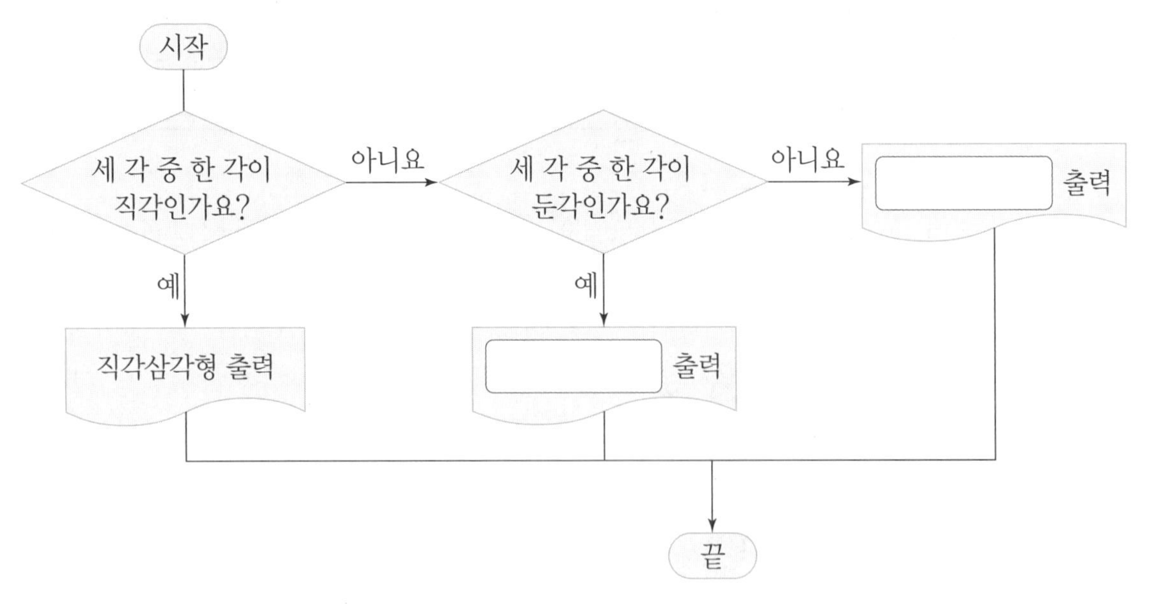

▶정답 및 풀이 15쪽

융합 5 노르웨이에서 사용하는 돈의 단위는 크노네입니다. 1크노네는 우리나라 돈으로 119.81원일 때 10 크노네는 얼마인지 □ 안에 알맞은 수를 써넣으세요.

융합 6 다음은 한라산을 등산하는 길 중 하나인 영실탐방로입니다. 물음에 답하세요.

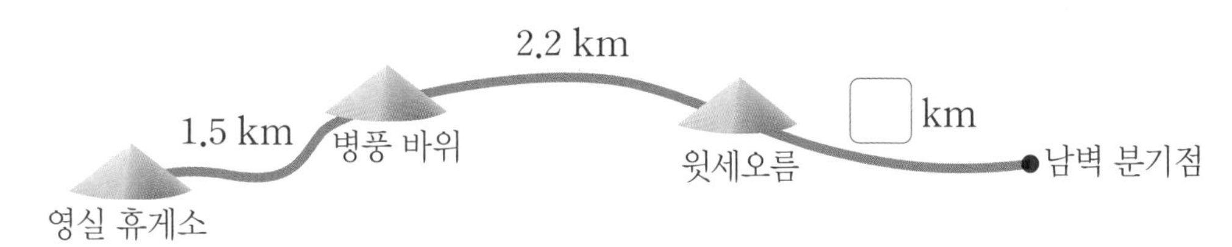

(1) 영실 휴게소에서 병풍 바위를 지나 윗세오름까지의 거리는 몇 km인가요?

답 ______________

(2) 영실 휴게소에서 병풍 바위와 윗세오름을 지나 남벽 분기점까지의 거리는 5.8 km입니다. 윗세오름과 남벽 분기점 사이의 거리는 몇 km인가요?

답 ______________

코딩 7 규칙 에 따라 알맞은 수를 빈칸에 써넣으세요.

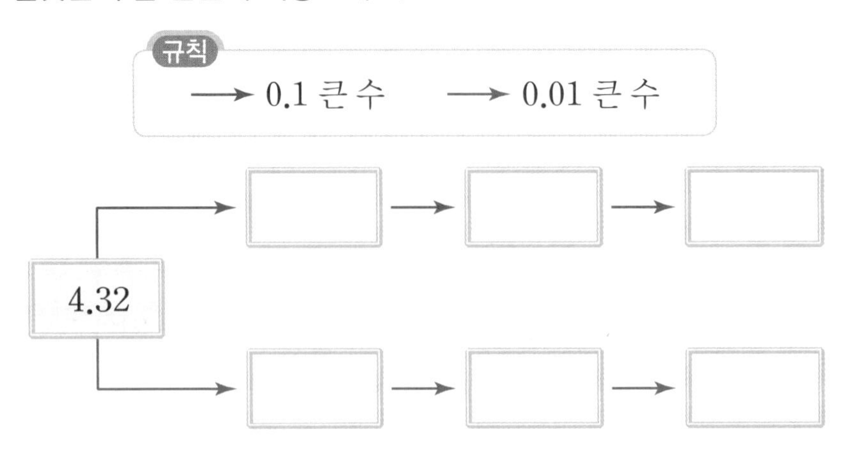

코딩 8 규칙 에 따라 알맞은 수를 빈칸에 써넣으세요.

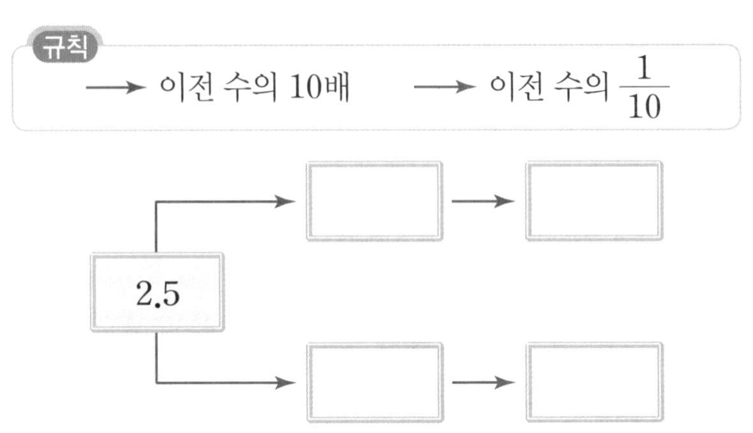

창의 9 도움말 을 읽어 보고 설명하는 소수를 구하세요.

도움말

① 소수 세 자리 수입니다.
② 5보다 크고 6보다 작은 소수입니다.
③ 소수 첫째 자리 숫자와 소수 둘째 자리 숫자는 3입니다.
④ 소수 셋째 자리 숫자는 소수 첫째 자리 숫자의 2배입니다.

답 ____________

이등변삼각형이 놓여 있는 칸만 모두 지나는 명령어를 만들려고 합니다. ☐ 안에 알맞은 수를 써넣으세요.

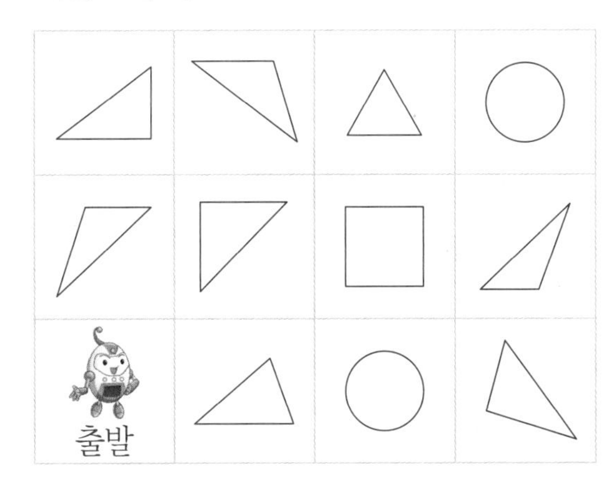
출발

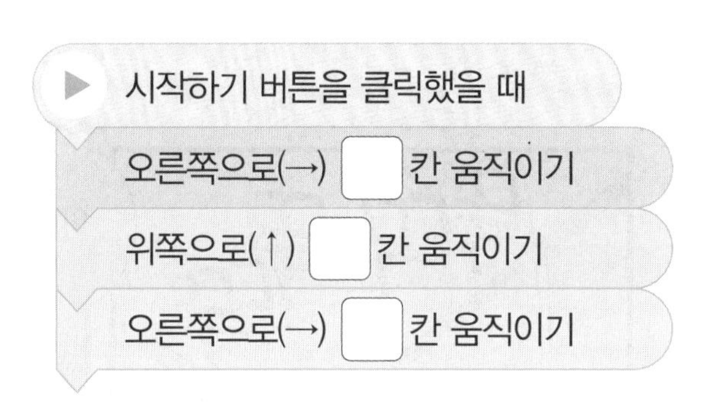
시작하기 버튼을 클릭했을 때
오른쪽으로(→) ☐ 칸 움직이기
위쪽으로(↑) ☐ 칸 움직이기
오른쪽으로(→) ☐ 칸 움직이기

2주 특강

민하와 영탁이가 똑같은 길이의 철사를 이용하여 남는 부분 없이 삼각형을 만들었습니다. 영탁이가 만든 삼각형의 한 변의 길이는 몇 cm인가요?

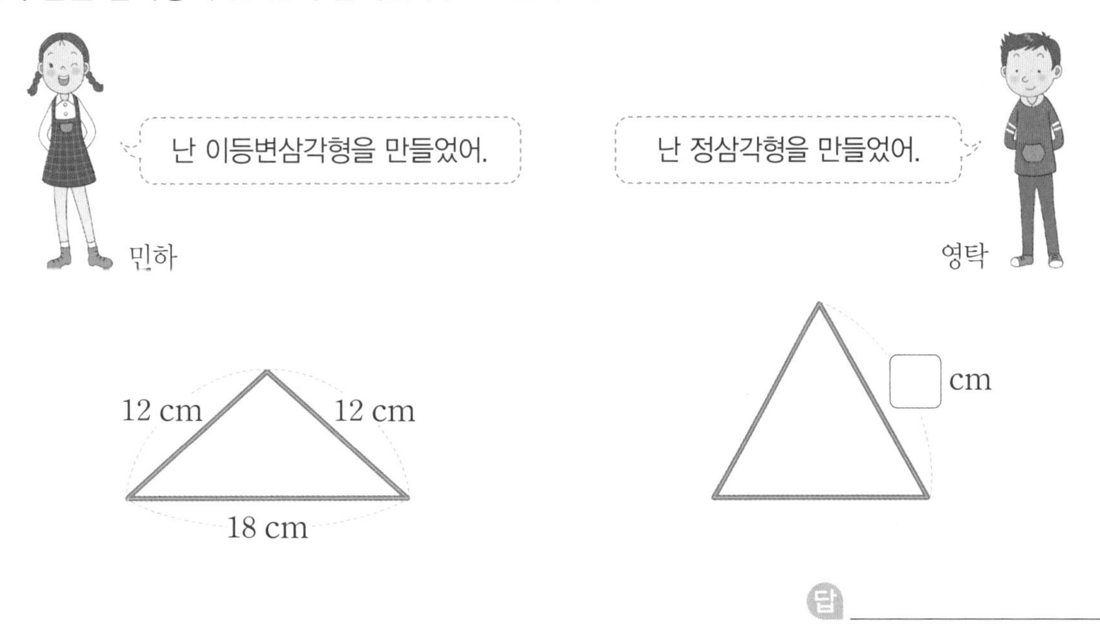
난 이등변삼각형을 만들었어.
난 정삼각형을 만들었어.
민하
영탁
12 cm
12 cm
18 cm
☐ cm

답 ____________

소수의 덧셈과 뺄셈 / 사각형

3주에는 무엇을 공부할까? ①

1일 소수 두 자리 수의 덧셈과 뺄셈
2일 수직, 수선 긋기
3일 평행, 평행선 사이의 거리
4일 사다리꼴, 평행사변형
5일 마름모, 여러 가지 사각형

3주에는 무엇을 공부할까? ②

3-1 분수와 소수

5와 0.4만큼을 5.4라 쓰고 오 점 사라고 읽어.

5.4는 0.1이 54개인 수야.

1-1 그림을 보고 □ 안에 알맞은 말을 써넣으세요.

0.1이 14개이므로 1.4라 쓰고 □(이)라고 읽습니다.

1-2 그림을 보고 □ 안에 알맞게 써넣으세요.

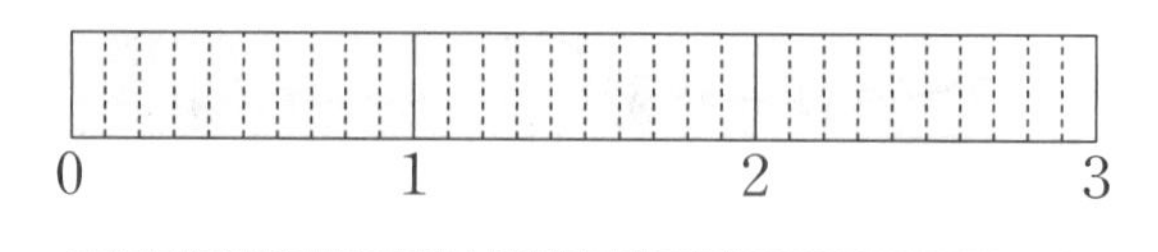

색칠한 부분을 소수로 나타내면 □(이)라 쓰고 □(이)라고 읽습니다.

2-1 □ 안에 알맞게 써넣으세요.

(1) 1.1은 0.1이 □개인 수입니다.

(2) 3.5는 0.1이 □개인 수이고 □(이)라고 읽습니다.

2-2 □ 안에 알맞은 수를 써넣으세요.

(1) 4.6은 0.1이 □개인 수입니다.

(2) 8.5는 0.1이 □개인 수입니다.

(3) 0.1이 29개인 수는 □입니다.

▶정답 및 풀이 16쪽

3-1 평면도형

주변의 여러 가지 물건들에서 직사각형을 찾을 수 있어.
엥?

네 각이 모두 직각인 사각형을 직사각형이라고 해.

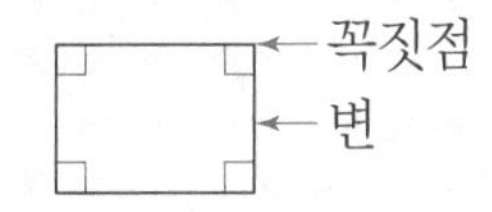

직사각형은 마주 보는 두 변의 길이가 같아.

네 각이 모두 직각이고 네 변의 길이가 모두 같은 사각형을 정사각형이라고 해.

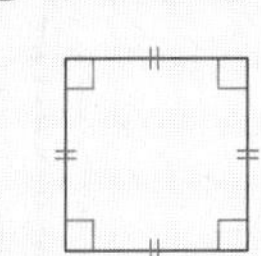

3주 1일

3-1 점 종이에 주어진 선분을 두 변으로 하는 직사각형을 완성하세요.

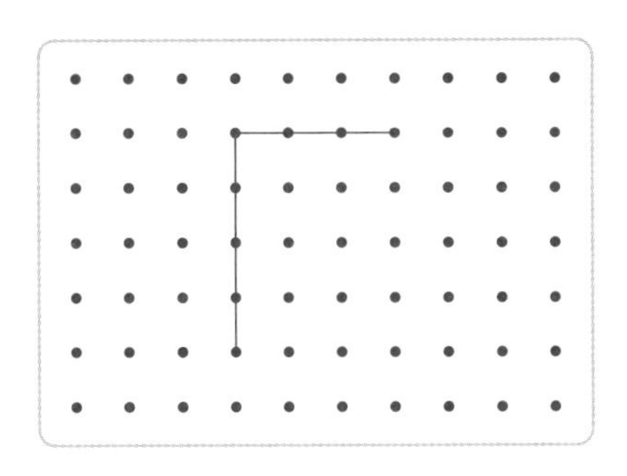

3-2 모눈종이에 주어진 선분을 한 변으로 하는 정사각형을 완성하세요.

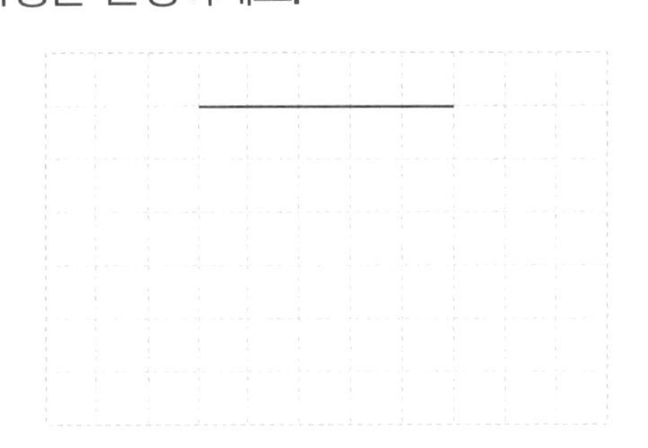

4-1 직사각형이 아닌 것을 찾아 기호를 써 보세요.

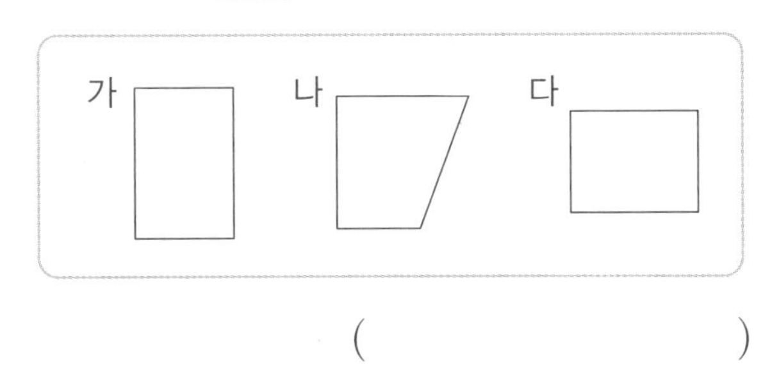

(　　　　　　　　　)

4-2 정사각형은 모두 몇 개인가요?

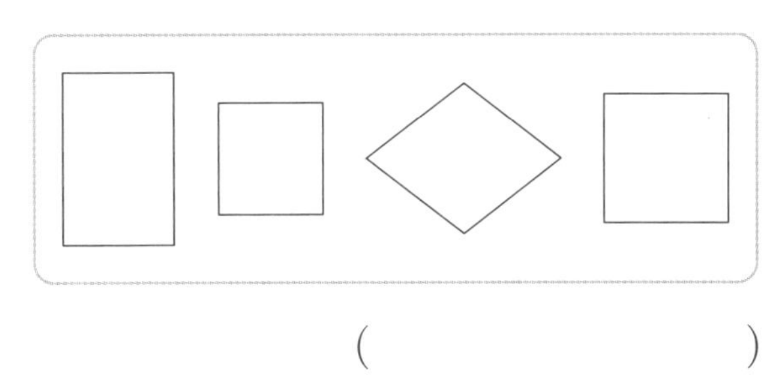

(　　　　　　　　　)

소수 두 자리 수의 덧셈

교과서 기초 개념

• 소수 두 자리 수의 덧셈

예 0.56+0.28의 계산

1
0.56
+0.28
0.8 ❶
1+5+2=8
6+8=14
소수 둘째 자리, 소수 첫째 자리, 일의 자리 순서로 더해.

• 자릿수가 다른 소수의 덧셈

예 0.83+1.4의 계산

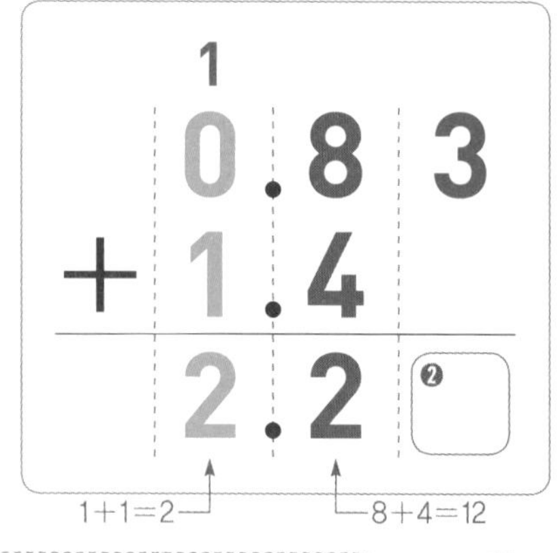

1
0.83
+1.4
2.2 ❷
1+1=2
8+4=12
같은 자리 수끼리 더하고 받아올림이 있으면 바로 윗자리로 받아올림해.

정답 ❶ 4 ❷ 3

개념 · 원리 확인

▶정답 및 풀이 16쪽

1-1 그림을 보고 □ 안에 알맞은 수를 써넣으세요.

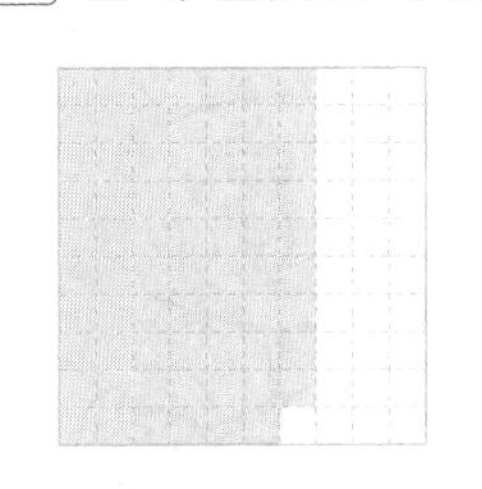

0.24+0.45=□

1-2 그림을 보고 □ 안에 알맞은 수를 써넣으세요.

0.7+0.23=□

2-1 □ 안에 알맞은 수를 써넣으세요.

```
  □ □
  1 . 4 7
+ 0 . 5 8
---------
  □ . □ □
```

2-2 □ 안에 알맞은 수를 써넣으세요.

```
  □
  1 . 8
+ 1 . 3 3
---------
  □ . □ □
```

3-1 계산해 보세요.

(1)
```
  0.23
+ 0.52
------
```

(2)
```
  0.85
+ 1.6
------
```

3-2 계산해 보세요.

(1)
```
  1.75
+ 1.43
------
```

(2)
```
  1.9
+ 2.38
------
```

4-1 빈칸에 알맞은 수를 써넣으세요.

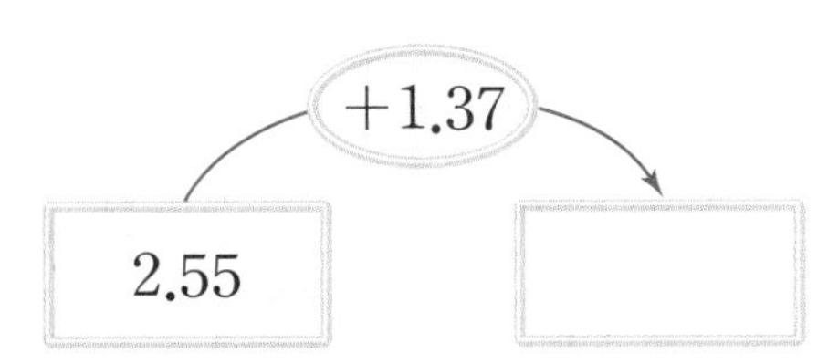

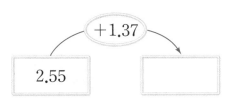

4-2 빈칸에 알맞은 수를 써넣으세요.

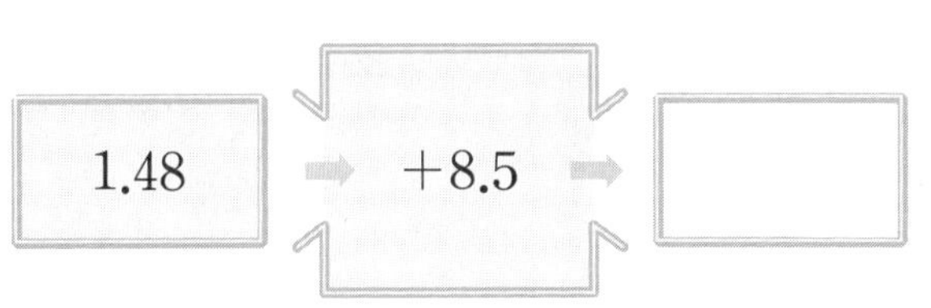

소수 두 자리 수의 뺄셈

교과서 기초 개념

- 소수 두 자리 수의 뺄셈

예 0.73−0.28의 계산

6 10
0.73
−0.28
0.4 ❶
7−1−2=4
10+3−8=5
소수 둘째 자리, 소수 첫째 자리, 일의 자리 순서로 빼.

- 자릿수가 다른 소수의 뺄셈

예 1.2−0.32의 계산

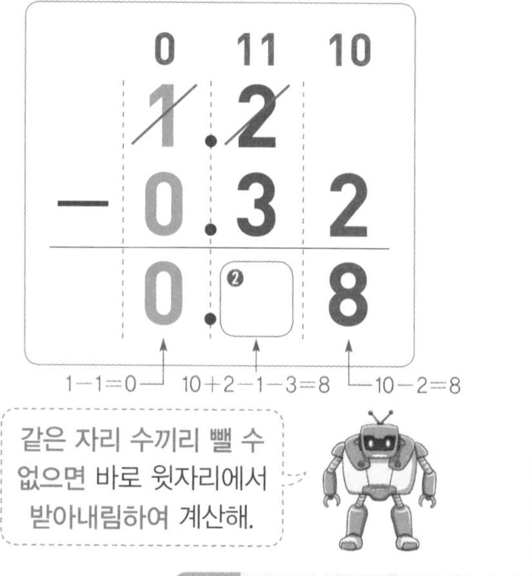

정답 ❶ 5 ❷ 8

▶정답 및 풀이 16쪽

1-1 수직선을 보고 □ 안에 알맞은 수를 써넣으세요.

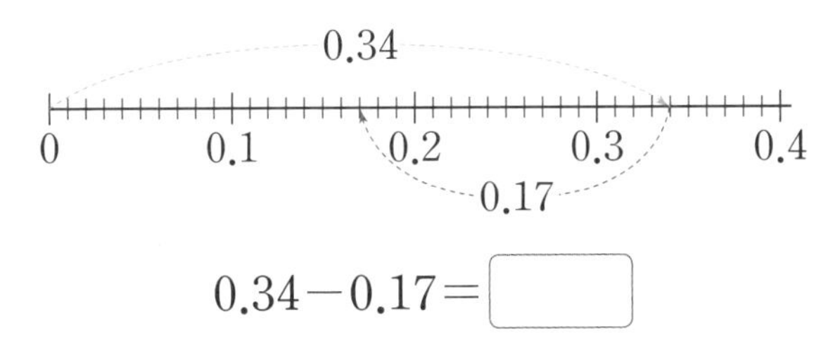

0.34 − 0.17 = □

1-2 수직선을 보고 □ 안에 알맞은 수를 써넣으세요.

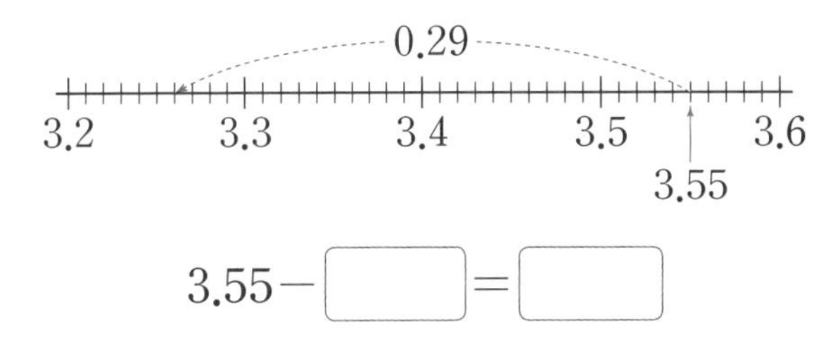

3.55 − □ = □

2-1 □ 안에 알맞은 수를 써넣으세요.

$$\begin{array}{r} 2.17 \\ -\ 0.43 \\ \hline \square.\square\square \end{array}$$

2-2 □ 안에 알맞은 수를 써넣으세요.

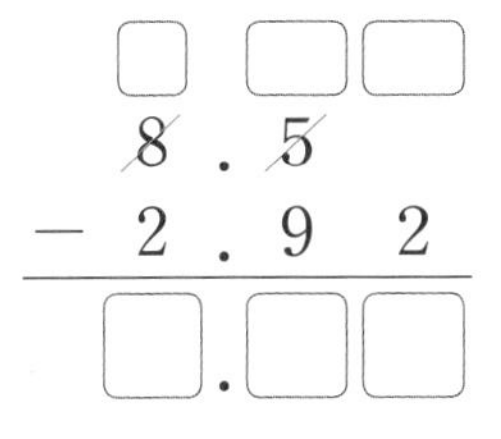

$$\begin{array}{r} 8.5 \\ -\ 2.92 \\ \hline \square.\square\square \end{array}$$

3-1 계산해 보세요.

(1) $\begin{array}{r} 0.94 \\ -\ 0.25 \\ \hline \end{array}$ (2) $\begin{array}{r} 0.7 \\ -\ 0.23 \\ \hline \end{array}$

3-2 계산해 보세요.

(1) $\begin{array}{r} 4.05 \\ -\ 1.72 \\ \hline \end{array}$ (2) $\begin{array}{r} 3.4 \\ -\ 1.89 \\ \hline \end{array}$

4-1 빈칸에 알맞은 수를 써넣으세요.

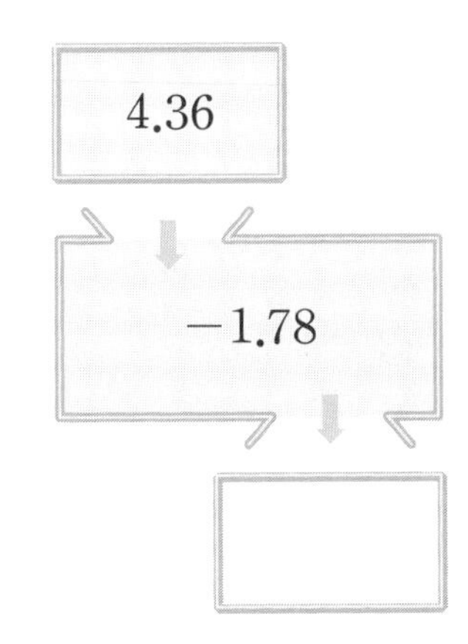

4-2 빈칸에 알맞은 수를 써넣으세요.

5.8	−2.97	

기초 집중 연습

기본 문제 연습

1-1 계산해 보세요.

(1) $0.59+0.68$

(2) $0.94-0.27$

1-2 계산해 보세요.

(1) $1.3+0.85$

(2) $4.7-1.05$

2-1 다음이 나타내는 수를 구하세요.

0.32보다 1.39 큰 수

(　　　　　　)

2-2 태연이가 말하는 수는 얼마인가요?

0.8보다 0.58 작은 수

(　　　　　　)

3-1 민호가 $0.91+0.7$을 잘못 계산한 것입니다. 잘못된 곳을 찾아 바르게 계산해 보세요.

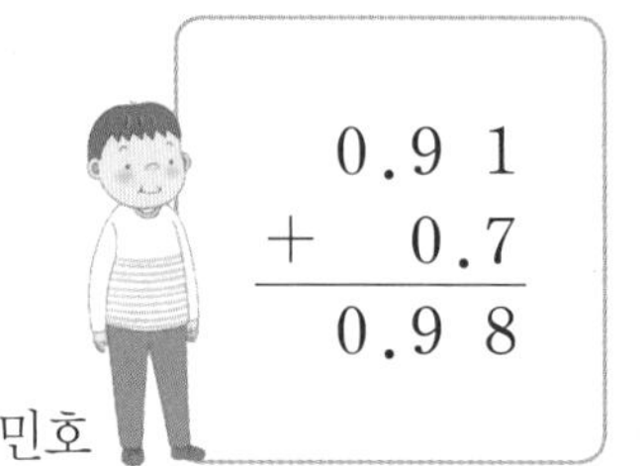

3-2 계산이 잘못된 곳을 찾아 바르게 계산해 보세요.

$$\begin{array}{r} 0.92 \\ -\,0.53 \\ \hline 0.49 \end{array} \rightarrow$$

4-1 크기를 비교하여 ○ 안에 >, =, <를 알맞게 써넣으세요.

$0.77+0.32$ 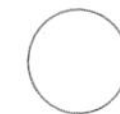 0.98

4-2 계산 결과가 더 큰 것에 ○표 하세요.

$1.43+2.8$	$5.3-1.85$
(　　)	(　　)

▶정답 및 풀이 16쪽

연산 → 문장제 연습 '얼마나 더 높이(빨리)'는 뺄셈으로 구하자.

연산 계산해 보세요.

$1.53-0.95$

이 계산식이 실생활에서
어떻게 이용될까요?

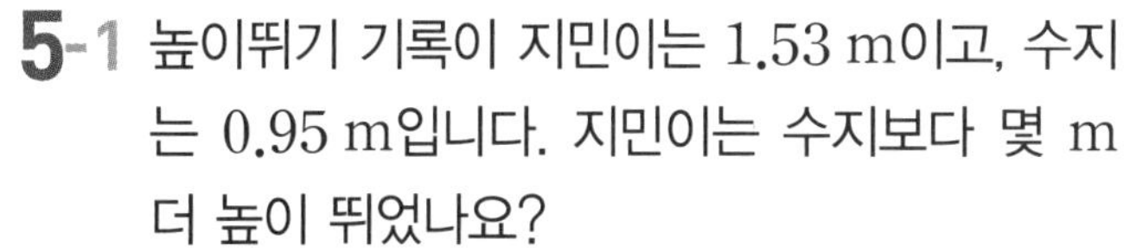

5-1 높이뛰기 기록이 지민이는 1.53 m이고, 수지는 0.95 m입니다. 지민이는 수지보다 몇 m 더 높이 뛰었나요?

식 $1.53-\square=\square$

답 ______

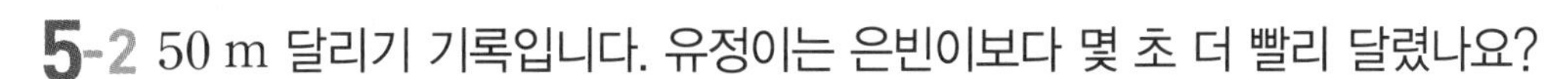

5-2 50 m 달리기 기록입니다. 유정이는 은빈이보다 몇 초 더 빨리 달렸나요?

유정	은빈
7.36초	9.18초

식 ______

답 ______

5-3 종이비행기를 소희는 5.43 m 날렸고, 윤기는 2.71 m 날렸습니다. 누구의 종이비행기가 몇 m 더 멀리 날아갔나요?

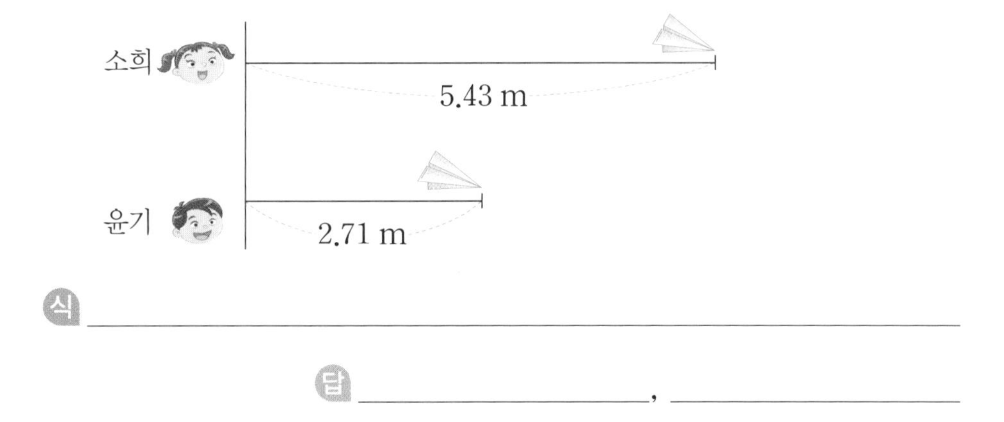

식 ______

답 ______, ______

3주 1일

2일 사각형

수직 알아보기

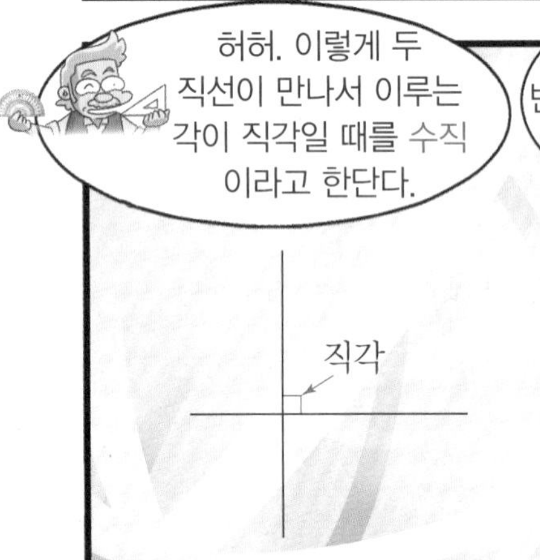

교과서 기초 개념

• **수직과 수선**

두 직선이 만나서 이루는 각이 직각일 때, 두 직선은 서로 **수직**이라고 합니다.
두 직선이 서로 수직으로 만났을 때, 한 직선을 다른 직선에 대한 수선이라고 합니다.

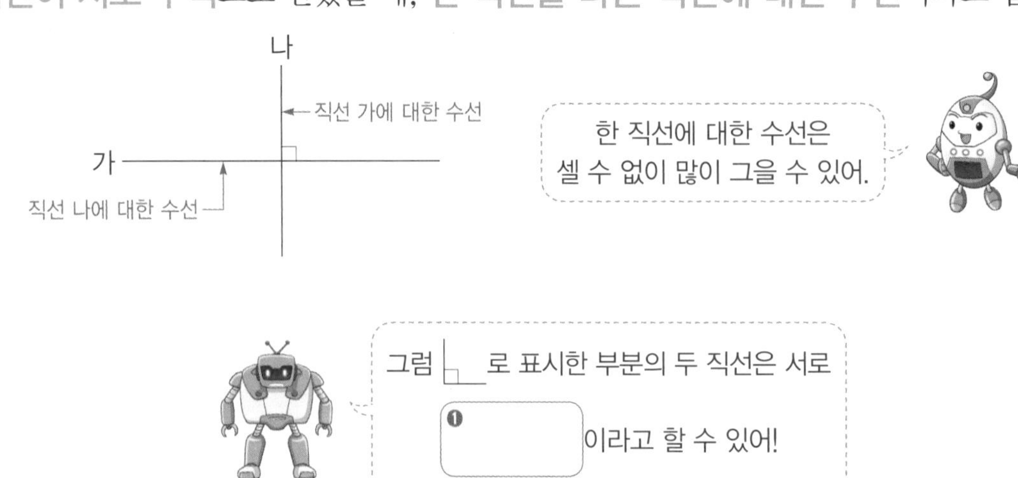

정답 ❶ 수직

개념 · 원리 확인

▶정답 및 풀이 17쪽

1-1 두 직선이 서로 수직인 것에 ○표 하세요.

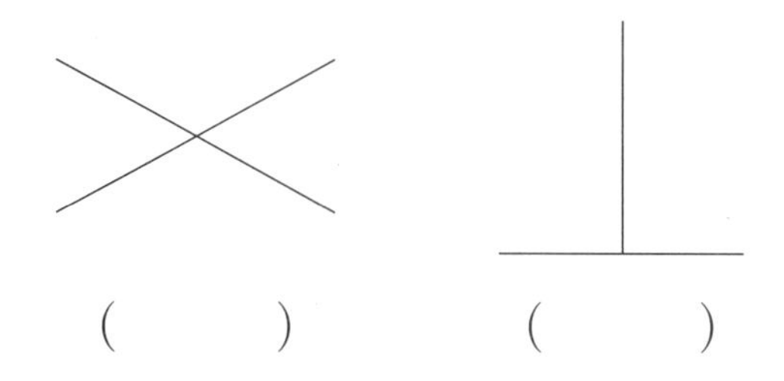

( ) ( )

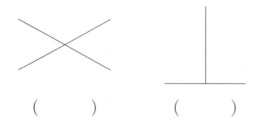

1-2 두 직선이 서로 수직인 것에 ○표, 수직이 아닌 것에 ×표 하세요.

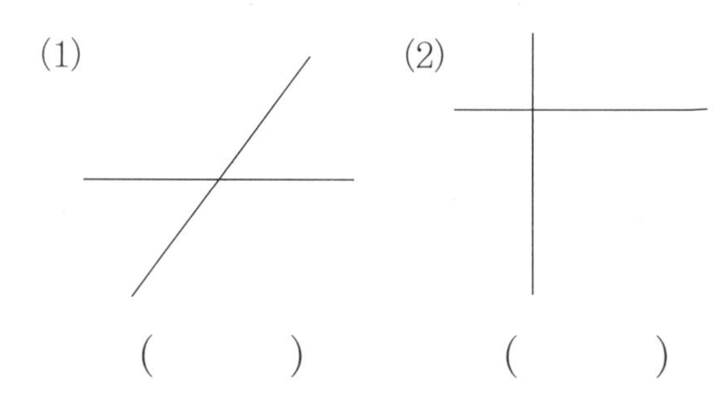

( ) ( )

2-1 그림을 보고 □ 안에 알맞은 기호를 써넣으세요.

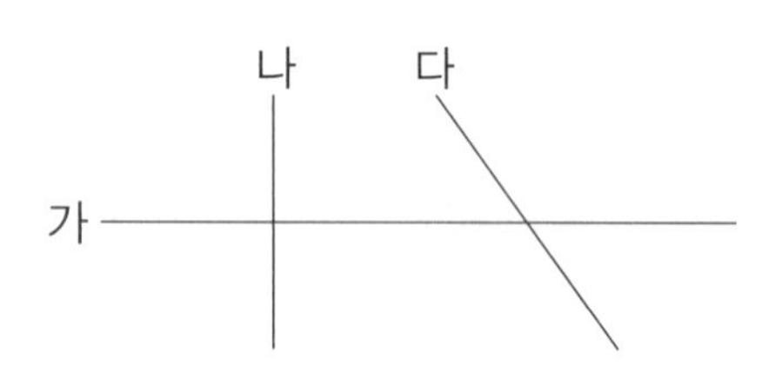

(1) 직선 가에 수직인 직선은 직선 □입니다.

(2) 직선 나에 대한 수선은 직선 □입니다.

2-2 직선 가에 수직인 직선을 찾아 써 보세요.

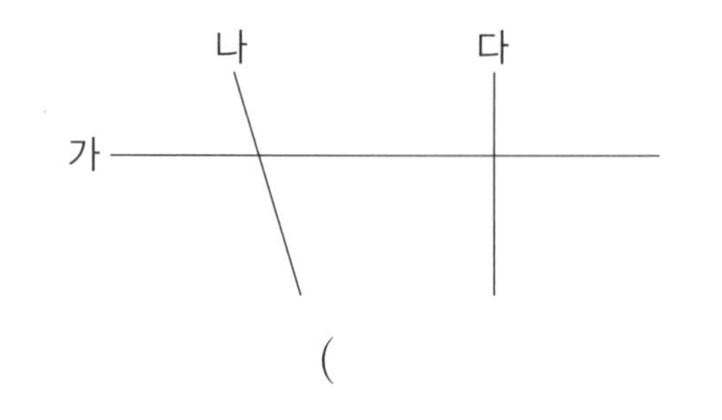

( )

3-1 서로 수직인 변이 있는 도형에 ○표 하세요.

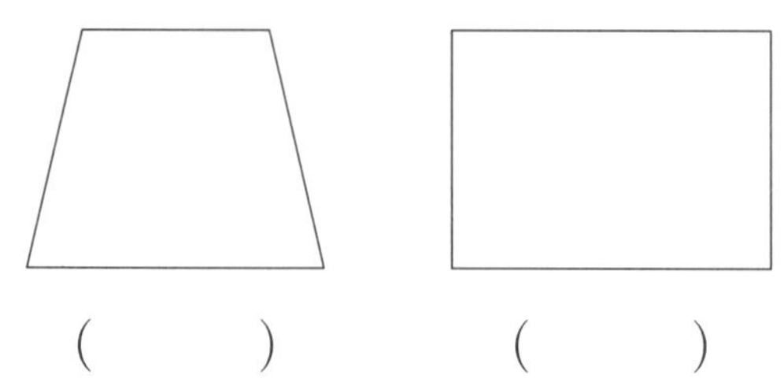

( ) ( )

3-2 서로 수직인 변이 있는 도형을 찾아 기호를 써 보세요.

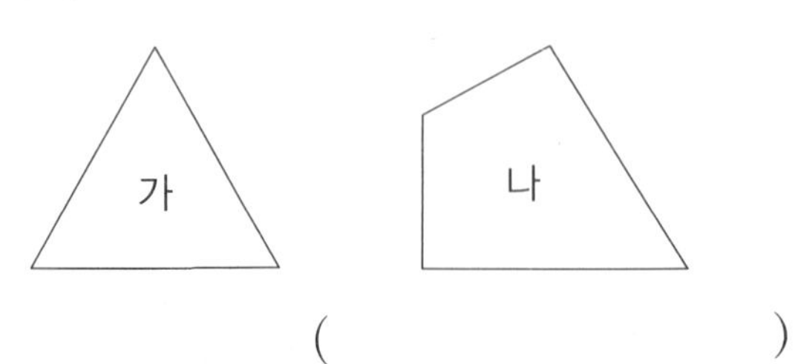

( )

2일 사각형 수선 긋기

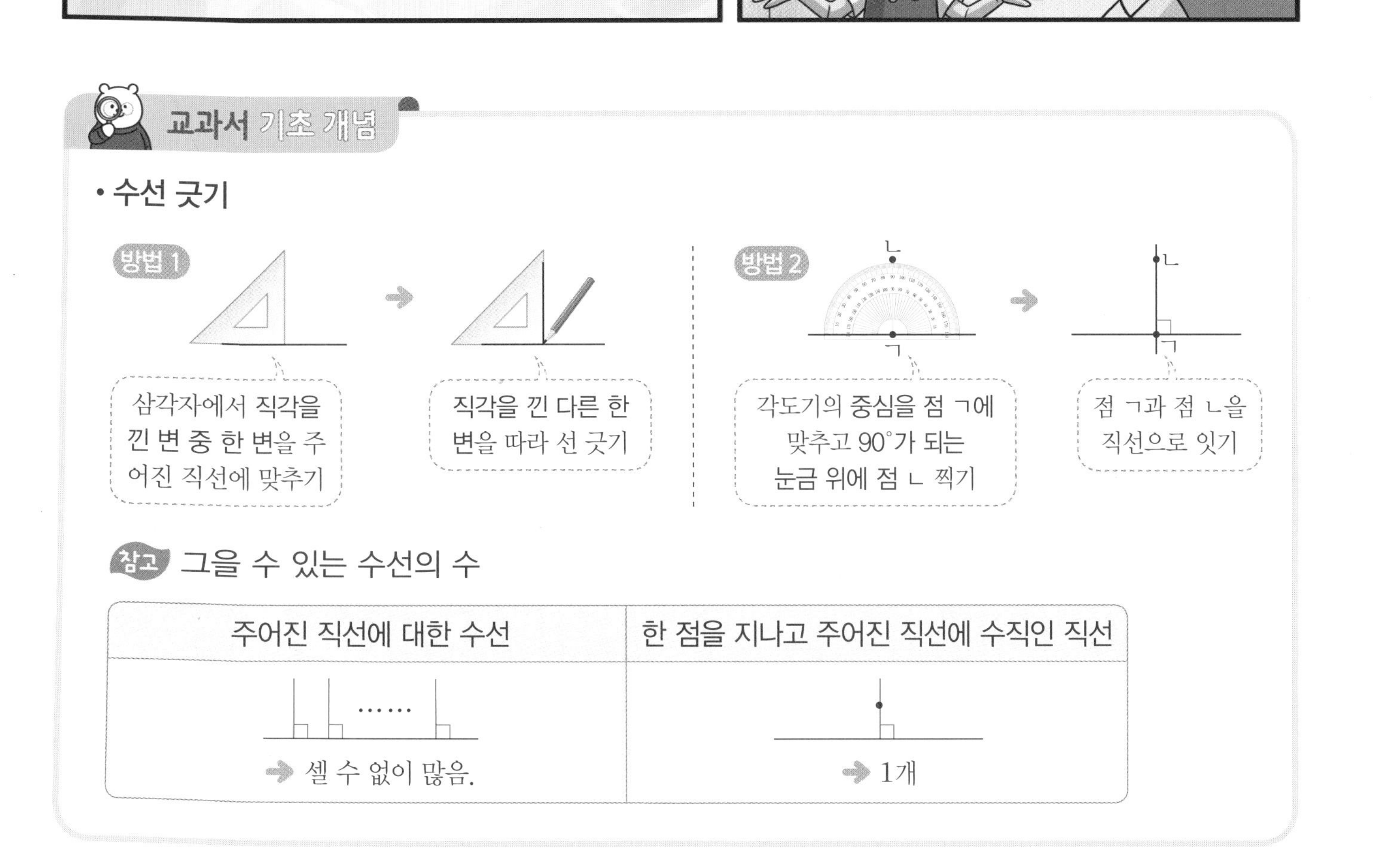

교과서 기초 개념

• 수선 긋기

방법 1

삼각자에서 직각을 낀 변 중 한 변을 주어진 직선에 맞추기 → 직각을 낀 다른 한 변을 따라 선 긋기

방법 2

각도기의 중심을 점 ㄱ에 맞추고 90°가 되는 눈금 위에 점 ㄴ 찍기 → 점 ㄱ과 점 ㄴ을 직선으로 잇기

참고 그을 수 있는 수선의 수

주어진 직선에 대한 수선	한 점을 지나고 주어진 직선에 수직인 직선
…… → 셀 수 없이 많음.	→ 1개

개념 · 원리 확인

▶정답 및 풀이 17쪽

1-1 삼각자를 사용하여 직선 가에 대한 수선을 바르게 그은 것에 ○표 하세요.

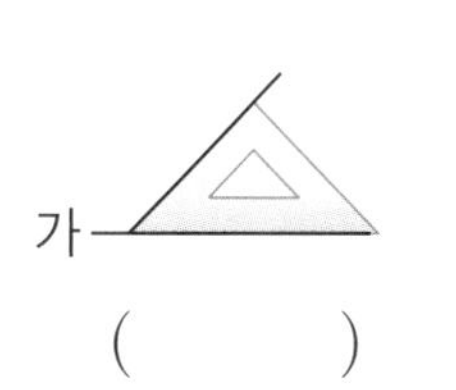

( )

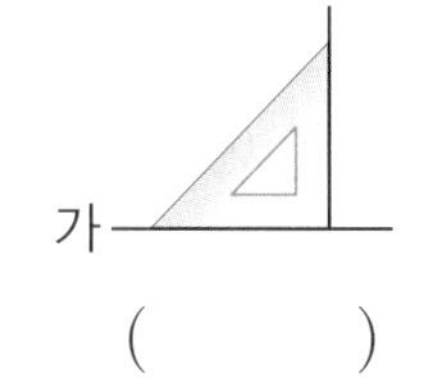

( )

1-2 삼각자를 사용하여 직선 가에 수직인 직선을 바르게 그은 것에 ○표 하세요.

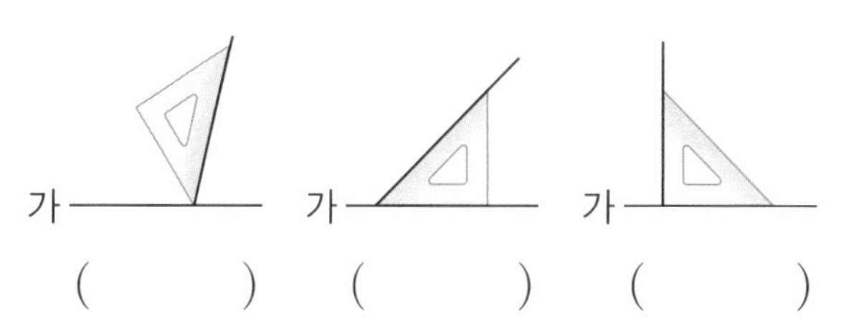

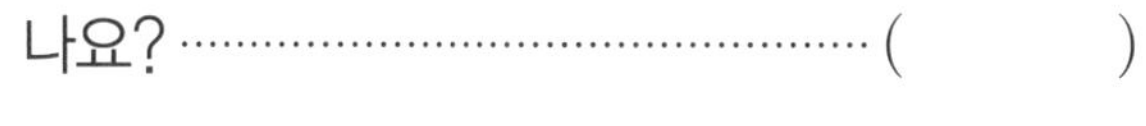

2-1 각도기를 사용하여 직선 가에 대한 수선을 바르게 그은 것에 ○표 하세요.

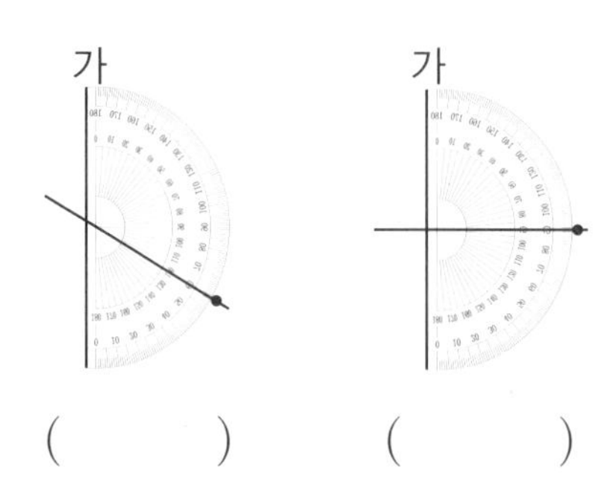

( ) ( )

2-2 각도기를 사용하여 직선 가에 대한 수선을 그으려고 합니다. 점 ㄱ과 어느 점을 이어야 하나요? ( )

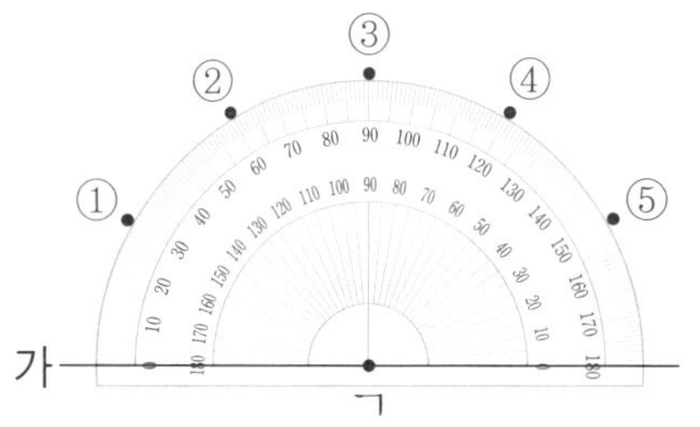

3-1 주어진 직선에 대한 수선을 그어 보세요.

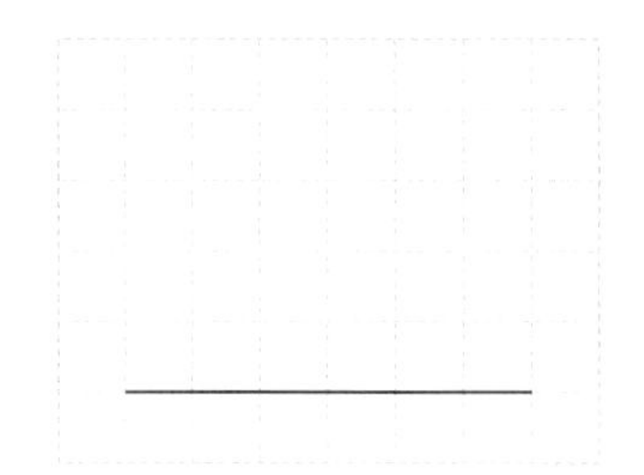

3-2 주어진 직선에 대한 수선을 그어 보세요.

4-1 각도기를 사용하여 주어진 직선에 대한 수선을 그어 보세요.

4-2 삼각자를 사용하여 주어진 직선에 대한 수선을 그어 보세요.

3주 2일

2일 기초 집중 연습

기본 문제 연습

1-1 서로 수직인 변이 있는 도형을 찾아 기호를 써 보세요.

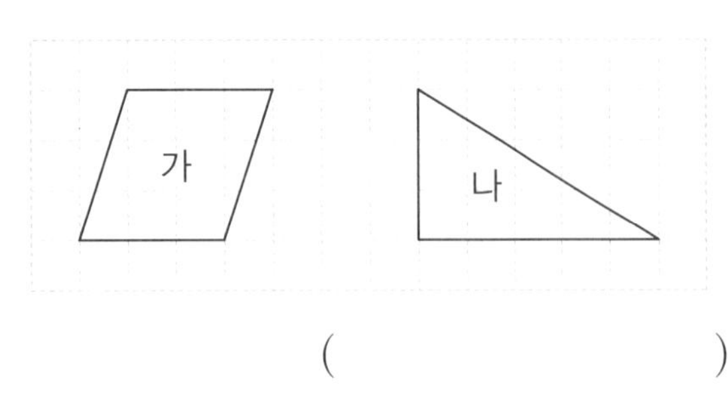

( )

1-2 서로 수직인 변이 있는 도형을 모두 찾아 기호를 써 보세요.

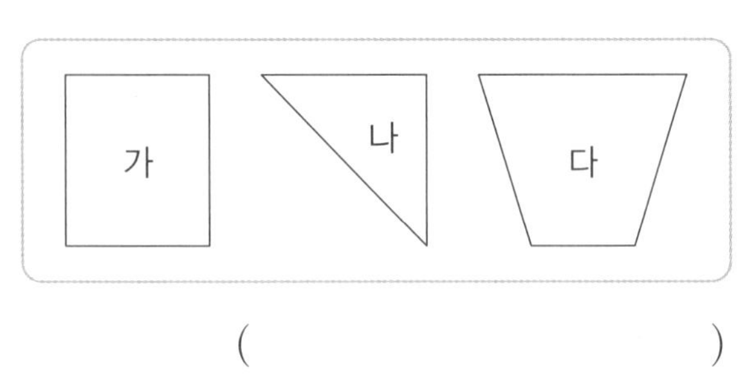

( )

100쪽 방법1을 참고하세요.

2-1 삼각자를 사용하여 점 ㄱ을 지나고 직선 가에 수직인 직선을 그어 보세요.

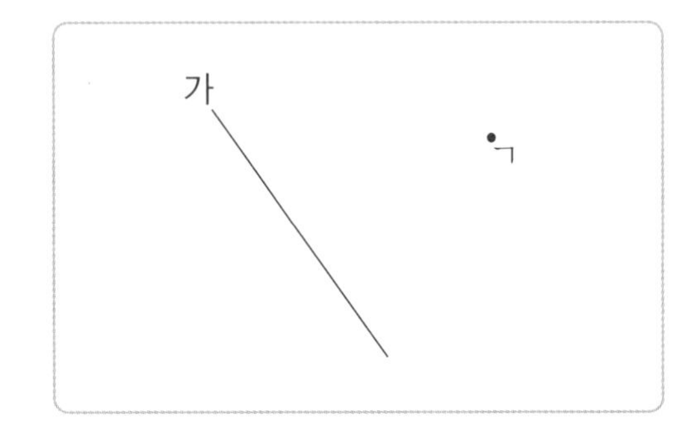

100쪽 방법2를 참고하세요.

2-2 각도기를 사용하여 점 ㄱ을 지나는 직선 가에 대한 수선을 그어 보세요.

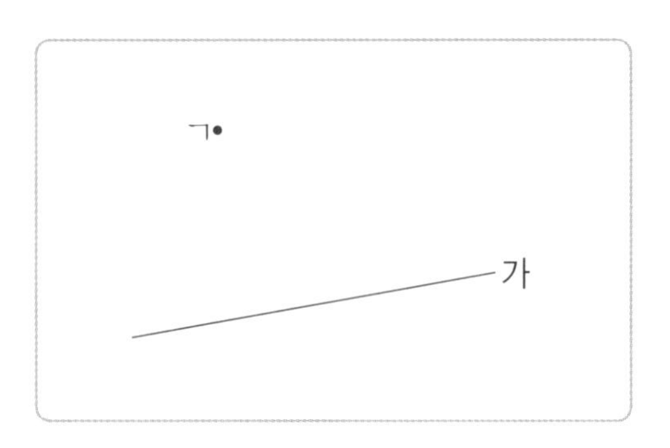

3-1 서로 수직인 두 직선을 찾아 써 보세요.

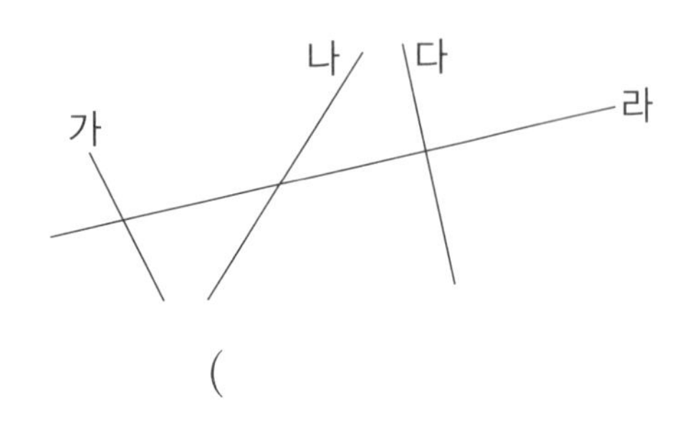

( )

3-2 서로 수직인 두 직선을 찾아 써 보세요.

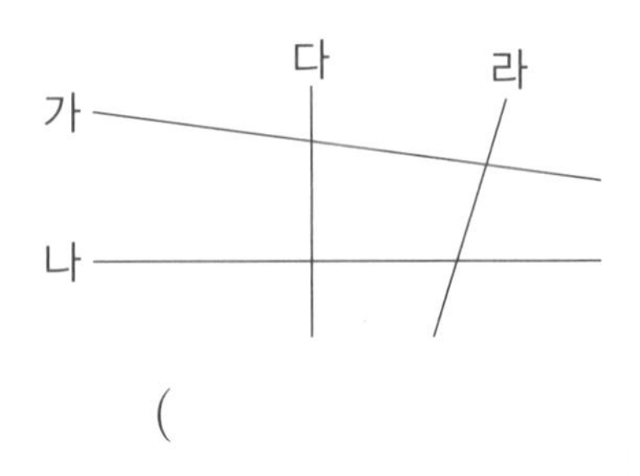

( )

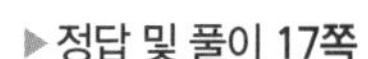

▶정답 및 풀이 17쪽

기초 → 기본 연습 두 선분이 이루는 각이 90°인 것이 서로 수직임을 알고 구하자.

기초 도형에서 파란색 변에 대한 수선인 변에 ○표 하세요.

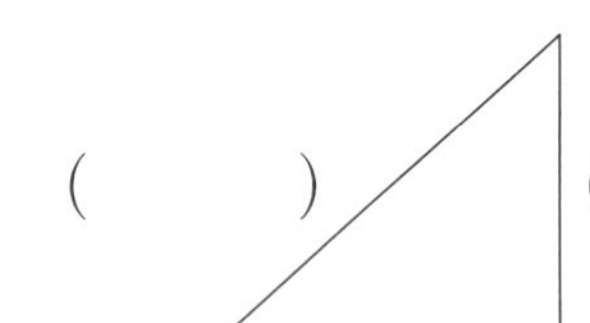
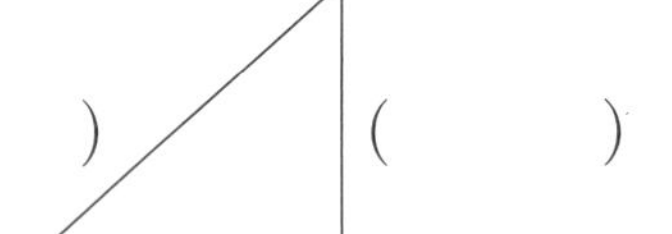

( ) ( )

4-1 서로 수직인 선분을 찾아 써 보세요.

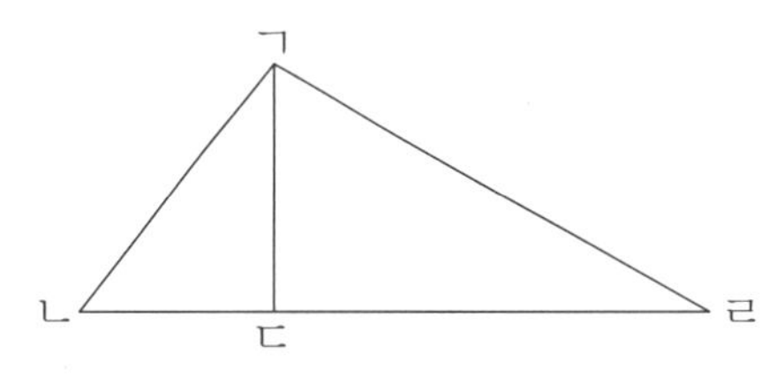

답 ______________________

4-2 도형에서 서로 수직인 선분을 찾아 써 보세요.

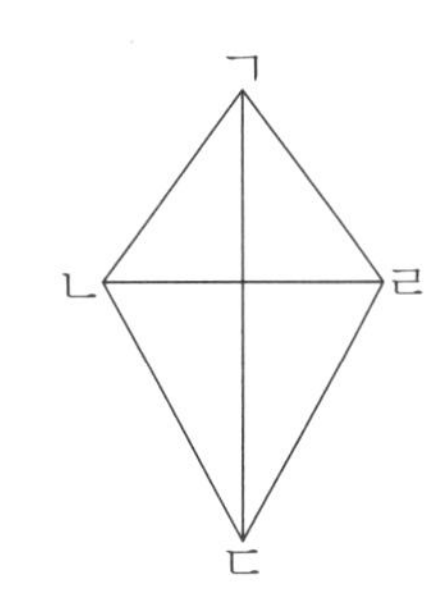

답 ______________________

4-3 서로 수직인 직선은 모두 몇 쌍인가요?

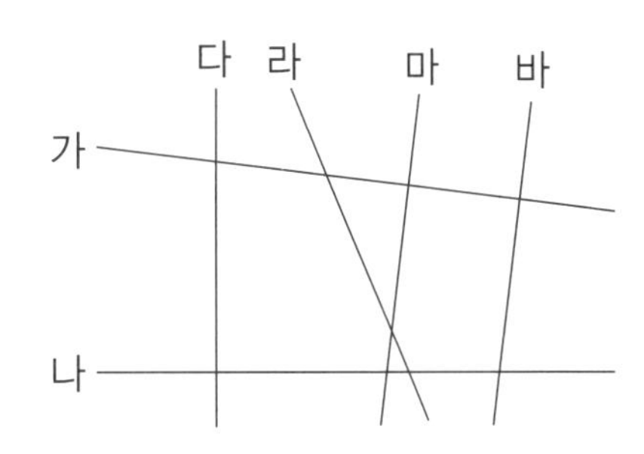

답 ______________________

3주 2일

교과서 기초 개념

• **평행**

서로 만나지 않는 두 직선을 **평행**하다고 합니다.
이때 평행한 두 직선을 평행선이라고 합니다.

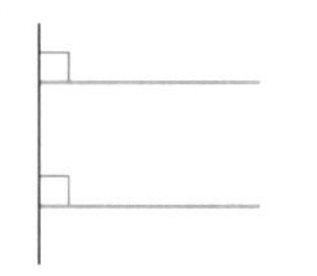

한 직선에 수직인 두 직선을 그으면 그 두 직선은 서로 만나지 않아.

• **평행선 긋기**

① 주어진 직선과 평행한 직선 긋기

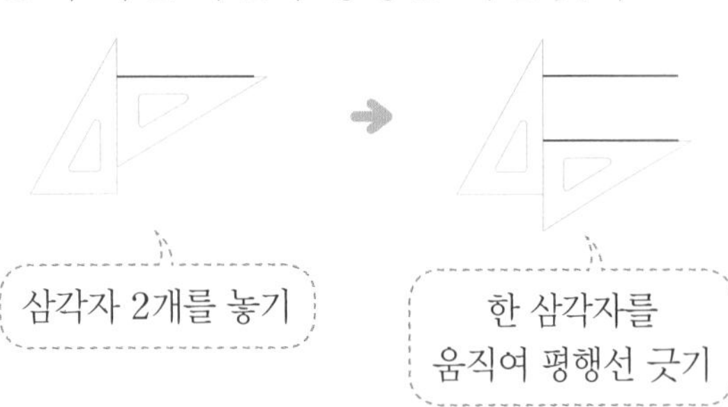

② 한 점을 지나고 주어진 직선과 평행한 직선 긋기

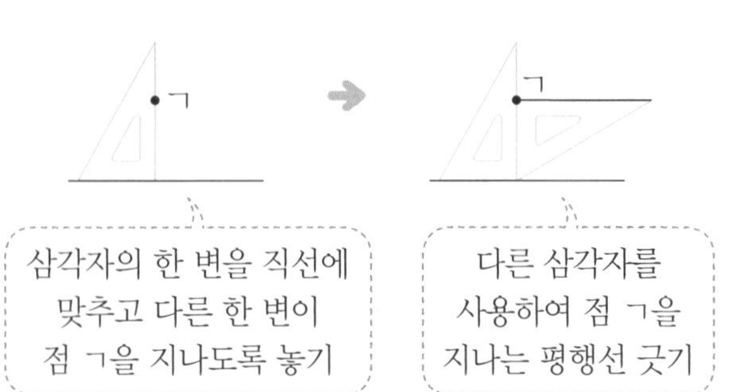

개념 · 원리 확인

▶정답 및 풀이 18쪽

1-1 평행선을 찾아 ○표 하세요.

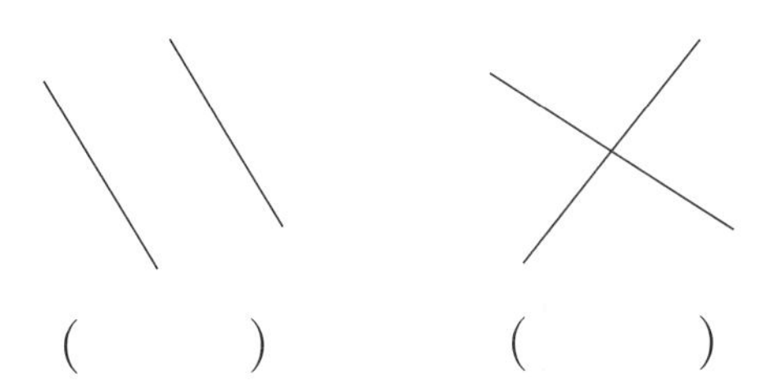

( ) ( )

1-2 평행선을 찾아 ○표 하세요.

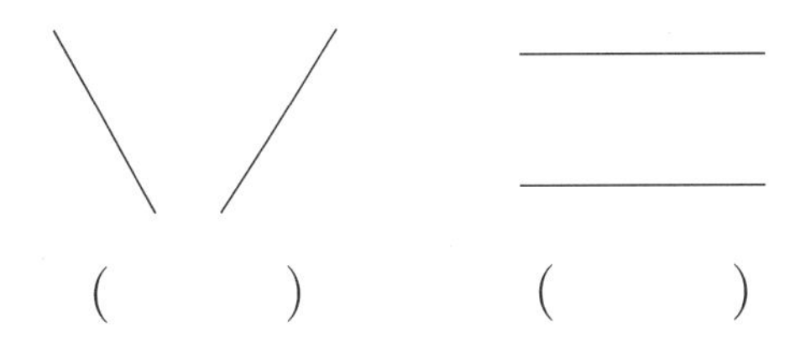

( ) ( )

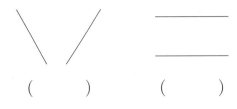

2-1 그림을 보고 □ 안에 알맞은 기호를 써넣으세요.

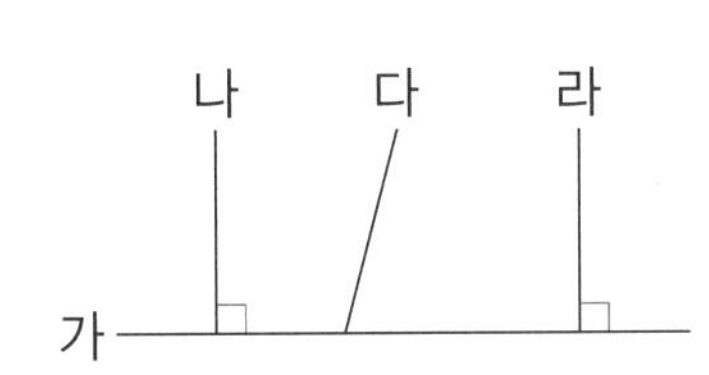

직선 가에 수직인 직선은 직선 □와 직선 □이고 이 두 직선을 평행선이라고 합니다.

2-2 그림을 보고 평행선을 찾아 써 보세요.

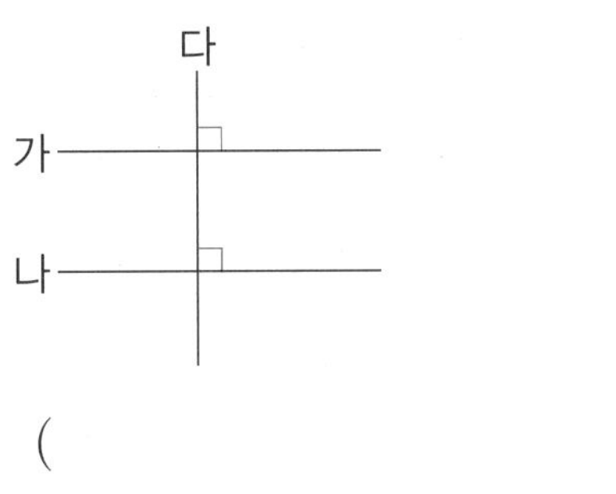

( )

3-1 주어진 직선과 평행한 직선을 그어 보세요.

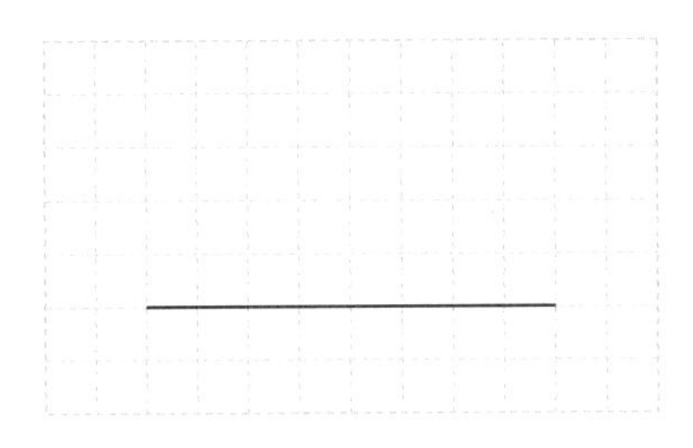

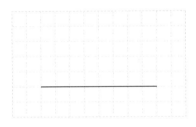

3-2 주어진 직선과 평행한 직선을 그어 보세요.

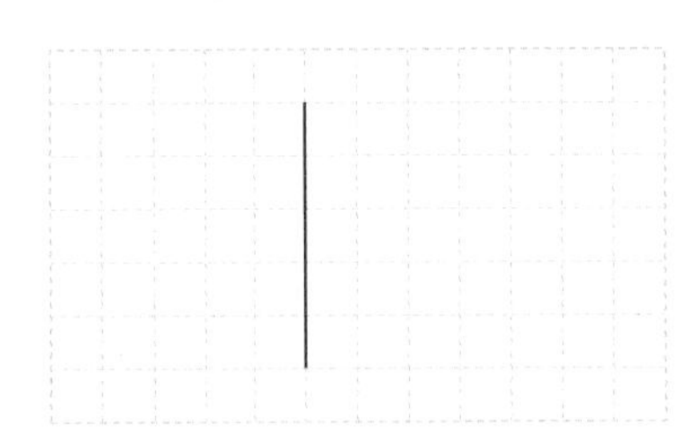

4-1 직사각형에서 서로 평행한 변을 모두 찾아 써 보세요.

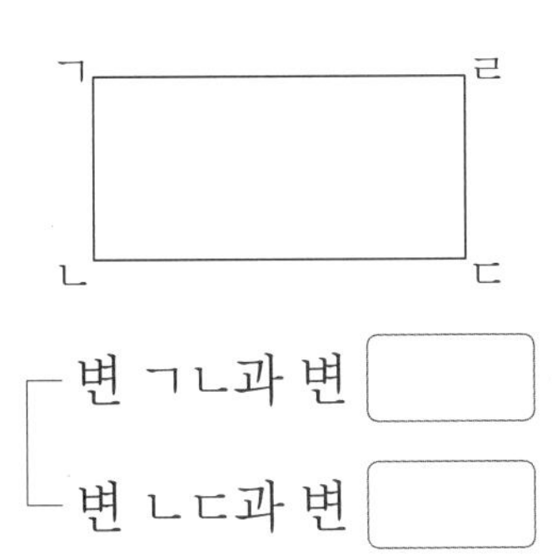

4-2 사각형에서 서로 평행한 변끼리 짝 지은 것에 ○표 하세요.

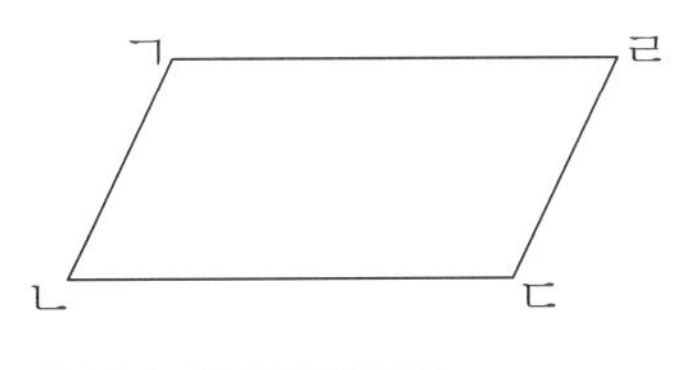

변 ㄱㄴ과 변 ㄴㄷ ( )

변 ㄴㄷ과 변 ㄱㄹ ( )

교과서 기초 개념

• 평행선 사이의 거리

평행선의 한 직선에서 다른 직선에 수선을 긋습니다.
이때 이 **수선의 길이**를 **평행선 사이의 거리**라고 합니다.

평행선 사이의 거리

• 평행선 사이의 거리 재기

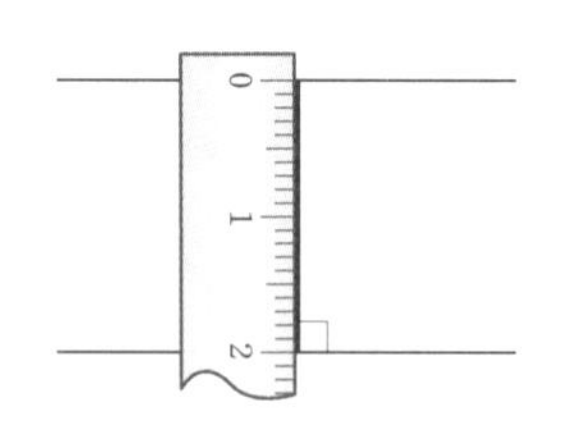

➔ 평행선 사이의 거리:  cm

참고 평행선 사이의 거리는 어디에서 재어도 모두 같습니다.

정답 ❶ 2

▶정답 및 풀이 18쪽

1-1 직선 가와 직선 나는 서로 평행합니다. □ 안에 알맞은 기호를 써넣으세요.

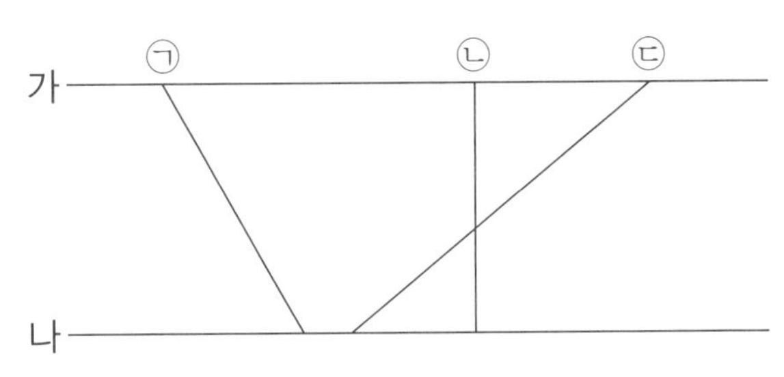

평행선 사이의 거리를 나타내는 선분은 □입니다.

1-2 직선 가와 직선 나는 서로 평행합니다. 평행선 사이의 거리를 나타내는 선분을 찾아 기호를 써 보세요.

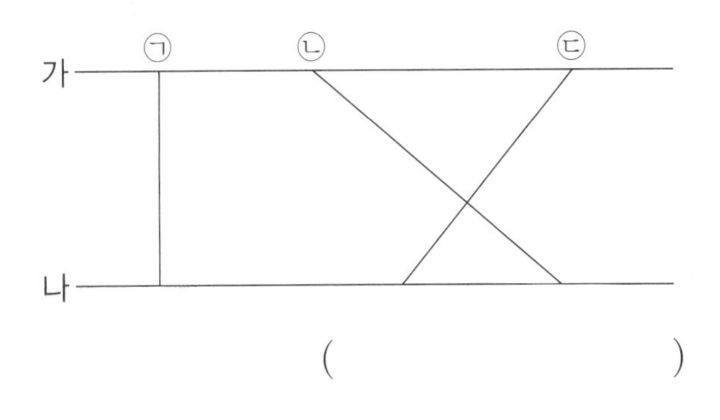

(　　　　　　)

2-1 평행선 사이의 거리는 몇 cm인지 □ 안에 알맞은 수를 써넣으세요.

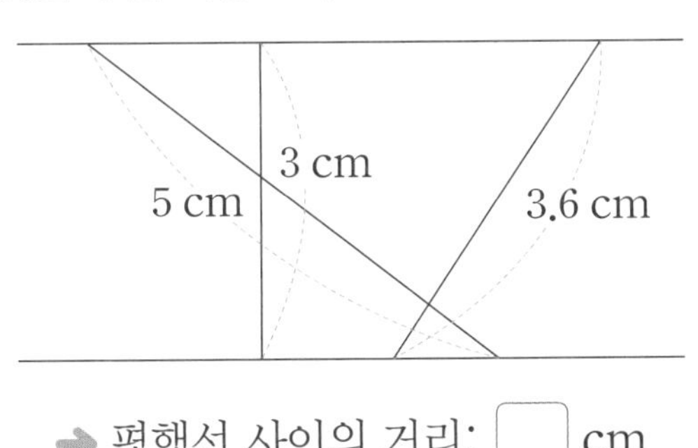

➔ 평행선 사이의 거리: □ cm

2-2 평행선 사이의 거리는 몇 cm인가요?

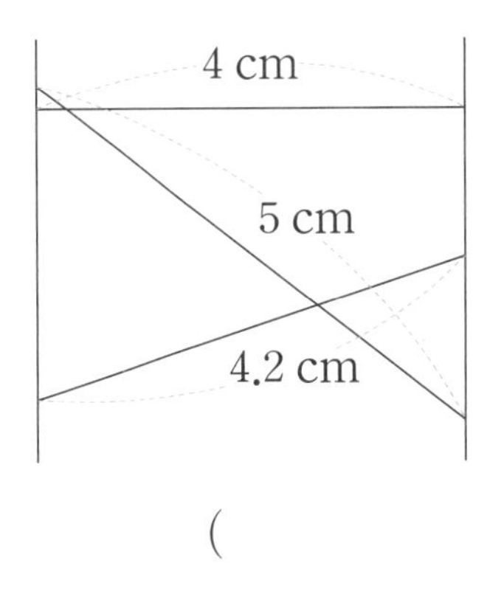

(　　　　　　)

3-1 평행선 사이의 기리가 5 cm가 되도록 평행선을 그어 보세요.

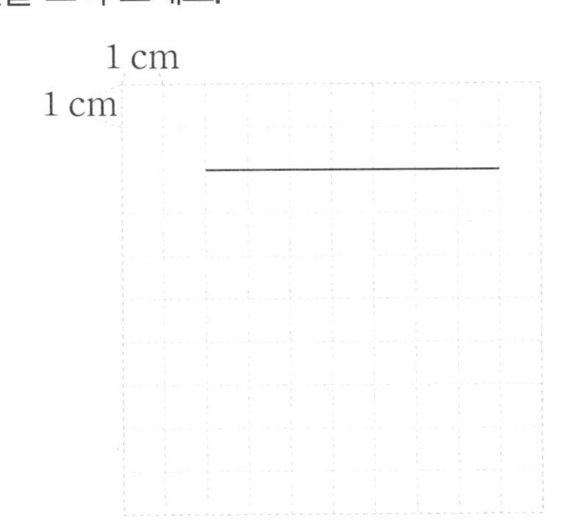

3-2 평행선 사이의 거리가 6 cm가 되도록 평행선을 그어 보세요.

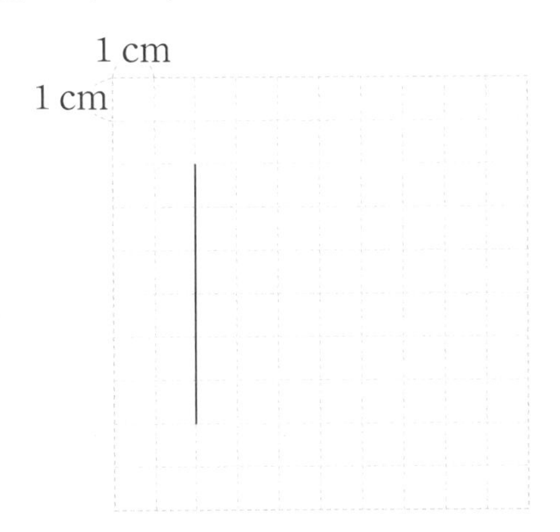

3주 3일

3일 기초 집중 연습

기본 문제 연습

1-1 평행선이 있는 도형에 ○표 하세요.

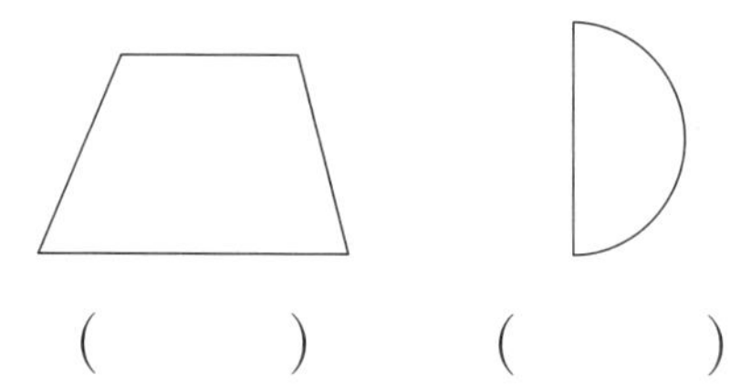

( ) ( )

1-2 평행선이 있는 도형에 모두 ○표 하세요.

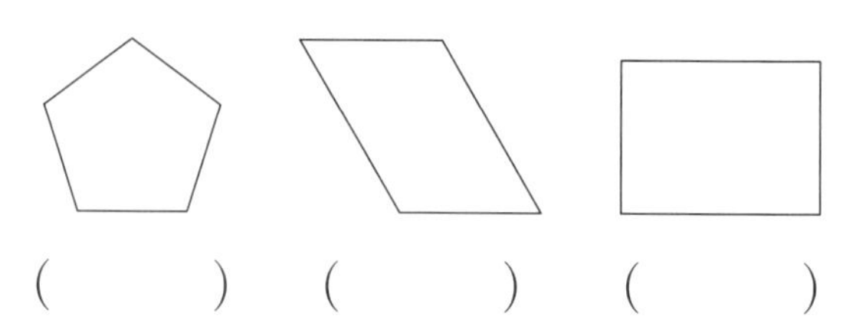

( ) ( ) ( )

2-1 삼각자를 사용하여 점 ㄱ을 지나고 직선 가와 평행한 직선을 그어 보세요.

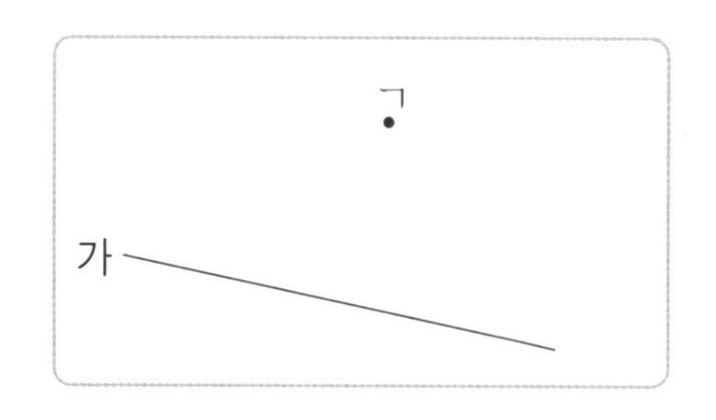

2-2 점 ㄱ을 지나고 주어진 직선과 평행한 직선을 그어 보세요.

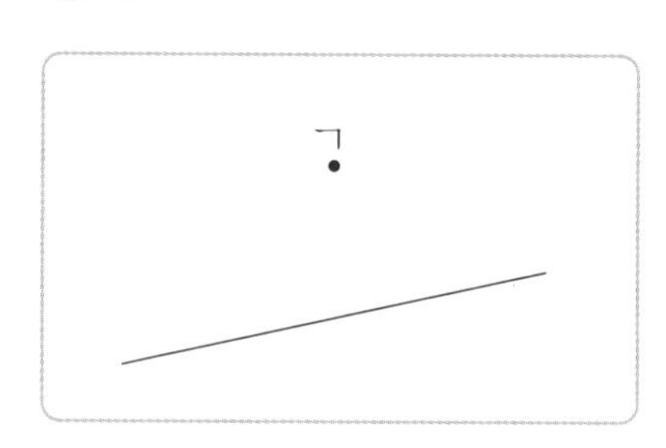

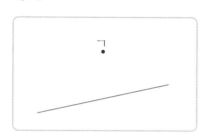

[3-1 ~ 3-2] 서로 평행한 직선을 찾아 써 보세요.

3-1

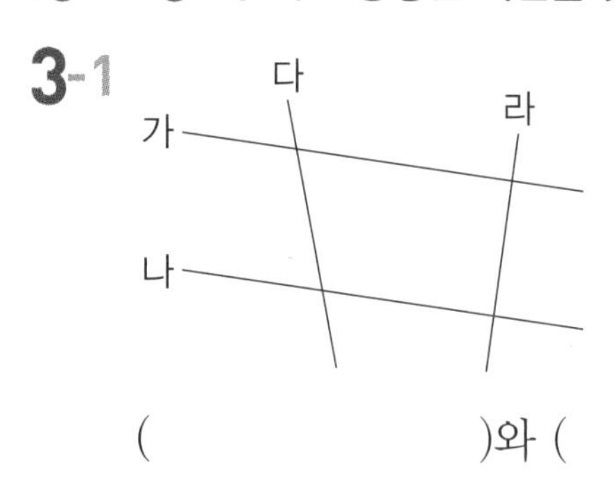

( )와 ( )

3-2

다 라 가 나

( )와 ( )

[4-1 ~ 4-2] 도형에서 평행선은 모두 몇 쌍인가요?

4-1

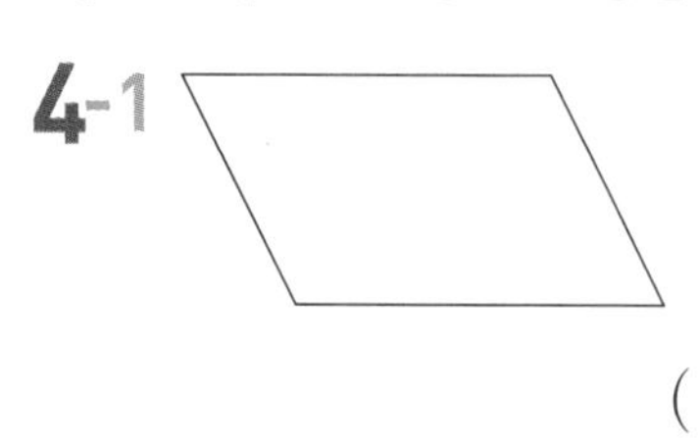

( )

4-2

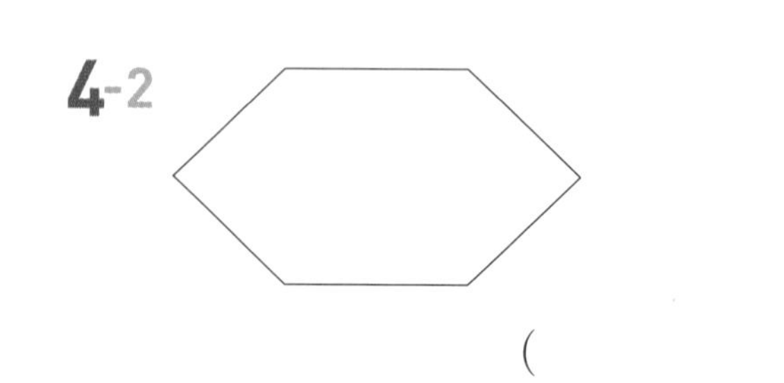

( )

▶ 정답 및 풀이 18쪽

기초 → 기본 연습 서로 만나지 않는 두 직선 사이의 수직인 선분을 찾자.

기초 평행선 사이의 거리를 나타내는 선분을 찾아 기호를 써 보세요.

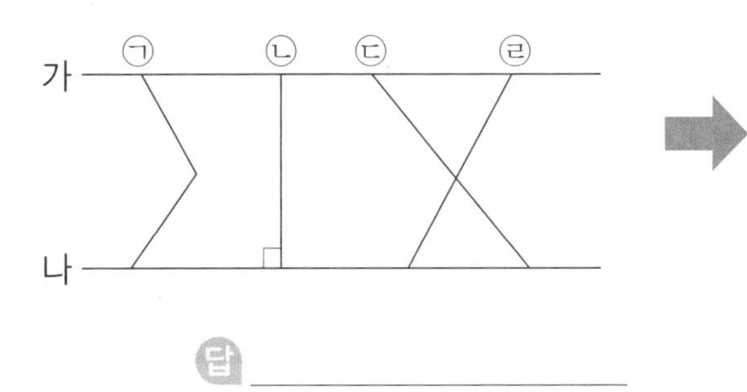

답 ____________

5-1 도형에서 평행선 사이의 거리를 나타내는 변을 찾아 써 보세요.

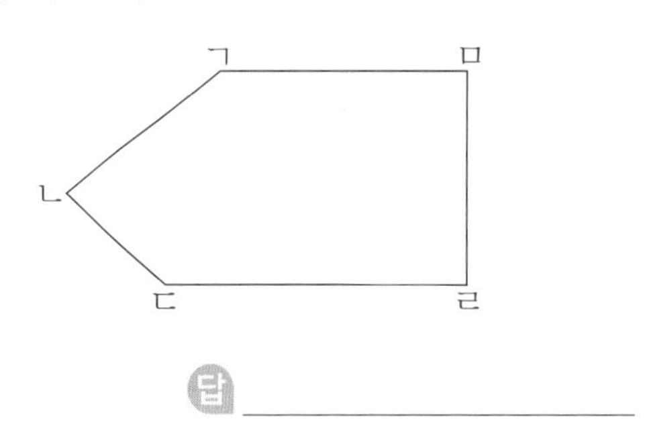

답 ____________

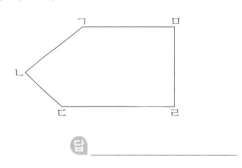

5-2 도형에서 평행선 사이의 거리를 나타내는 변을 바르게 말한 사람은 누구인가요?

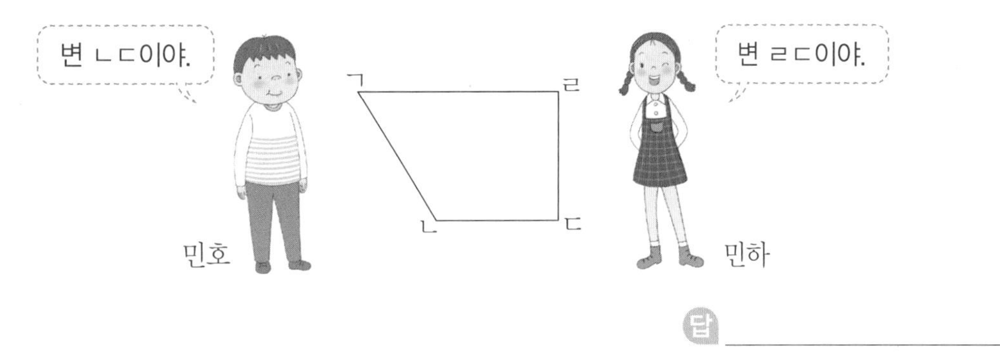

답 ____________

5-3 도형에서 평행선 사이의 거리는 몇 cm인가요?

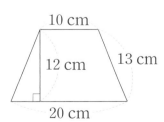

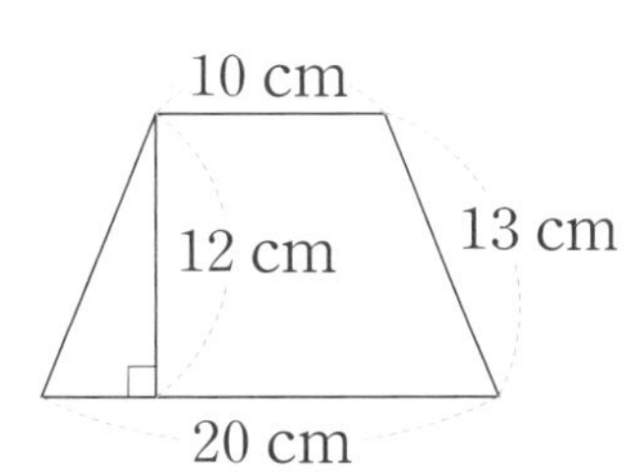

답 ____________

3주 3일

교과서 기초 개념

• 사다리꼴

사다리꼴: 평행한 변이 한 쌍이라도 있는 사각형

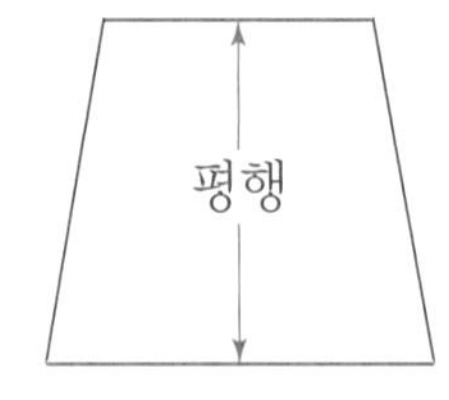

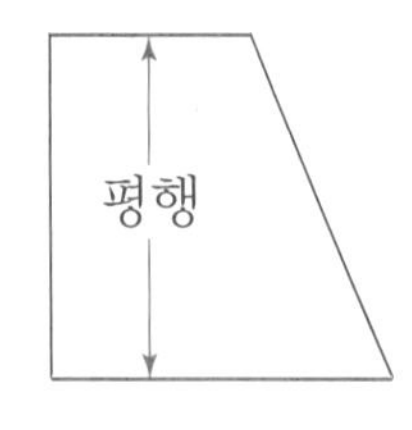

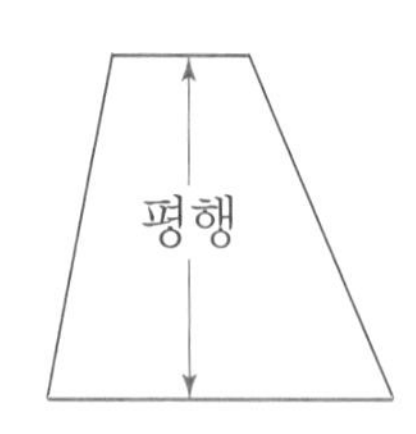

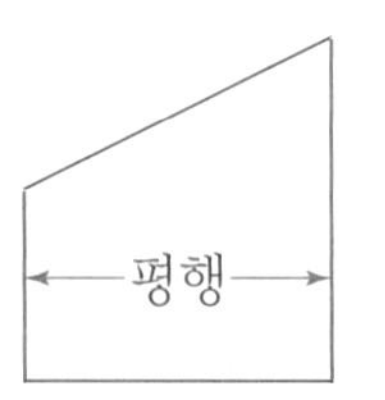

평행한 변이 한 쌍이든 두 쌍이든 있으면 사다리꼴이에요.

개념 · 원리 확인

▶정답 및 풀이 19쪽

1-1 사다리꼴에 ○표 하세요.

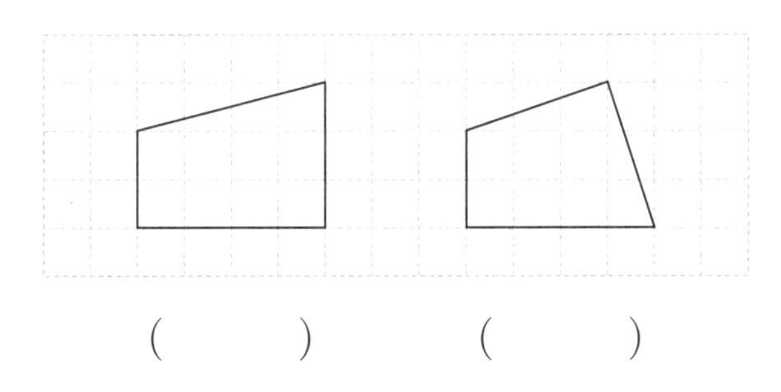

( ) ( )

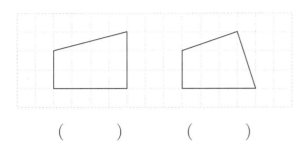

1-2 사다리꼴이 아닌 것에 ×표 하세요.

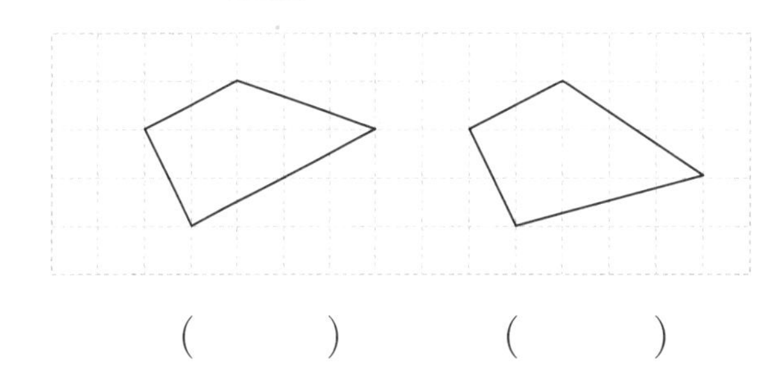

( ) ( )

2-1 사다리꼴을 찾아 기호를 써 보세요.

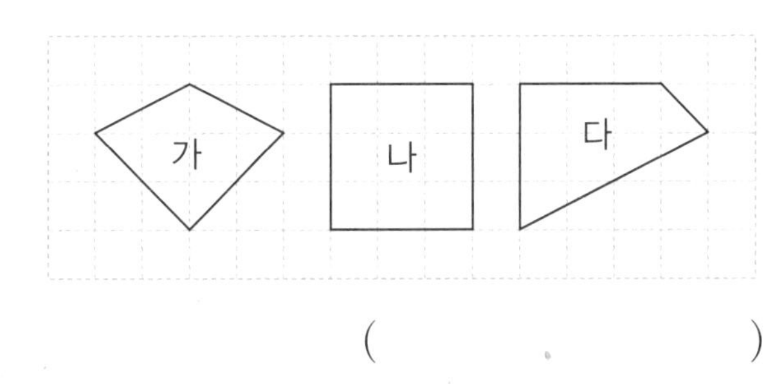

( )

2-2 사다리꼴을 모두 찾아 기호를 써 보세요.

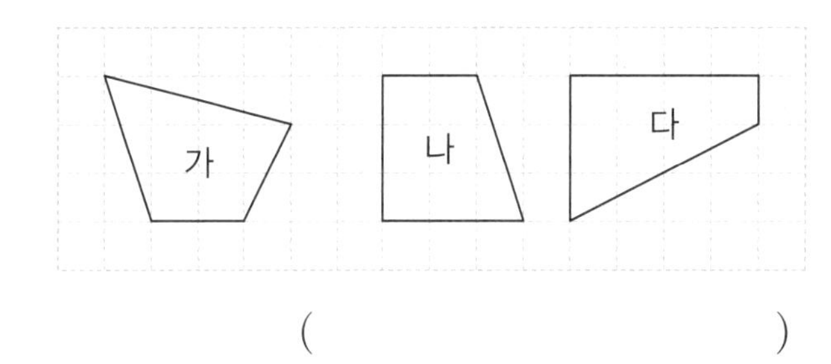

( )

3-1 사다리꼴에서 평행한 변을 찾아 □ 안에 알맞게 써넣으세요.

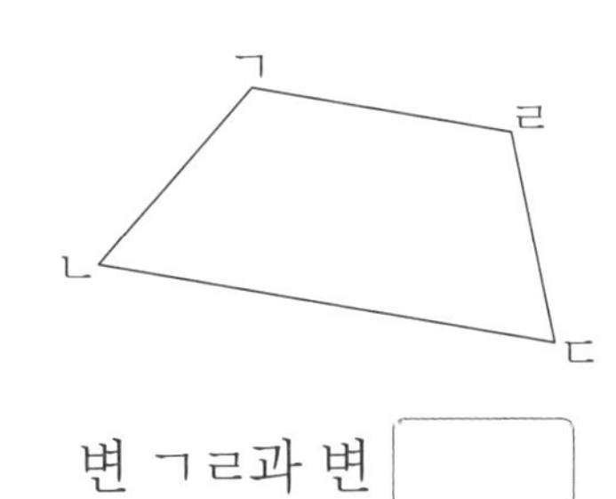

변 ㄱㄹ과 변 □

3-2 사다리꼴에서 평행한 변을 찾아 써 보세요.

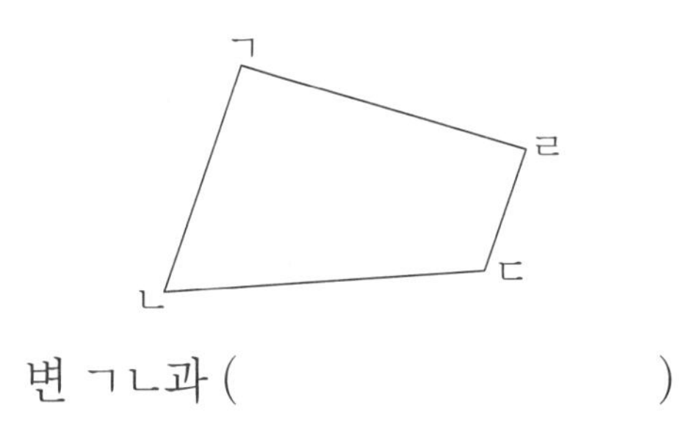

변 ㄱㄴ과 ( )

[4-1 ~ 4-2] 모눈종이에 주어진 선분을 이용하여 사다리꼴을 완성하세요.

4-1

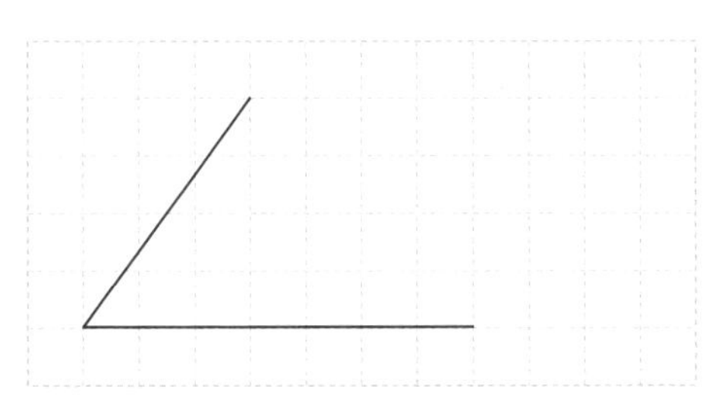

4-2

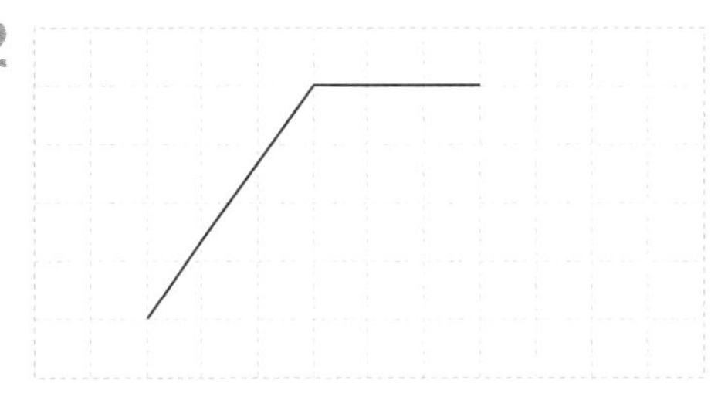

3주 4일

평행사변형

교과서 기초 개념

• **평행사변형**

평행사변형: 마주 보는 **두 쌍의 변이 서로 평행**한 사각형

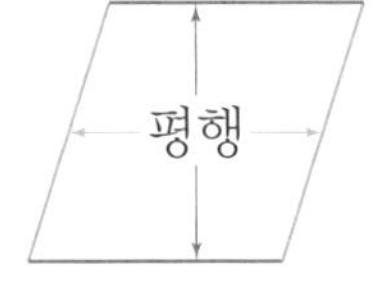

평행사변형은 평행한 변이 두 쌍 있으므로 사다리꼴이라고 할 수 있어.

• **평행사변형의 성질**

(1) 마주 보는 두 변의 길이가 같습니다.	(2) 마주 보는 두 각의 크기가 같습니다.	(3) 이웃한 두 각의 크기의 합이 180° 입니다.
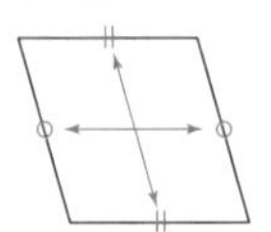	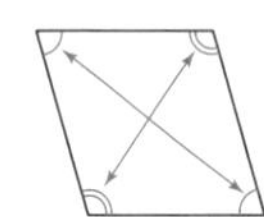	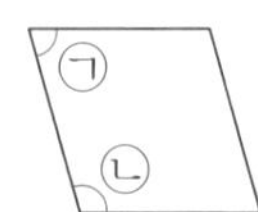 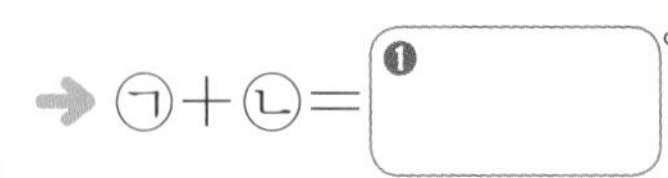 ➜ ㉠+㉡= ❶ □°

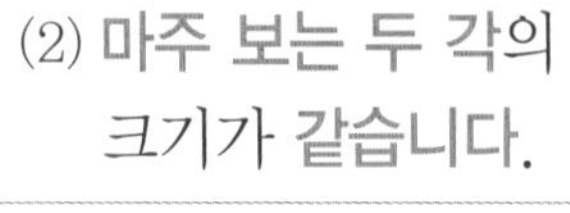

정답 ❶ 180

▶정답 및 풀이 19쪽

1-1 평행사변형에 ○표 하세요.

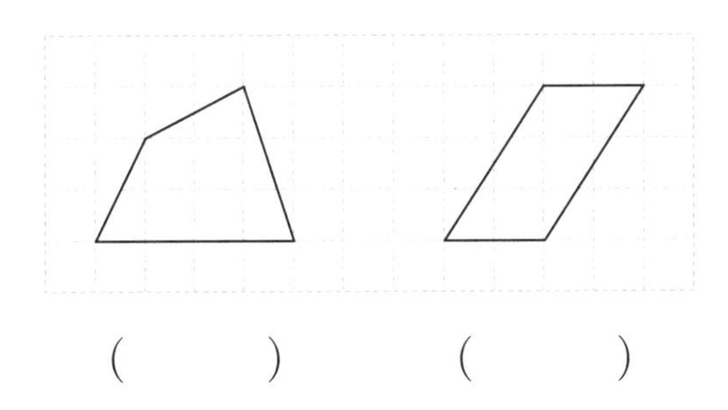

(　　　)　　(　　　)

1-2 평행사변형을 모두 찾아 기호를 써 보세요.

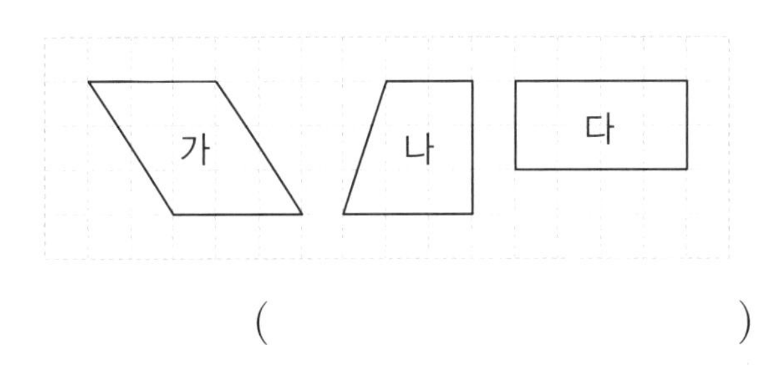

(　　　　　　　　　　)

2-1 주어진 선분을 두 변으로 하는 평행사변형을 완성하세요.

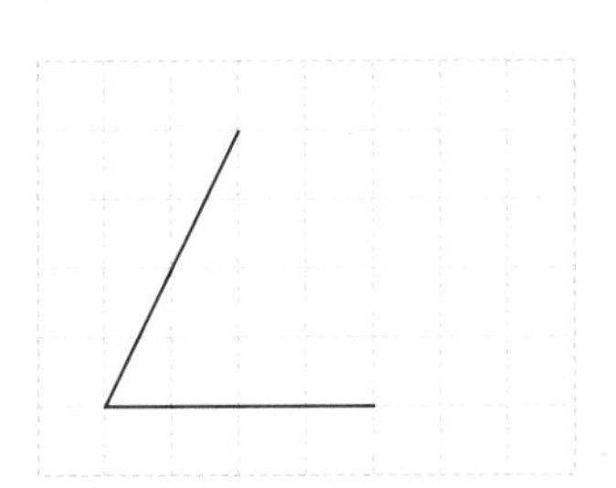

2-2 주어진 선분을 두 변으로 하는 평행사변형을 완성하세요.

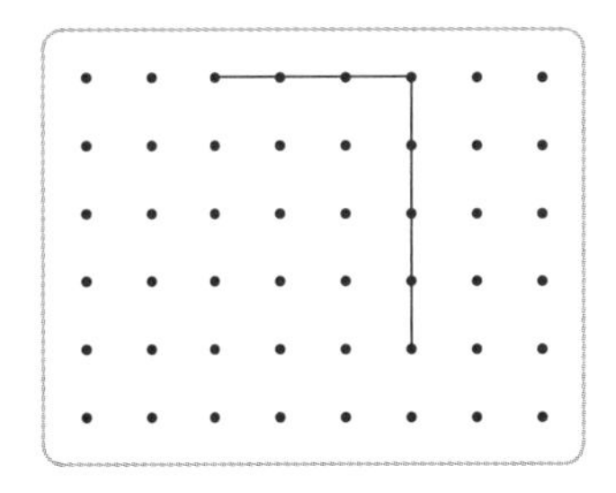

3-1 평행사변형을 보고 □ 안에 알맞은 수를 써넣으세요.

(1)

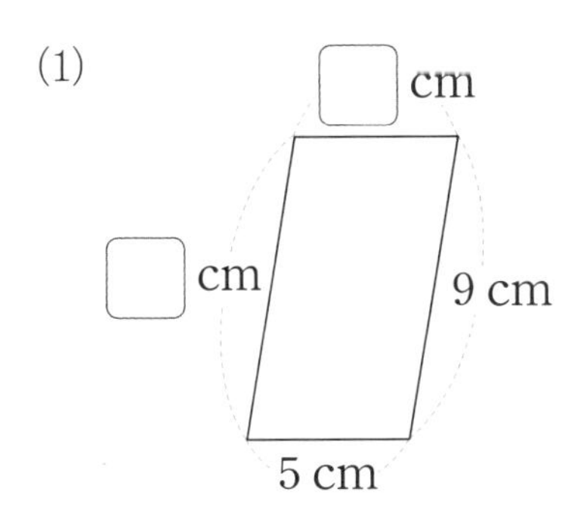

(2)

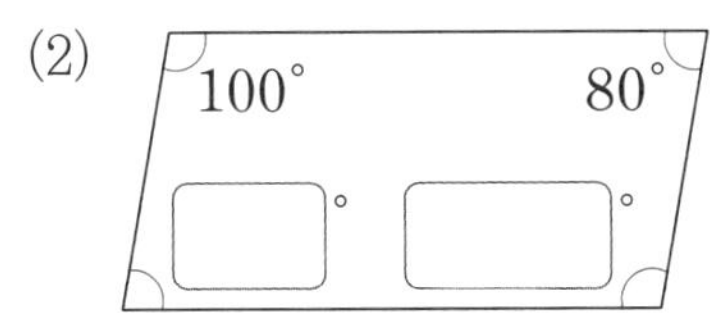

3-2 평행사변형을 보고 □ 안에 알맞은 수를 써넣으세요.

(1)

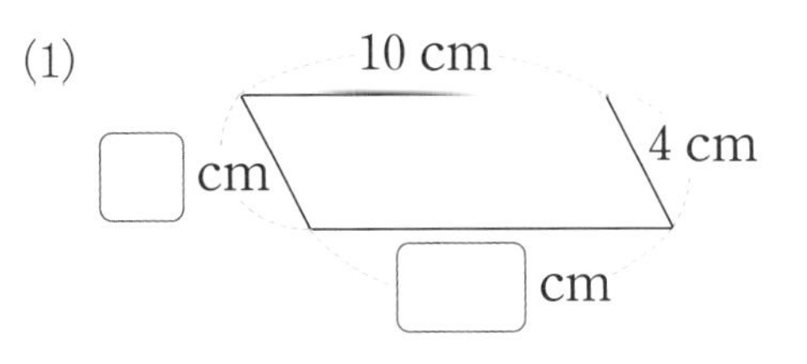

(2)

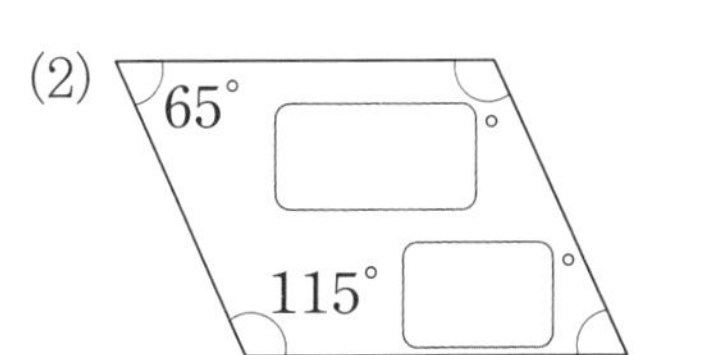

4일 기초 집중 연습

기본 문제 연습

1-1 사다리꼴에 ○표 하세요.

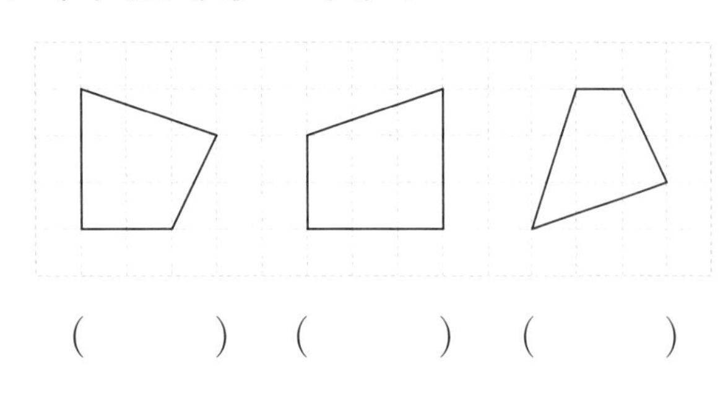

( ) ( ) ( )

1-2 평행사변형에 모두 ○표 하세요.

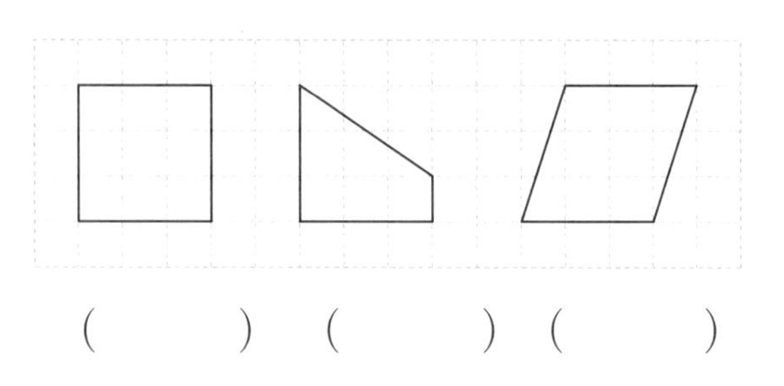

( ) ( ) ( )

2-1 사각형 ㄱㄴㄷㄹ을 한 꼭짓점만 옮겨서 사다리꼴로 만들려고 합니다. 점 ㄹ을 어느 곳으로 옮겨야 하는지 번호를 써 보세요.

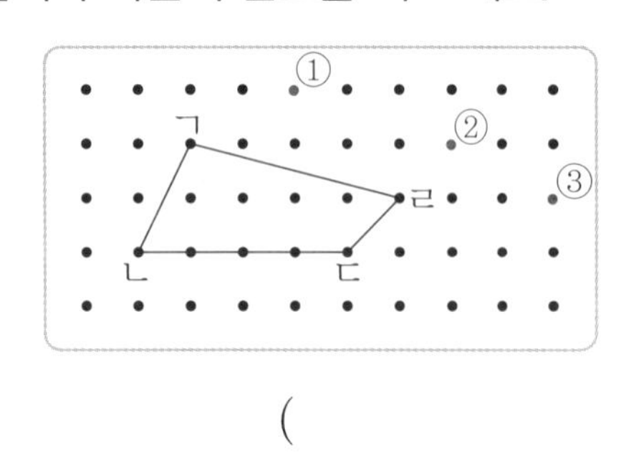

( )

2-2 사다리꼴 모양의 종이를 잘라 평행사변형을 만들려고 합니다. 어느 직선을 따라 잘라야 하는지 기호를 써 보세요.

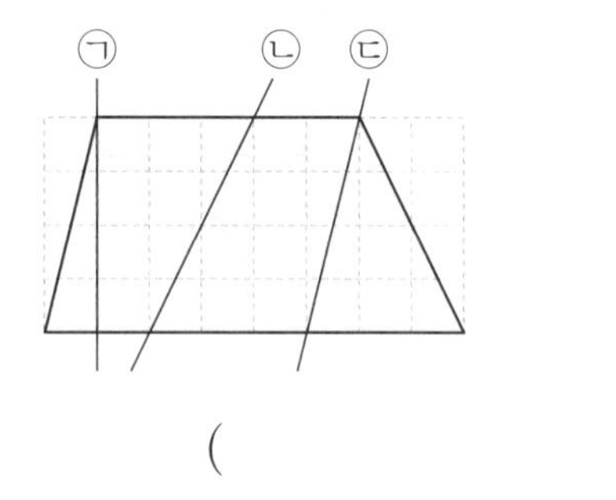

( )

3-1 평행사변형에서 ㉠은 몇 도인가요?

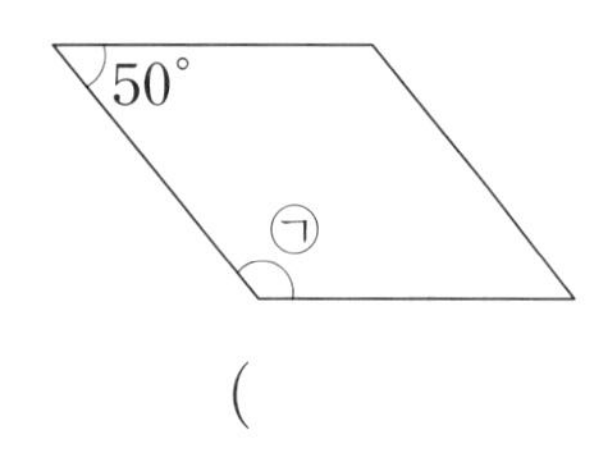

( )

3-2 평행사변형에서 ㉡은 몇 도인가요?

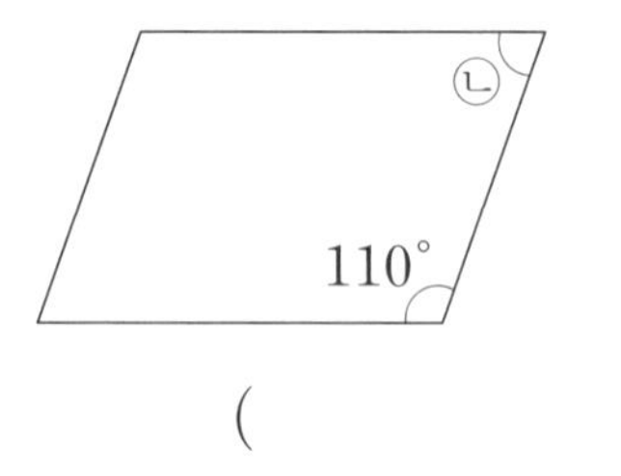

( )

[4-1 ~ 4-2] 직사각형 모양의 종이띠를 선을 따라 잘랐습니다. 사다리꼴을 모두 찾아 기호를 써 보세요.

4-1

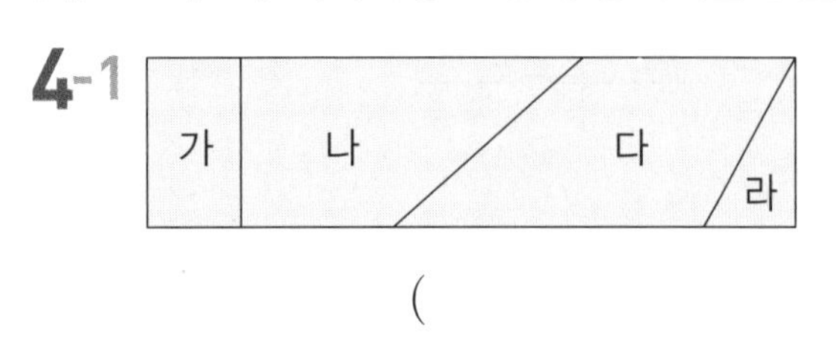

( )

4-2

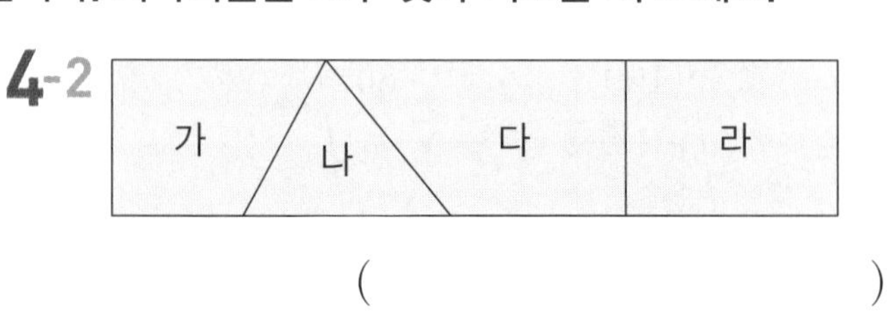

( )

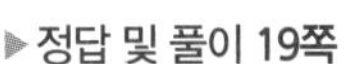

▶정답 및 풀이 19쪽

기초 → 기본 연습 평행사변형에서 마주 보는 두 변의 길이가 같음을 이용하자.

기초 평행사변형입니다. □ 안에 알맞은 수를 써넣으세요.

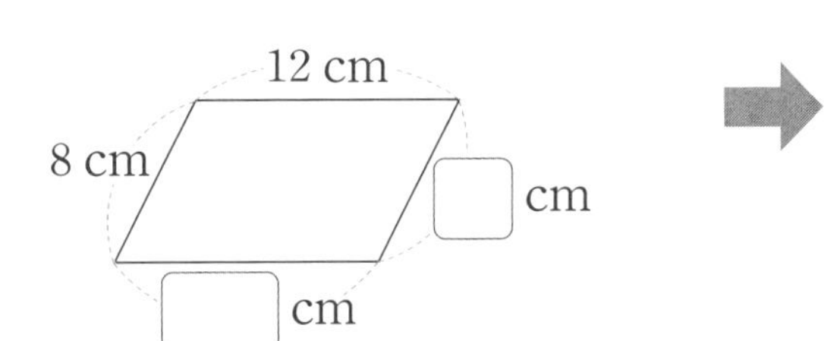

5-1 평행사변형의 네 변의 길이의 합은 몇 cm인가요?

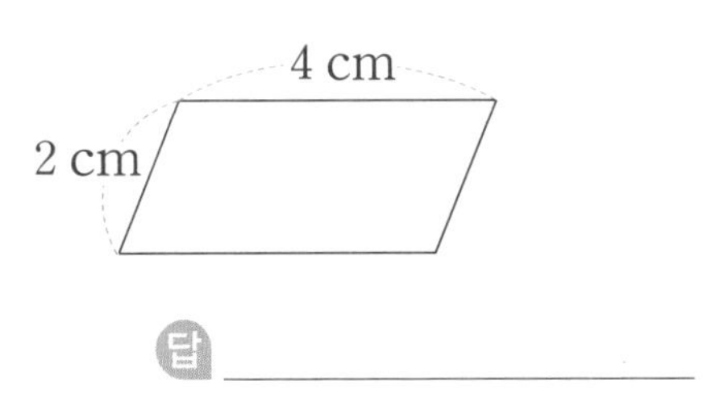

답 ________________

5-2 오른쪽 평행사변형의 네 변의 길이의 합은 몇 cm인가요?

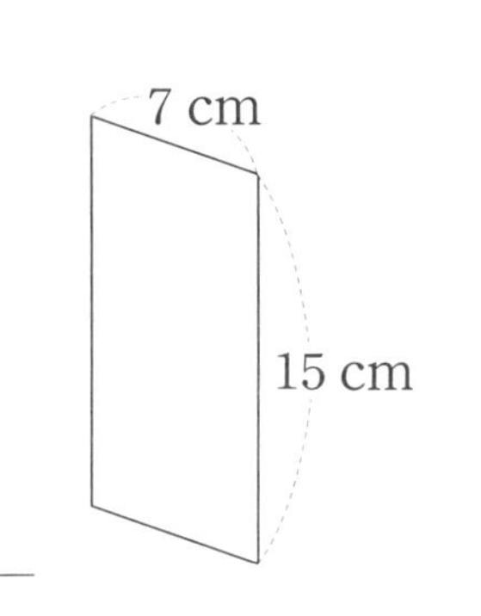

답 ________________

5-3 평행사변형의 네 변의 길이의 합은 20 cm입니다. 변 ㄱㄹ의 길이는 몇 cm인가요?

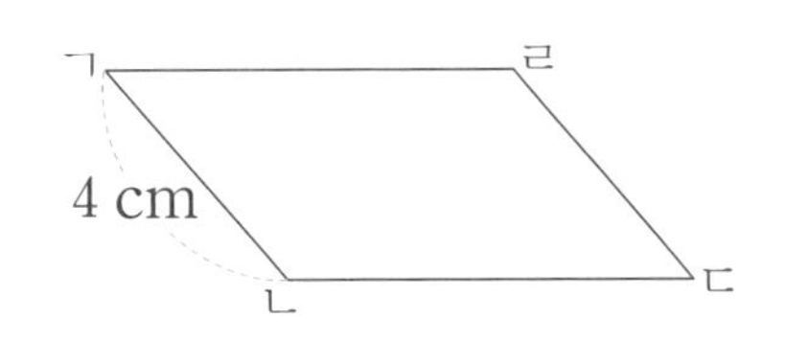

답 ________________

3주 4일

마름모

교과서 기초 개념

• 마름모

마름모: 네 변의 길이가 모두 같은 사각형

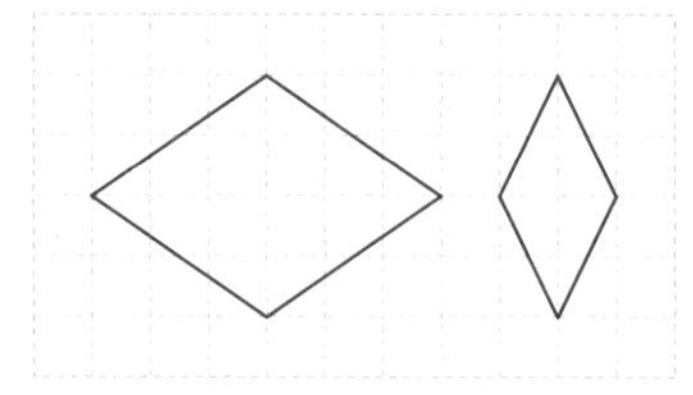

마름모는 마주 보는 두 쌍의 변이 서로 평행하므로 평행사변형, 사다리꼴이라고 할 수 있어.

사다리꼴과 평행사변형은 네 변의 길이가 모두 같은 것은 아니기 때문에 마름모가 아니야.

• 마름모의 성질

(1) 마주 보는 두 각의 크기가 같습니다. → 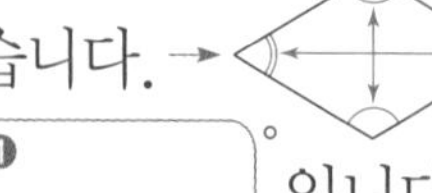

(2) 이웃한 두 각의 크기의 합이 ❶ [ ]° 입니다. → 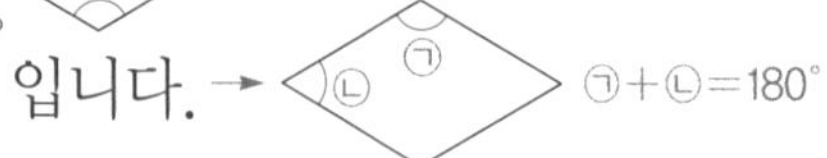

(3) 마주 보는 꼭짓점끼리 이은 선분이 서로 수직으로 만나고 길이가 같게 나누어집니다. → 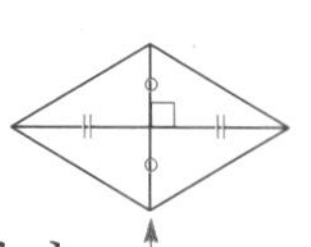

정답 ❶ 180

개념 · 원리 확인

▶정답 및 풀이 20쪽

1-1 마름모에 ○표 하세요.

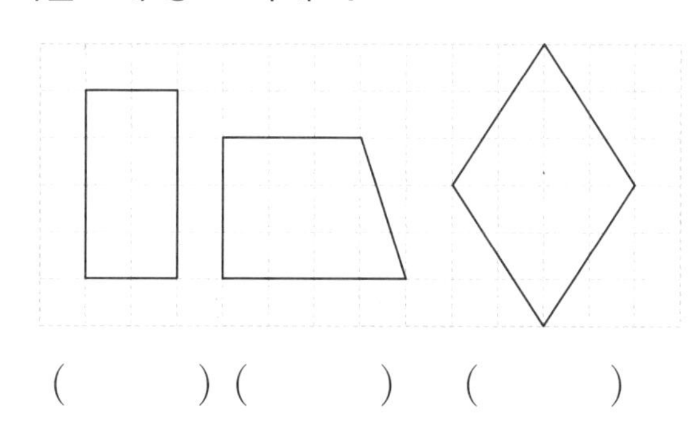

( ) ( ) ( )

1-2 마름모를 찾아 기호를 써 보세요.

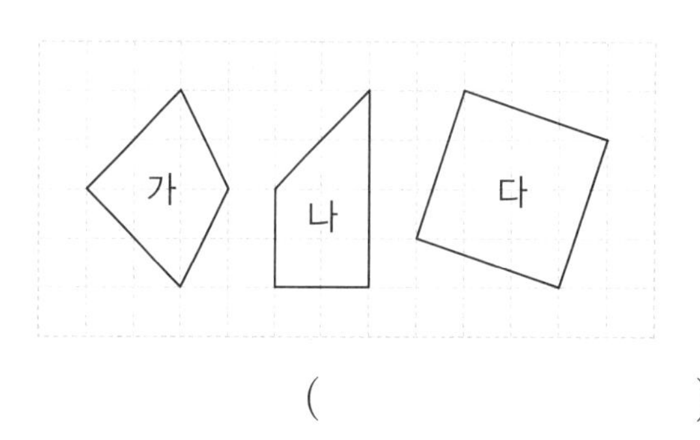

( )

[2-1 ~ 2-2] 모눈종이에 주어진 선분을 이용하여 마름모를 완성하세요.

2-1

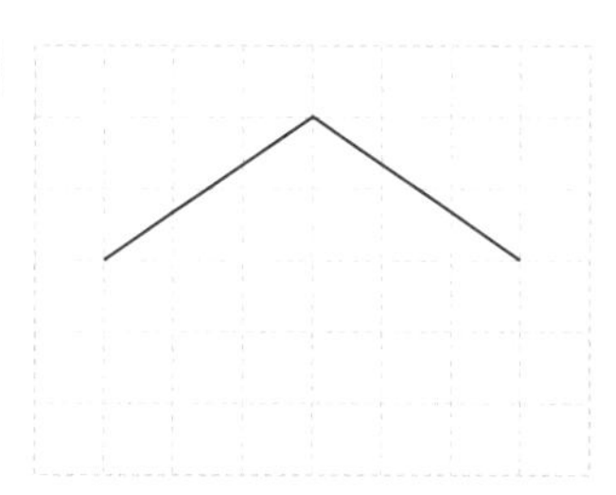

2-2

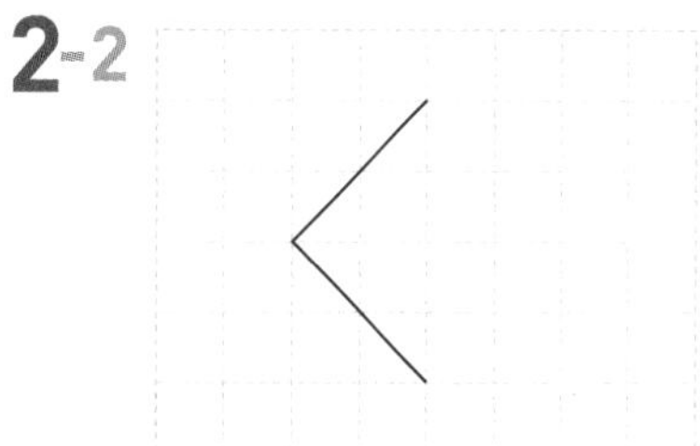

3-1 마름모를 보고 □ 안에 알맞은 수를 써넣으세요.

(1)

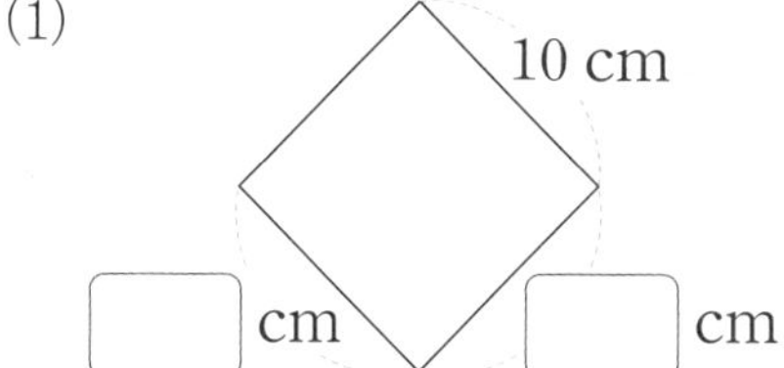

(2)

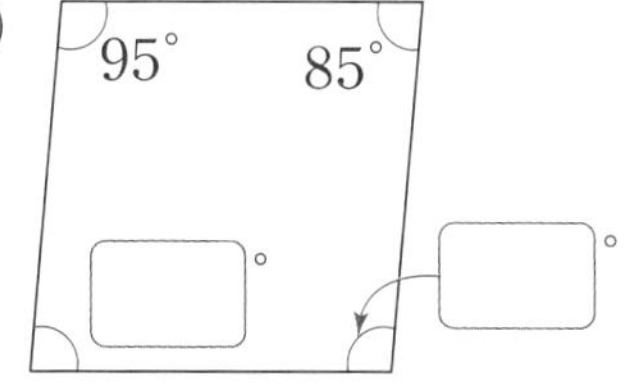

3-2 마름모를 보고 □ 안에 알맞은 수를 써넣으세요.

(1)

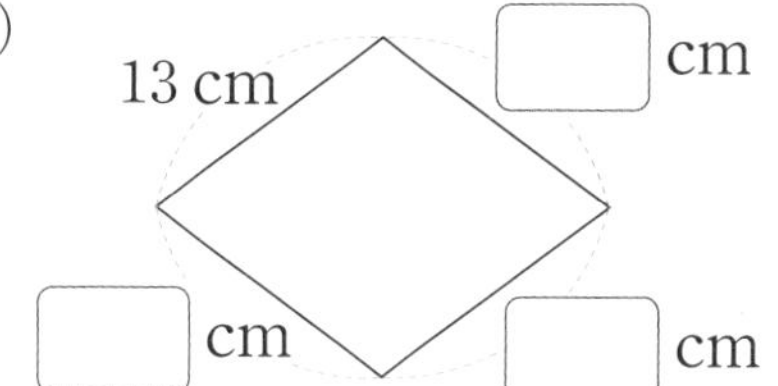

(2)

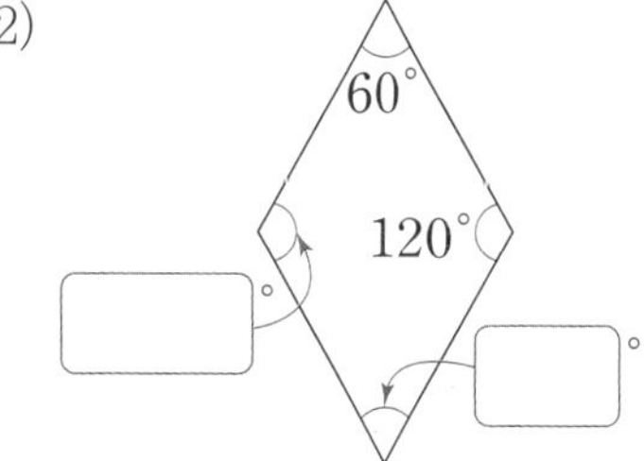

[4-1 ~ 4-2] 마름모를 보고 □ 안에 알맞은 수를 써넣으세요.

4-1

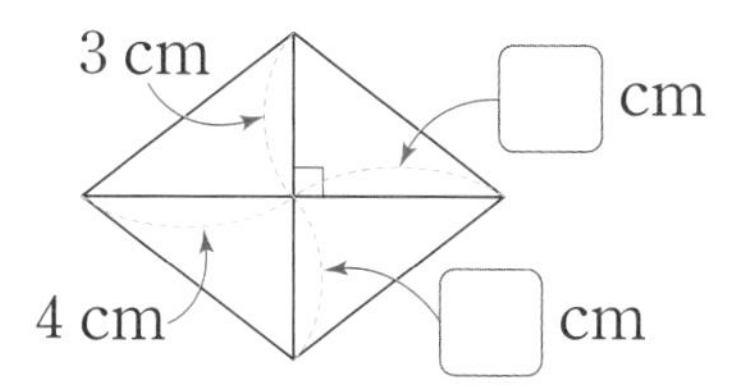

4-2

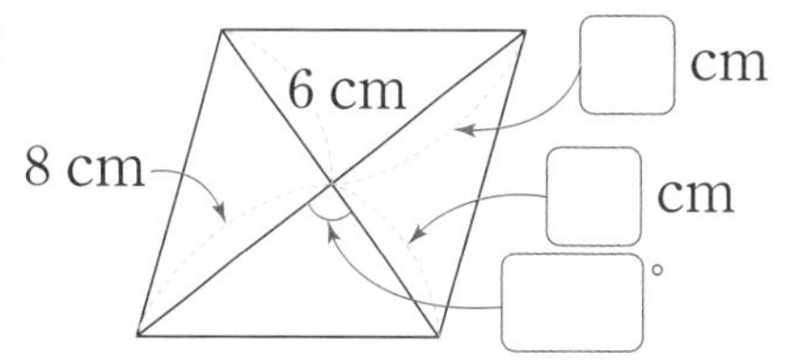

여러 가지 사각형

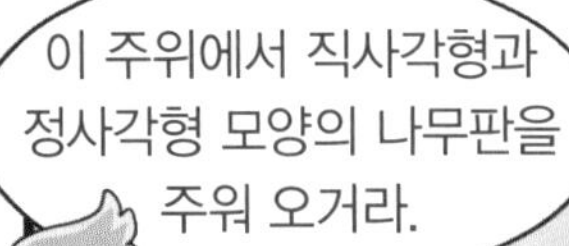

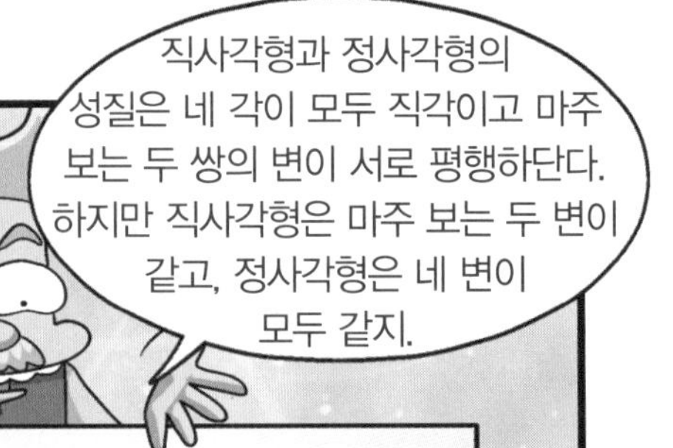

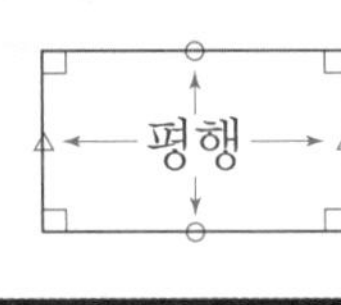

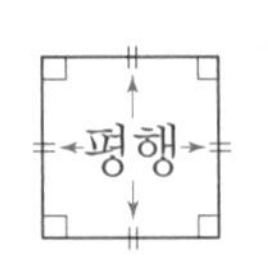

교과서 기초 개념

• 직사각형과 정사각형의 성질

직사각형 ▭	정사각형 □
마주 보는 두 변의 길이가 같습니다.	네 변의 길이가 모두 같습니다.
네 각이 모두 직각입니다.	
마주 보는 두 쌍의 변이 서로 평행합니다.	

정사각형은 직사각형이지만 직사각형은 정사각형이 아니야.

• 여러 가지 사각형의 관계

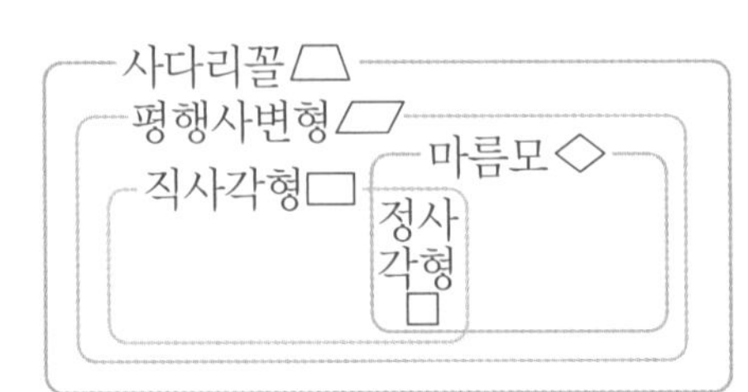

정사각형은 사다리꼴, 평행사변형, 마름모, 직사각형이라고 할 수 있어.

▶ 정답 및 풀이 20쪽

1-1 직사각형을 보고 알맞은 말에 ○표 하세요.

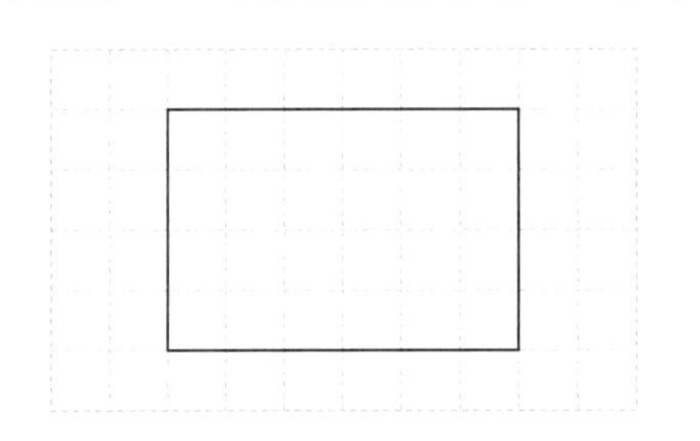

직사각형은 마주 보는 두 변의 길이가 (같고 , 다르고), 네 각이 모두 (예각 , 직각)입니다.

1-2 정사각형을 보고 알맞은 말에 ○표 하세요.

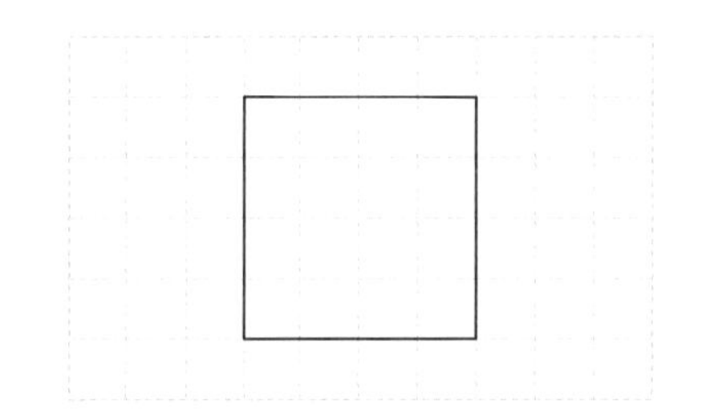

정사각형은 네 변의 길이가 모두 (같고 , 다르고), 네 각이 모두 (예각 , 직각)입니다.

2-1 직사각형입니다. □ 안에 알맞은 수를 써넣으세요.

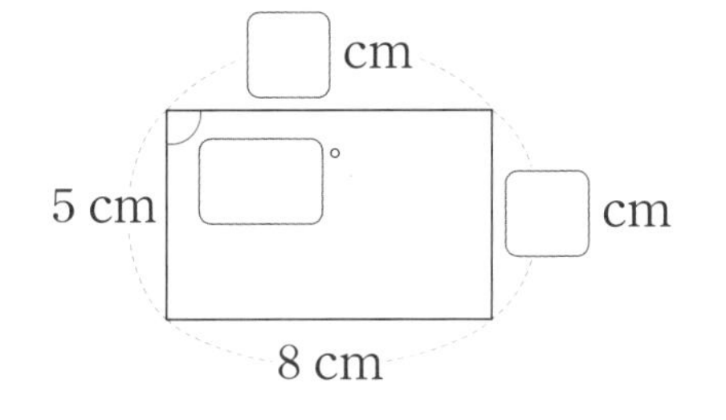

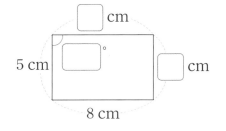

2-2 정사각형입니다. □ 안에 알맞은 수를 써넣으세요.

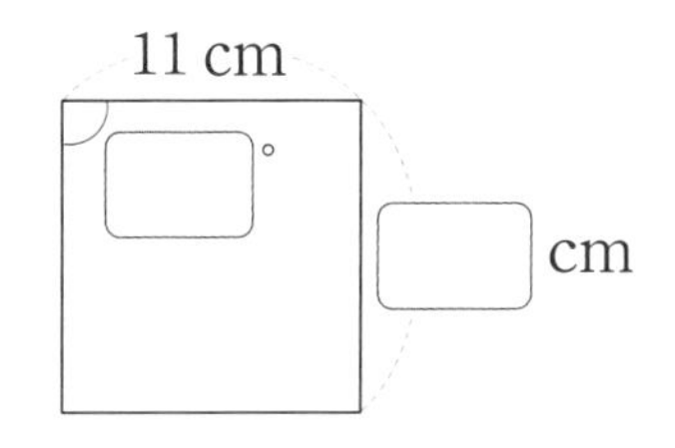

3-1 도형을 보고 빈칸에 알맞은 기호를 써넣으세요.

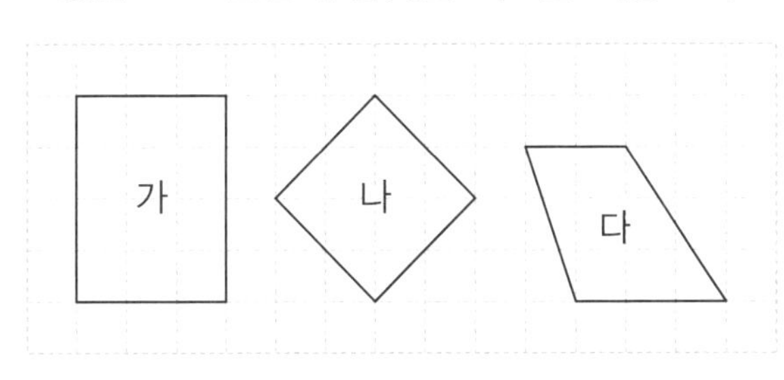

사다리꼴	직사각형

3-2 도형을 보고 직사각형과 정사각형을 모두 찾아 기호를 써 보세요.

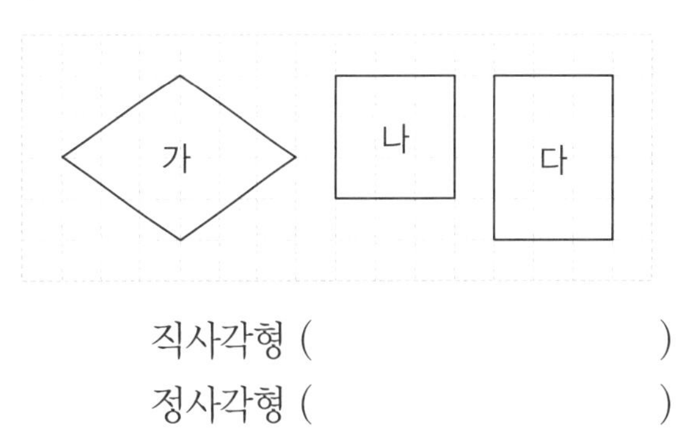

직사각형 (　　　　　　　　)

정사각형 (　　　　　　　　)

3주 5일

5일 기초 집중 연습

기본 문제 연습

1-1 마름모를 모두 찾아 기호를 써 보세요.

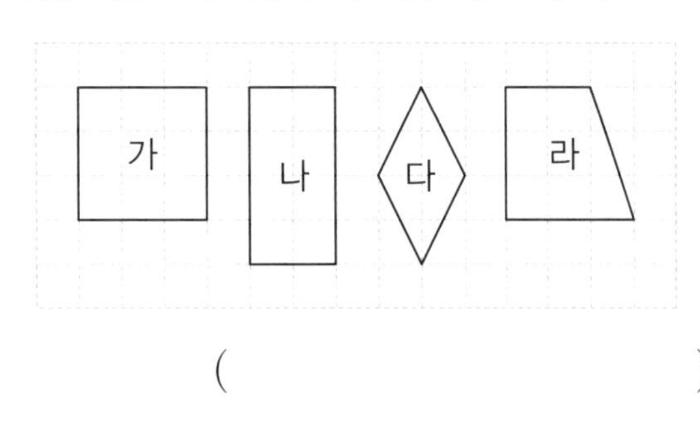

(　　　　　　　　　　)

1-2 도형을 보고 직사각형에는 '직', 정사각형에는 '정'이라고 써 보세요.

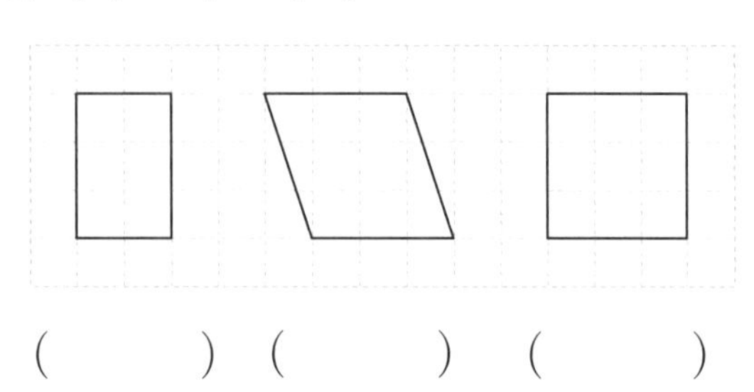

(　　　) (　　　) (　　　)

2-1 다음 사각형의 이름이 될 수 있는 것에 모두 ○표 하세요.

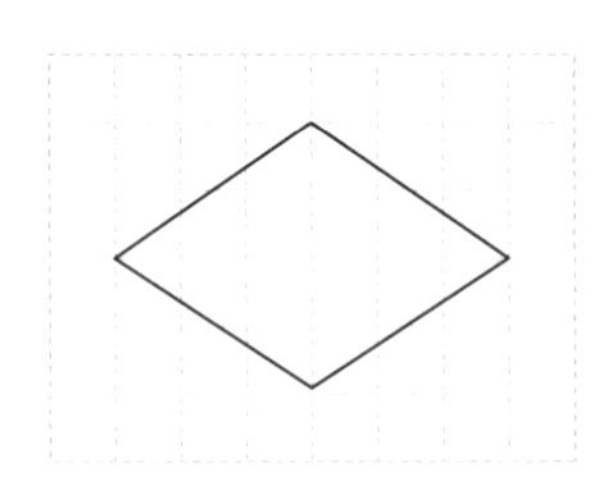

평행사변형
마름모
직사각형
정사각형

2-2 오른쪽 사각형의 이름이 될 수 있는 것에 모두 ○표 하세요.

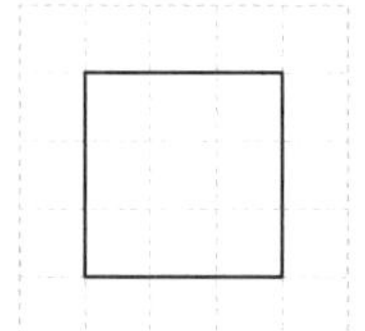

사다리꼴　　평행사변형
마름모　　직사각형

3-1 정사각형이 직사각형인 이유를 바르게 말한 사람은 누구인가요?

네 각이 모두 직각이라서 그래.

네 변의 길이가 모두 같기 때문이야.

(　　　　　　　　　　)

3-2 잘못 말한 사람은 누구인가요?

직사각형은 네 변의 길이가 모두 같아.

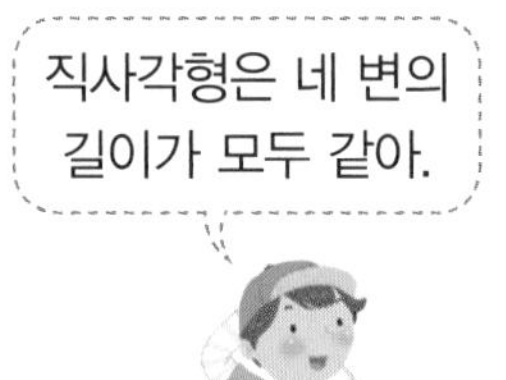

정사각형은 마주 보는 두 변의 길이가 같아.

(　　　　　　　　　　)

4-1 마름모에서 ㉠은 몇 도인가요?

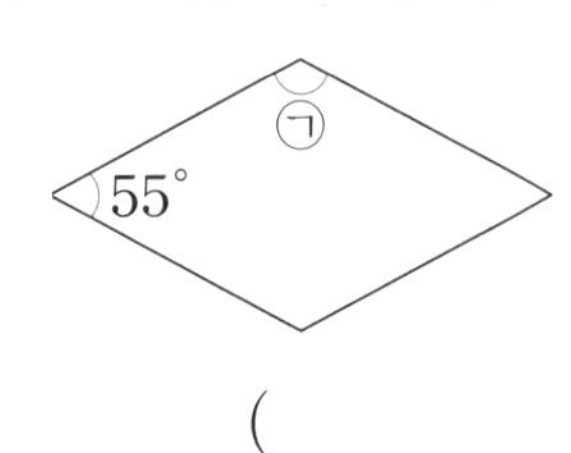

(　　　　　　　　　　)

4-2 마름모에서 ㉡은 몇 도인가요?

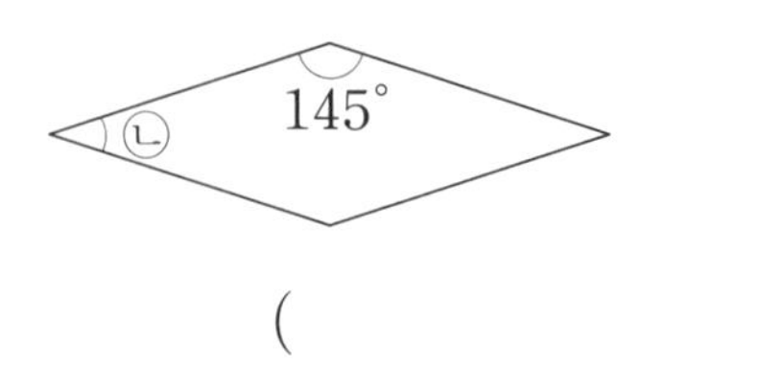

(　　　　　　　　　　)

▶정답 및 풀이 20쪽

기초 → 기본 연습 마름모의 네 변의 길이의 합은 '(한 변의 길이)×4'로 구하자.

기초 마름모입니다. ☐ 안에 알맞은 수를 써넣으세요.

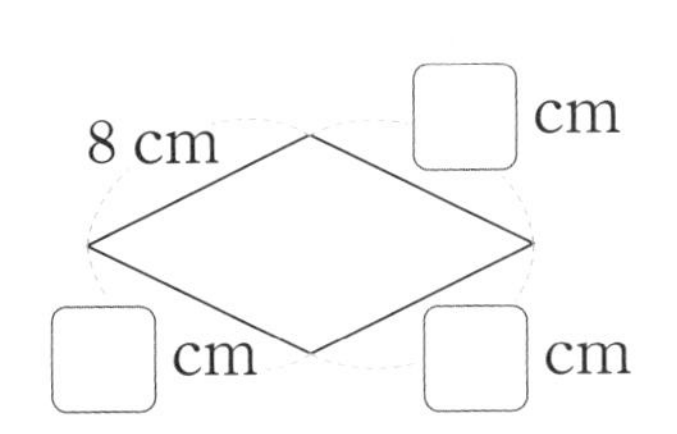

5-1 마름모입니다. 네 변의 길이의 합은 몇 cm인가요?

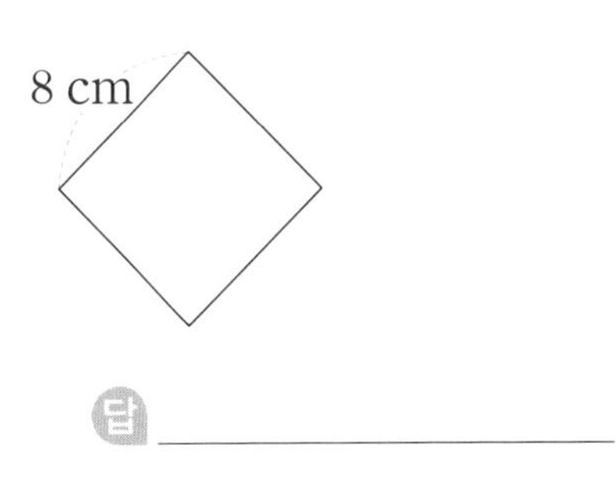

답 ______________

5-2 마름모의 네 변의 길이의 합은 몇 cm인가요?

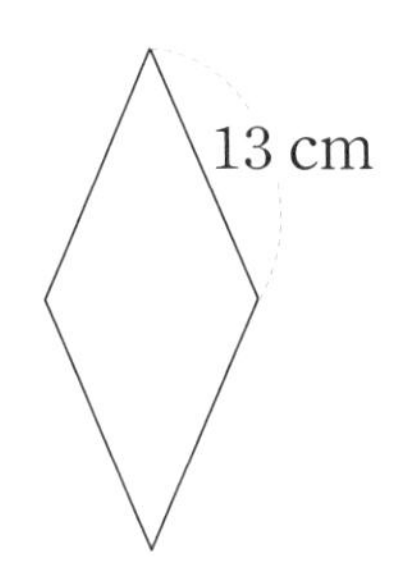

답 ______________

5-3 정사각형과 마름모를 겹치지 않게 이어 붙였습니다. 초록색 선의 길이는 몇 cm인가요?

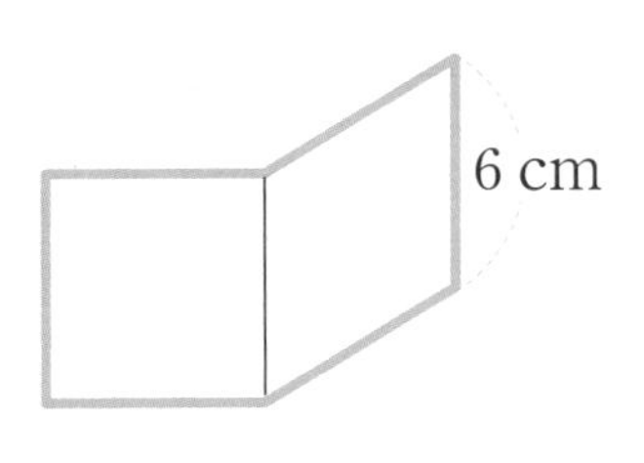

답 ______________

누구나 100점 맞는 테스트

1 계산해 보세요.

(1) $\begin{array}{r} 0.92 \\ -\ 0.28 \\ \hline \end{array}$

(2) $\begin{array}{r} 1.3 \\ -\ 0.85 \\ \hline \end{array}$

2 평행선을 찾아 기호를 써 보세요.

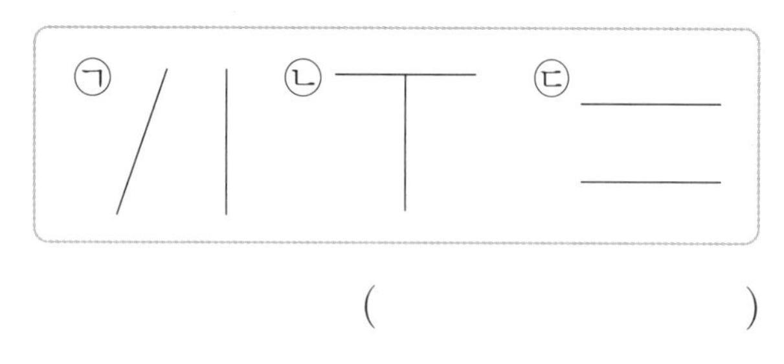

(　　　　　　　　)

3 다음 물건에서 수직인 부분을 1군데 찾아 ⊾로 표시해 보세요.

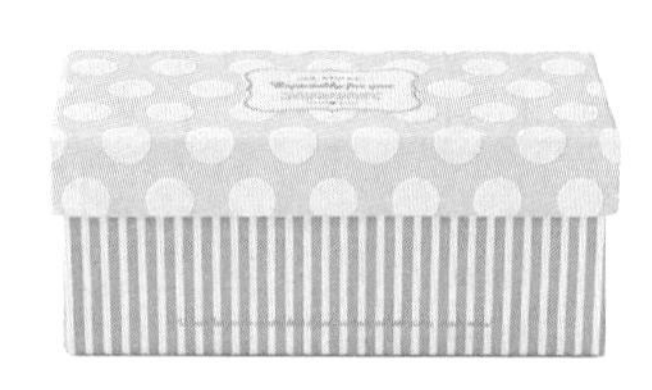

4 빈칸에 알맞은 수를 써넣으세요.

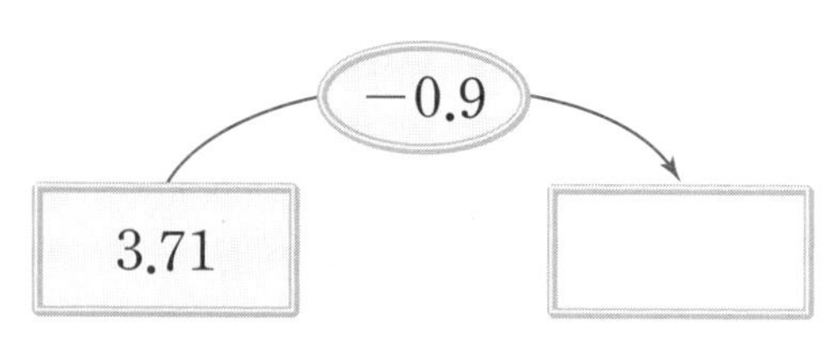

5 평행사변형입니다. □ 안에 알맞은 수를 써넣으세요.

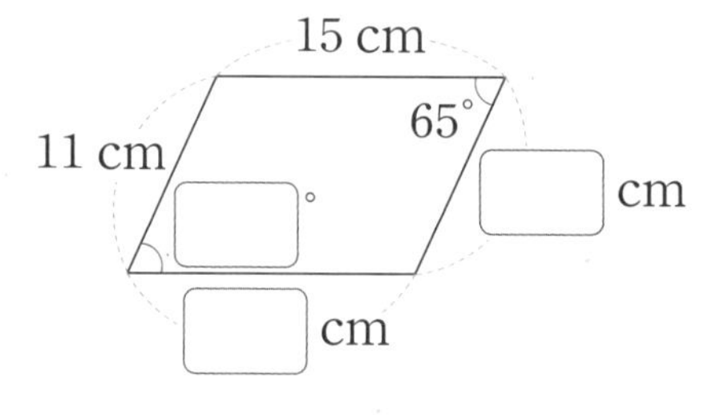

6 자로 재어 평행선 사이의 거리는 몇 cm인지 구하세요.

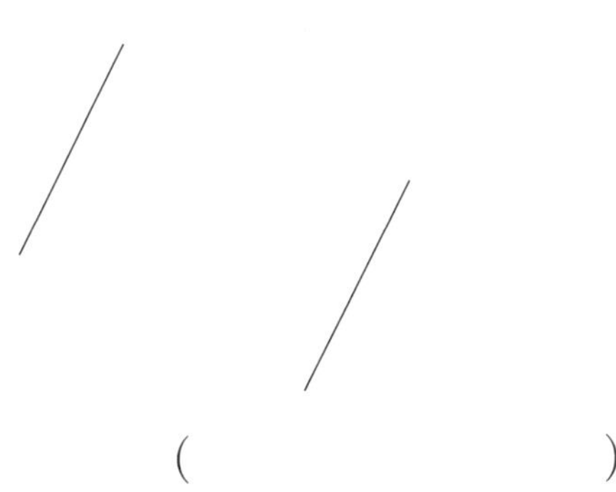

(　　　　　　　　　)

7 직사각형 모양의 종이띠입니다. 선을 따라 자르면 사다리꼴은 모두 몇 개 만들어지나요?

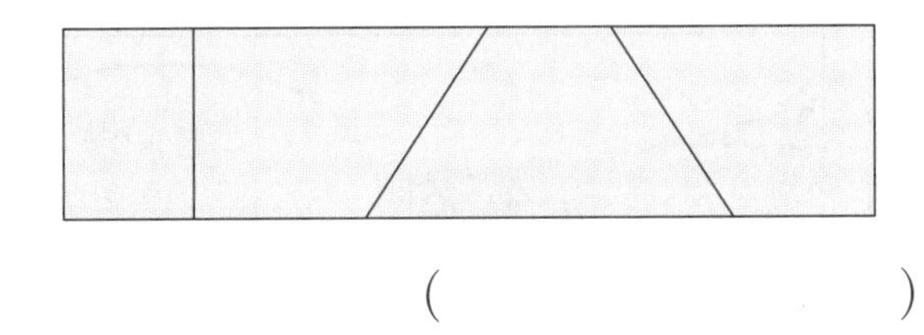

(　　　　　　　　　)

8 크기를 비교하여 ○ 안에 $>$, $=$, $<$를 알맞게 써넣으세요.

0.85−0.28  0.55

9 마름모에서 ㉠은 몇 도인가요?

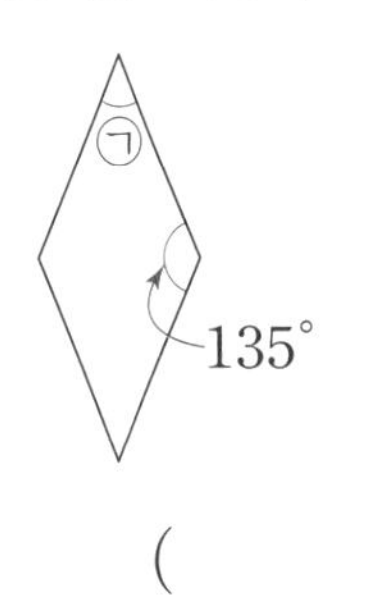

(　　　　　　　　　)

10 정사각형 모양의 액자가 있습니다. 이 액자의 네 변의 길이의 합은 몇 cm인가요?

(　　　　　　　　　)

달리기 기록의 차는?

창의 1  태형,  윤기, 석진이가 50 m 달리기를 하였습니다. 윤기와 석진이의 기록의 차는 몇 초인지 알아보세요.

순위 기록
1 5.89
2 6.25
3 7.19
헉헉! 뭐야~ 윤기가 나를 이기다니…….

흐흐흐. 둘 다 나를 이기려면 아직 멀었어.
아~이번엔 내가 가장 빠를 줄 알았는데.

그럼 나랑 윤기의 기록의 차는 몇 초이지?

 5.89초, 6.25초, 7.19초 중에서 윤기와 석진이의 기록을 각각 써 보자.

답 윤기: ____________, 석진: ____________

 윤기와 석진이의 기록의 차는 몇 초인지 구해 보자.

답 ____________

▶ 정답 및 풀이 21쪽

낚시 왕이 될 거야!

  성재와  주혁이가 바다에서 낚시를 하고 있습니다.

주혁이가 잡으려는 모양에 해당하는 물고기를 찾아 ○표 해 보자.

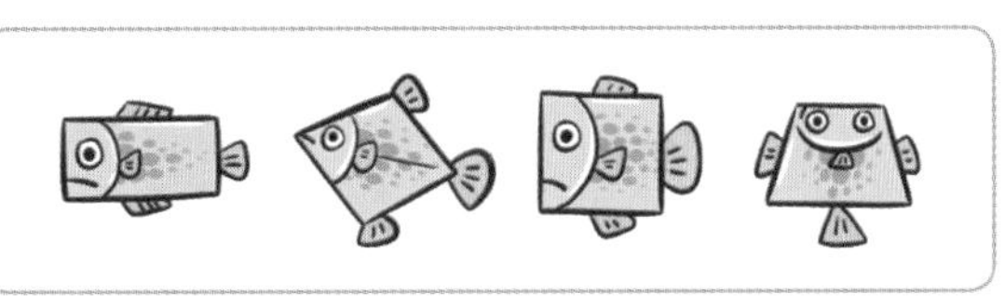

3주 특강

융합 3 태형이네 집의 평면도입니다. 주방의 가로가 4.3 m일 때 세로는 몇 m인가요? (단, 벽의 두께는 생각하지 않습니다.)

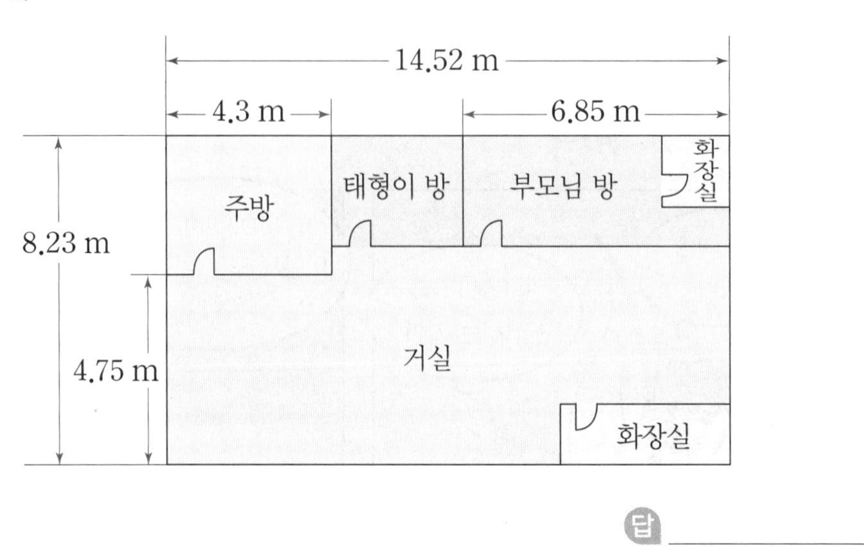

답 ____________

코딩 4 화살표의 방향으로 이동하면서 규칙에 따라 빈칸에 알맞은 수를 써넣으세요.

▶정답 및 풀이 21쪽

다음과 같이 사각형을 그리는 프로그램을 실행하려고 합니다. 이때 만들어지는 사각형을 그려 보고 도형의 이름은 무엇인지 써 보세요.

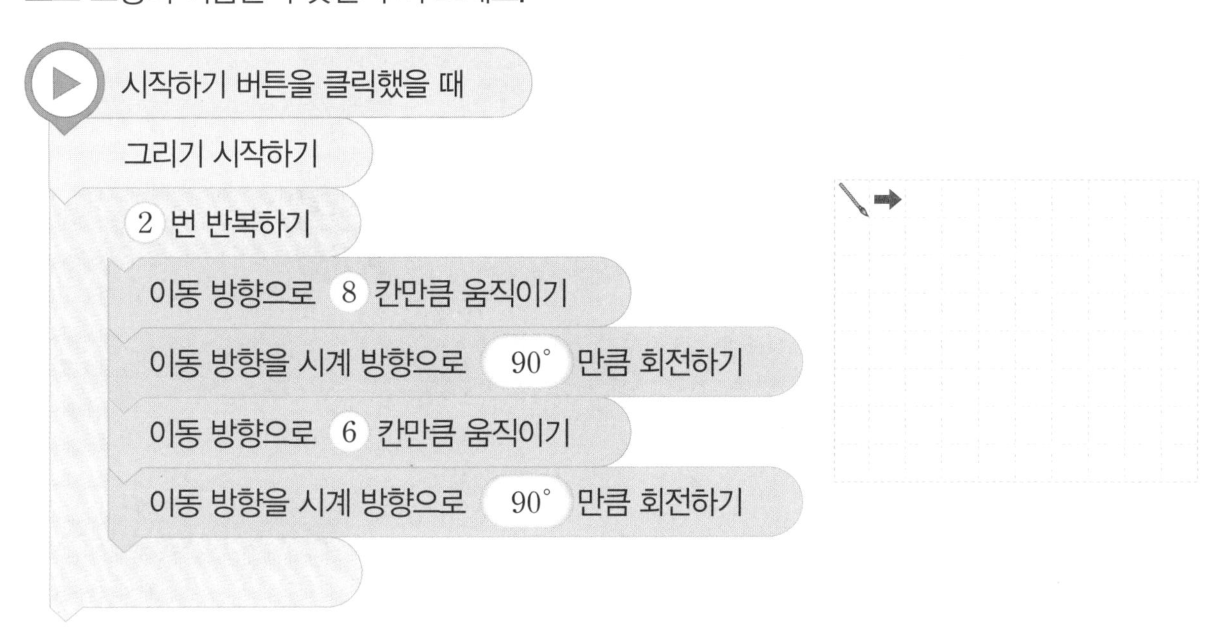
시작하기 버튼을 클릭했을 때
그리기 시작하기
2 번 반복하기
이동 방향으로 8 칸만큼 움직이기
이동 방향을 시계 방향으로 90° 만큼 회전하기
이동 방향으로 6 칸만큼 움직이기
이동 방향을 시계 방향으로 90° 만큼 회전하기

답 ____________________

3주 특강

다음은 사각형을 입력했을 때 사다리꼴인지 평행사변형인지 구별하는 과정을 나타낸 순서도입니다. □ 안에 알맞은 사각형의 이름을 써넣으세요.

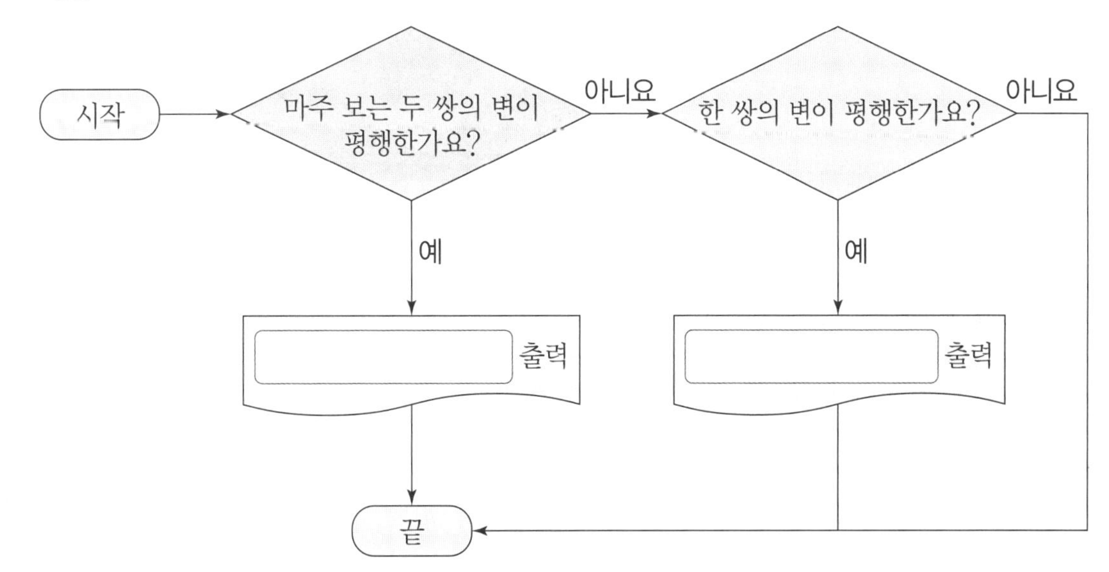
시작
마주 보는 두 쌍의 변이 평행한가요?
아니요
한 쌍의 변이 평행한가요?
아니요
예
예
출력
출력
끝

바둑판 위에 놓여 있는 바둑돌 4개를 선분으로 이으면 평행사변형이 되도록 바둑돌을 한 개만 옮겨 보세요.

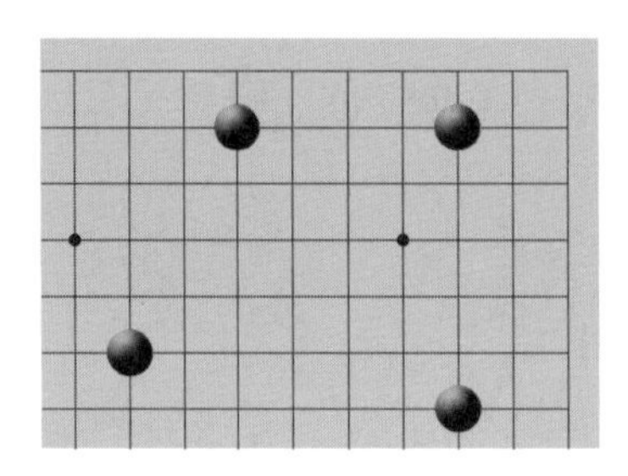

융합 8 브라질의 국기는 직사각형 모양의 초록색 바탕에 노란색 마름모와 파란색 원이 있습니다. ㉠은 몇 도인지 구하세요.

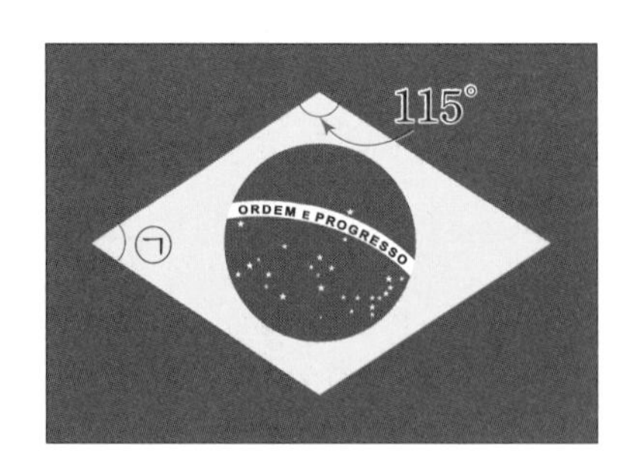

답 ____________

용수철에 무게가 같은 추를 1개, 2개 매달았더니 다음과 같이 용수철이 늘어났습니다. 직선 가, 나, 다가 서로 평행할 때 직선 가와 다 사이의 거리는 몇 cm인가요?

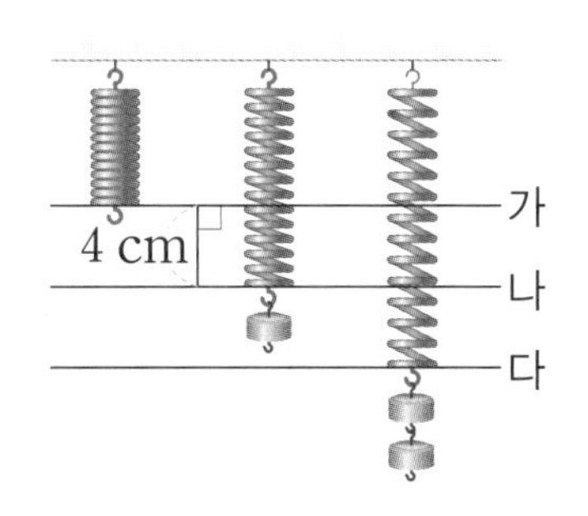

추를 한 개씩 더 매달 때마다 늘어나는 용수철의 길이는 일정해.

3주 특강

프랑스 파리에 있는 루브르 박물관의 정문에는 유리 피라미드가 설치되어 있습니다. 유리 피라미드는 마름모 모양의 그물망 조직입니다. 다음은 유리 피라미드의 일부를 그린 그림입니다. 그린 그림에서 크고 작은 마름모는 모두 몇 개인가요?

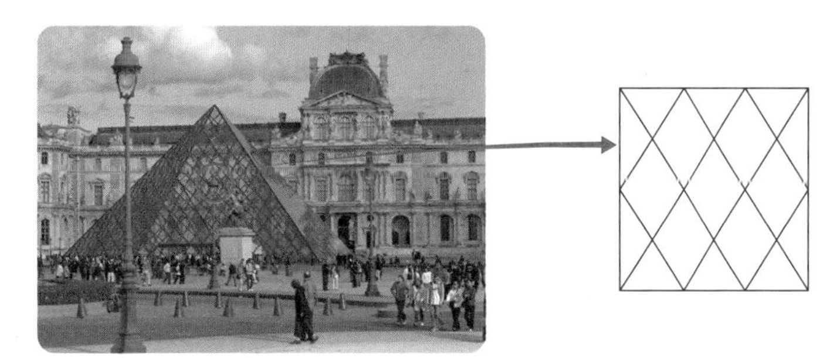

답 ____________________

4주

꺾은선그래프 / 다각형

저기다!
현대 미술 전시회!
드디어
도착했다.
현대미술 전시회

이것 봐.
이 그림에는 수학
시간 때 배운 정삼각형과
정육각형이 있어.
어! 그러네~

정다각형은 변의 길이가
모두 같고, 각의 크기가 모두 같은
다각형을 말해.
정삼각형
정육각형

이 그림에
몇 개의 정다각형이
있는지 세어
봐야지.
척

그……. 그런데,
이 그림, 너무 집중해서
보니 어지럽다.

그러네. 내 눈도
이상해졌어!
어질
어질

4주에는 무엇을 공부할까? ①

- 1일 꺾은선그래프 알아보기, 꺾은선그래프를 보고 내용 알아보기
- 2일 꺾은선그래프로 나타내기, 해석하기
- 3일 다각형, 정다각형 알아보기
- 4일 대각선 알아보기 (1), (2)
- 5일 모양 만들기, 모양 채우기

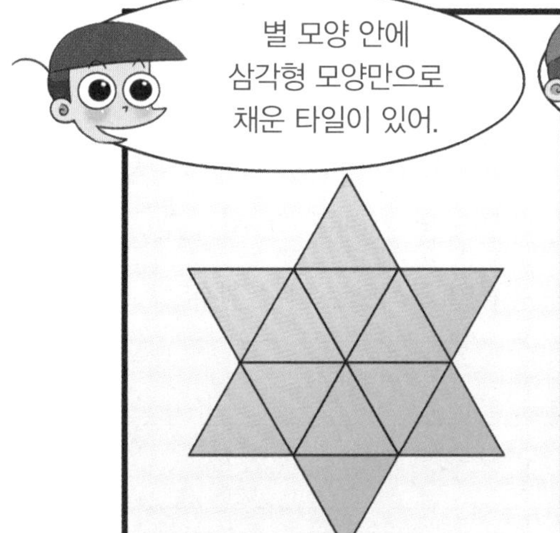

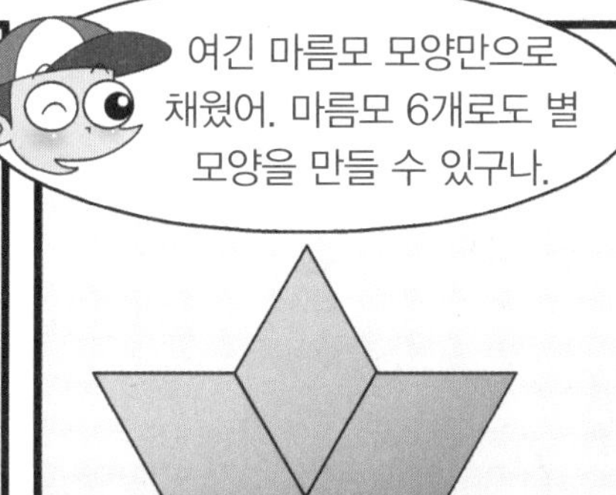

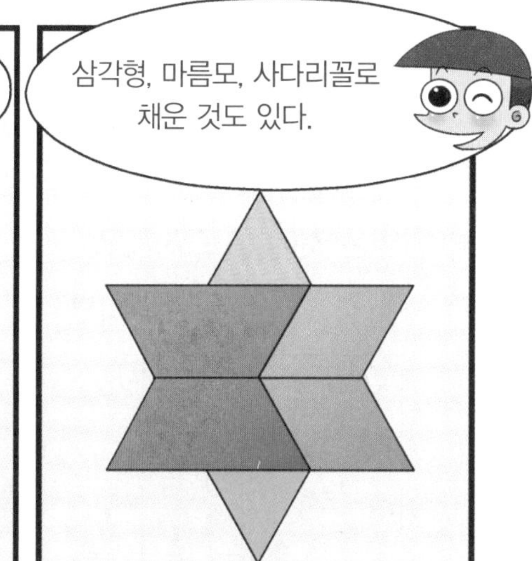

4주에는 무엇을 공부할까?②

4-1 막대그래프

조사한 자료를 막대 모양으로 나타낸 그래프를 막대그래프라고 해.

막대그래프는 항목별 조사한 수의 크기 비교를 쉽게 할 수 있어.

1-1 공원에서 자라는 나무 수를 조사하여 나타낸 막대그래프입니다. 가로는 무엇을 나타내는지 알맞은 것에 ○표 하세요.

자라는 나무 수

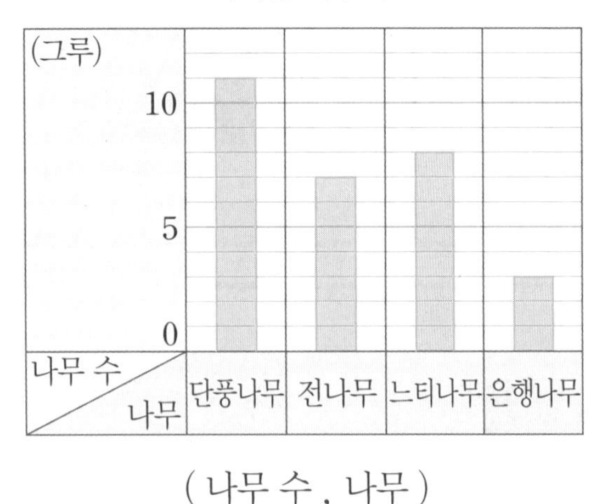

(나무 수 , 나무)

1-2 지난 학기에 급식으로 나온 고기 종류를 조사하여 나타낸 막대그래프입니다. 가로는 무엇을 나타내는지 알맞은 것에 ○표 하세요.

고기 종류별 급식으로 나온 횟수

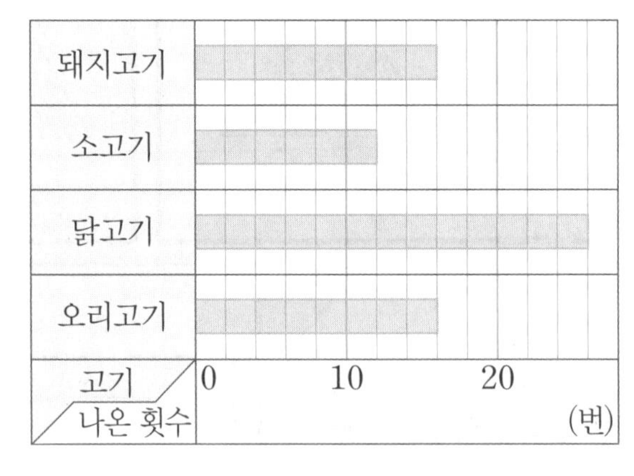

(고기 , 나온 횟수)

2-1 위 **1-1**의 막대그래프를 보고 공원에서 가장 많이 자라는 나무를 찾아 써 보세요.

(　　　　　　　　)

2-2 위 **1-2**의 막대그래프를 보고 급식으로 가장 많이 나온 고기를 찾아 써 보세요.

(　　　　　　　　)

▶정답 및 풀이 22쪽

4-2 사각형

평행한 변이 한 쌍이라도 있는
사각형은 사다리꼴, 마주 보는
두 쌍의 변이 서로 평행한
사각형은 평행사변형이야.

마름모는 마주 보는
두 쌍의 변이 서로 평행하니까
사다리꼴, 평행사변형이라고
부를 수 있어.

[3-1 ~ 4-1] 사각형을 보고 물음에 답하세요.

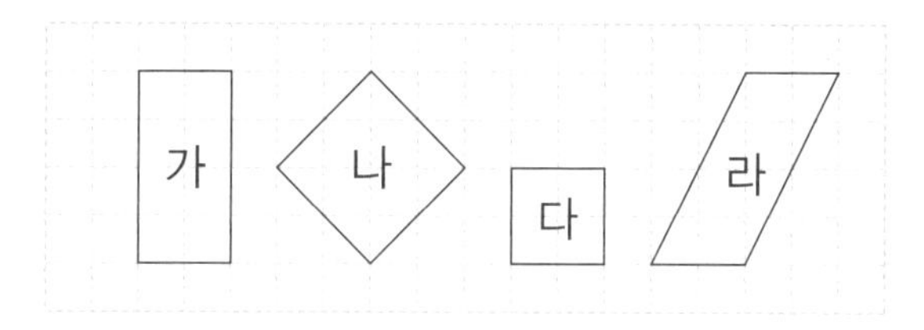

3-1 평행사변형을 모두 찾아 기호를 써 보세요.

(　　　　　　　　　　　　　　)

4-1 마름모를 모두 찾아 기호를 써 보세요.

(　　　　　　　　　　　　　　)

[3-2 ~ 4-2] 그림을 보고 물음에 답하세요.

가 / 나 / 다 / 라 / 마

3-2 사다리꼴을 모두 찾아 기호를 써 보세요.

(　　　　　　　　　　　　　　)

4-2 직사각형을 모두 찾아 기호를 써 보세요.

(　　　　　　　　　　　　　　)

1일 꺾은선그래프

꺾은선그래프 알아보기

교과서 기초 개념

• **막대그래프와 꺾은선그래프의 비교**

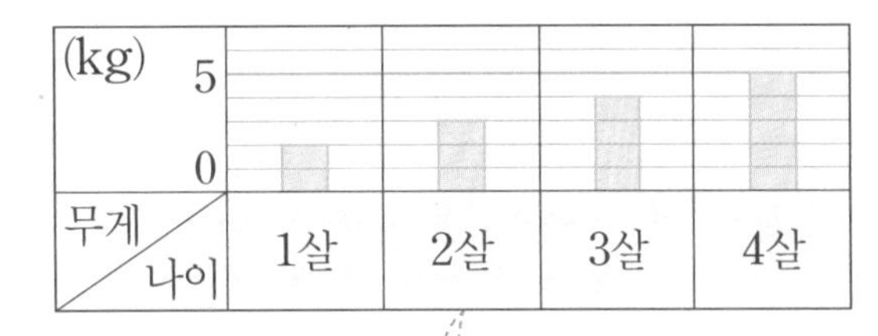

막대로 나타낸 막대그래프

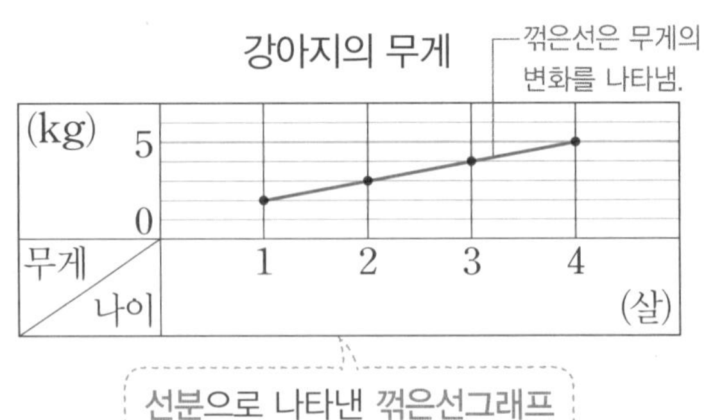

선분으로 나타낸 꺾은선그래프

〈두 그래프의 같은 점〉

① 강아지의 나이별 무게를 나타냄.

② 가로는 나이, 세로는 무게를 나타냄.

③ 눈금의 크기가 ❶(같음 , 다름).

수량을 점으로 표시하고, 그 점들을 선분으로 이어 그린 그래프를 **꺾은선그래프**라고 합니다.

정답 ❶ 같음에 ○표

개념 · 원리 확인

▶정답 및 풀이 23쪽

1-1 거실의 온도를 측정하여 두 그래프로 나타냈습니다. 두 그래프의 가로와 세로는 각각 무엇을 나타내나요?

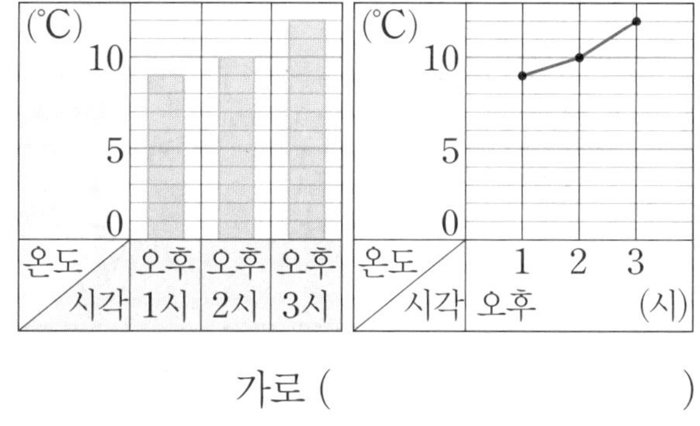

가로 ( )

세로 ( )

1-2 고양이의 무게를 조사하여 두 그래프로 나타냈습니다. 두 그래프의 가로와 세로는 각각 무엇을 나타내나요?

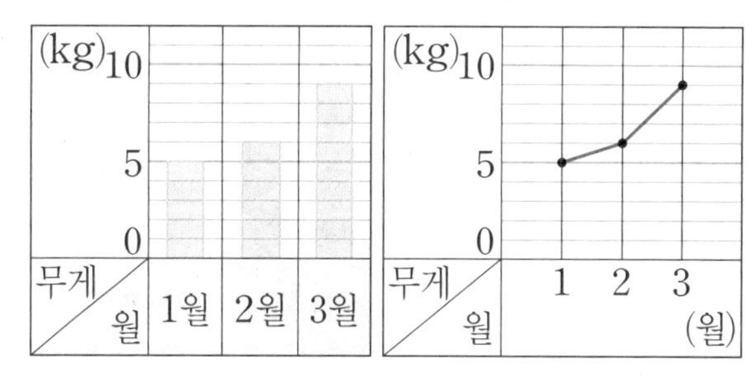

가로 ( )

세로 ( )

[2-1 ~ 3-1] 현지가 기르는 토마토 싹의 키를 조사하여 그래프로 나타냈습니다. 물음에 답하세요.

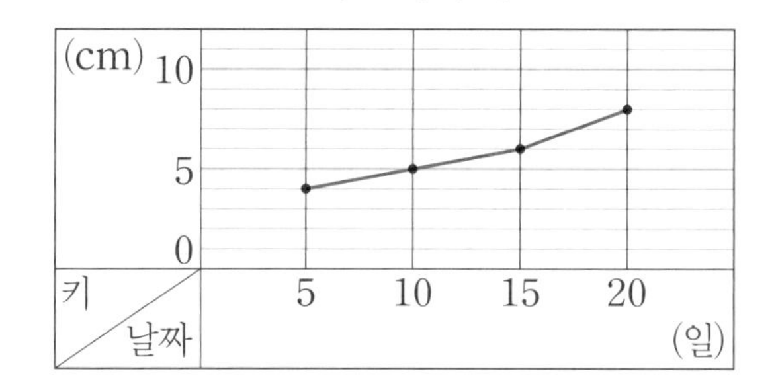

2-1 □ 안에 알맞은 말을 써넣으세요.

위와 같이 수량을 점으로 표시하고, 그 점들을 선분으로 이어 그린 그래프를

□(이)라고 합니다.

3-1 꺾은선은 무엇을 나타내나요?

(키 , 날짜)의 변화

[2-2 ~ 3-2] 어느 지역의 기온이 영하로 내려간 날수를 조사하여 그래프로 나타냈습니다. 물음에 답하세요.

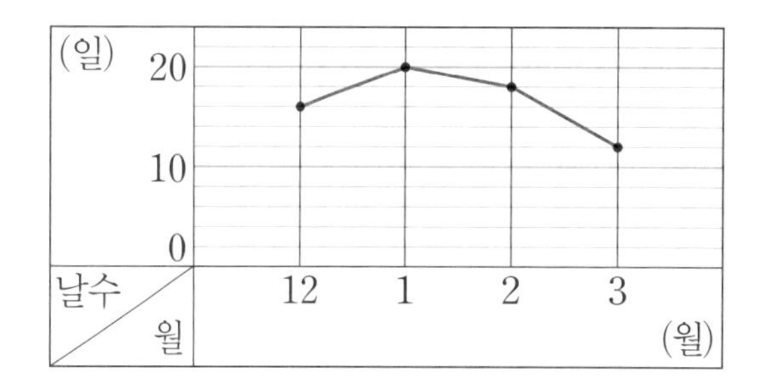

2-2 위와 같은 그래프를 무슨 그래프라고 하나요?

( )

3-2 꺾은선은 무엇을 나타내나요?

(날수 , 월)의 변화

꺾은선그래프를 보고 내용 알아보기

교과서 기초 개념

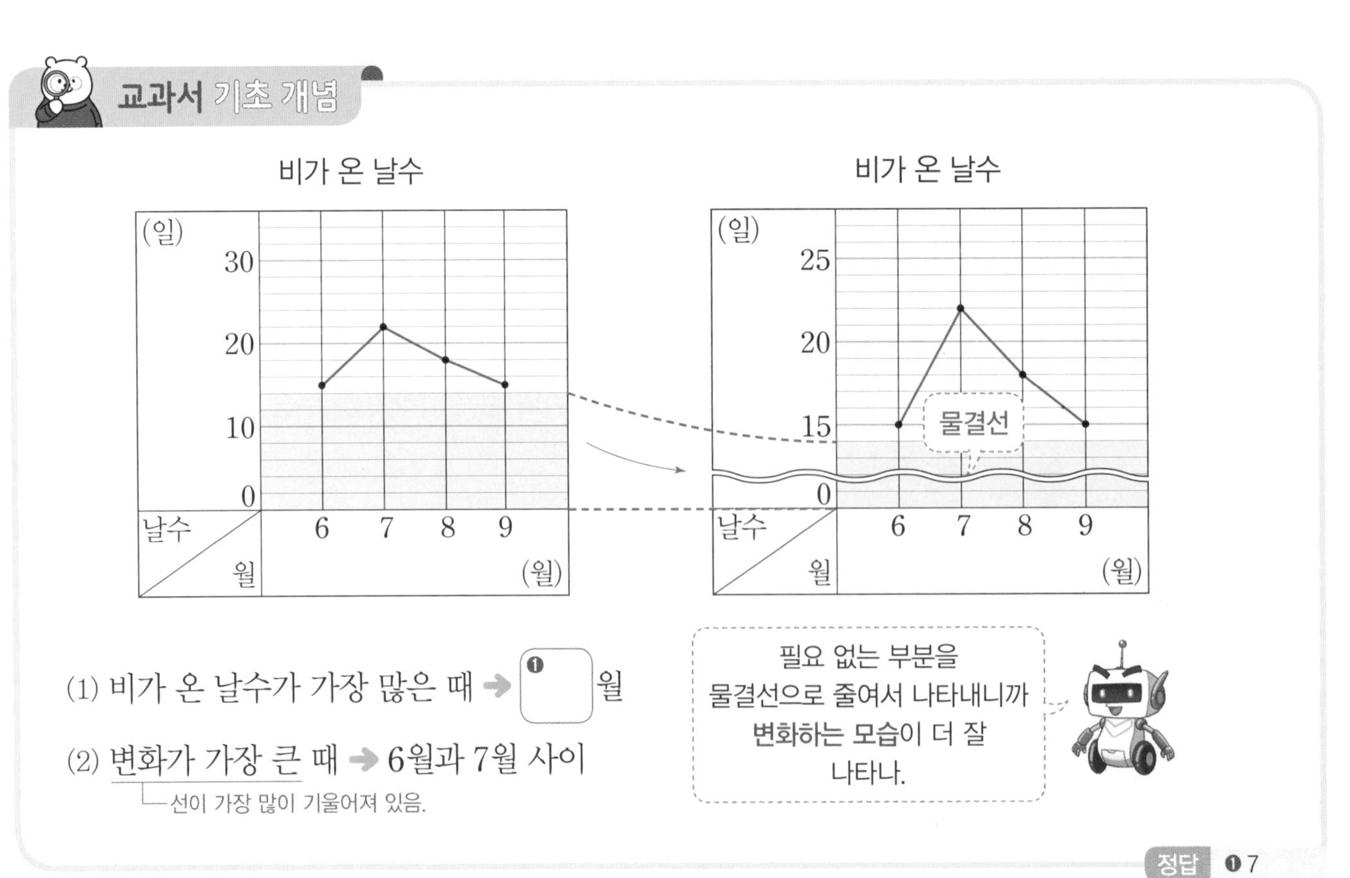

(1) 비가 온 날수가 가장 많은 때 → ❶ [ ] 월

(2) 변화가 가장 큰 때 → 6월과 7월 사이

└선이 가장 많이 기울어져 있음.

정답 ❶ 7

▶ 정답 및 풀이 23쪽

[1-1 ~ 4-1] 윤아의 몸무게를 조사하여 꺾은선그래프로 나타냈습니다. 물음에 답하세요.

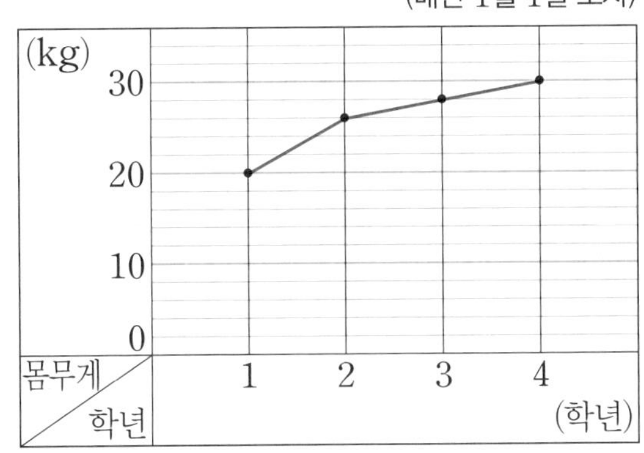

1-1 몸무게가 가장 무거운 때는 몇 학년인가요?

( )

2-1 몸무게가 가장 가벼운 때는 몇 학년인가요?

( )

3-1 선이 가장 많이 기울어진 때는 몇 학년과 몇 학년 사이인가요?

☐학년과 ☐학년 사이

4-1 몸무게가 가장 많이 변한 때는 몇 학년과 몇 학년 사이인가요?

☐학년과 ☐학년 사이

[1-2 ~ 4-2] 재석이의 몸무게를 조사하여 꺾은선그래프로 나타냈습니다. 물음에 답하세요.

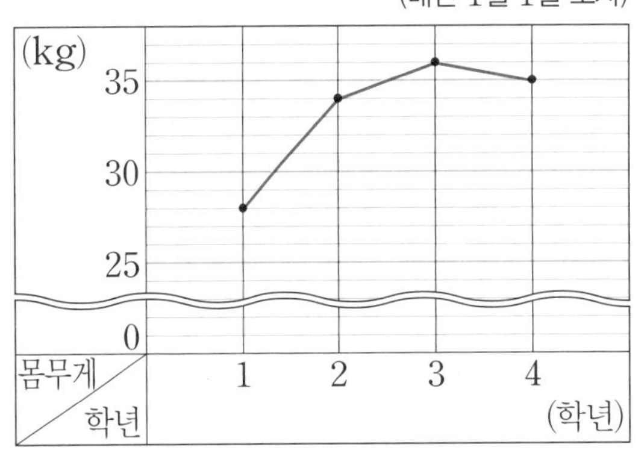

1-2 몸무게가 가장 무거운 때는 몇 학년인가요?

( )

2-2 몸무게가 가장 가벼운 때는 몇 학년인가요?

( )

3-2 선이 가장 적게 기울어진 때는 몇 학년과 몇 학년 사이인가요?

☐학년과 ☐학년 사이

4-2 몸무게가 가장 적게 변한 때는 몇 학년과 몇 학년 사이인가요?

☐학년과 ☐학년 사이

기초 집중 연습

기본 문제 연습

[1-1 ~ 3-1] 어느 가게의 아이스크림 판매량을 조사하여 꺾은선그래프로 나타냈습니다. 물음에 답하세요.

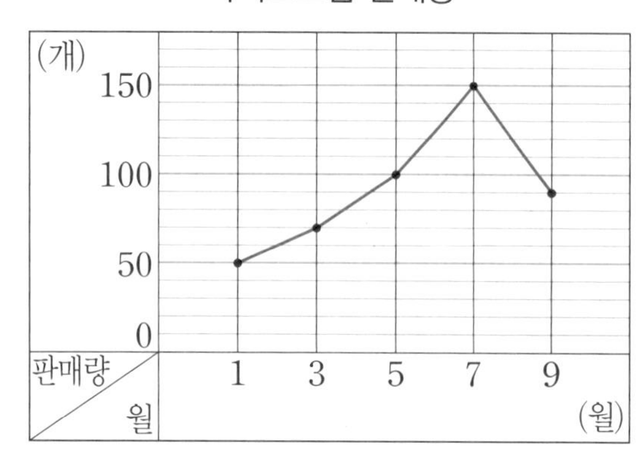

1-1 세로 눈금 한 칸은 몇 개를 나타내나요?

( )

[1-2 ~ 3-2] 꽃의 그림자 길이를 조사하여 꺾은선그래프로 나타냈습니다. 물음에 답하세요.

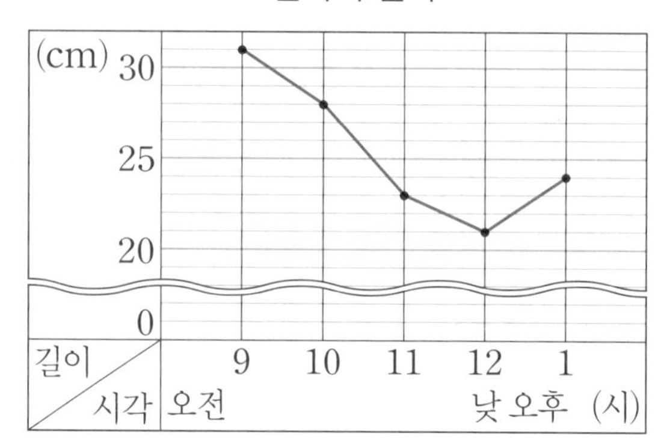

1-2 세로 눈금 한 칸은 몇 cm를 나타내나요?

( )

2-1 7월에는 5월보다 아이스크림이 몇 개 더 팔렸나요?

( )

2-2 10시에는 9시보다 그림자가 몇 cm 더 짧아졌나요?

( )

3-1 판매량이 가장 많이 변한 때는 몇 월과 몇 월 사이인가요?

( )

3-2 그림자의 길이가 가장 적게 변한 때는 몇 시와 몇 시 사이인가요?

( )

▶ 정답 및 풀이 23쪽

기초 → 기본 연습 두 자룟값을 이은 선분의 가운데 찍은 점의 값이 중간값이다.

[기초 ~ 4-2] 초에 불을 붙이고 지난 시간에 따른 초의 길이를 조사하여 꺾은선그래프로 나타냈습니다. 물음에 답하세요.

초의 길이

(cm)
20
15
10
0
길이
시간
0 10 20 30 40
(분 후)

기초 ☐ 안에 알맞은 수를 써넣으세요.

불을 붙이고 20분 후와 30분 후 사이의 초의 길이는 ☐ cm와 ☐ cm 사이입니다.

4-1 불을 붙이고 25분 후의 초의 길이는 몇 cm와 몇 cm 사이인가요?

☐ cm와 ☐ cm 사이

4-2 불을 붙이고 25분 후의 초의 길이는 몇 cm였을까요?

답 ______________

4-3 어느 교실의 기온을 조사하여 꺾은선그래프로 나타냈습니다. 오전 11시 30분에 이 교실의 기온은 몇 ℃였을까요?

교실의 기온

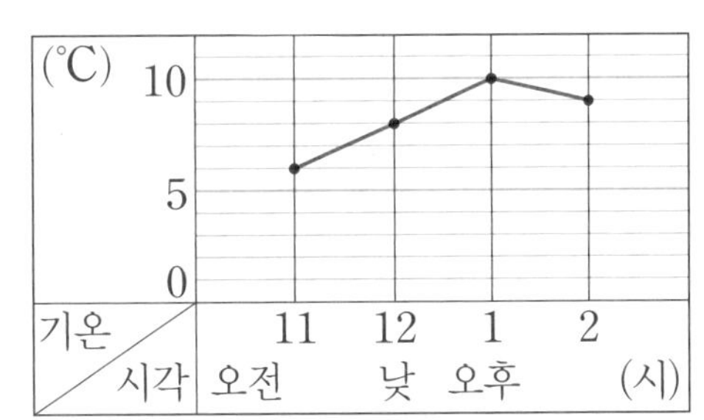

답 ______________

교과서 기초 개념

• 꺾은선그래프로 나타내는 방법

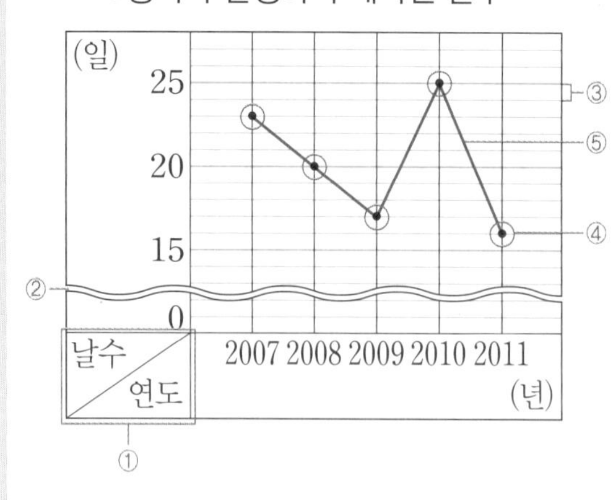

① 가로와 세로에 나타낼 것 정하기
가로: 연도, 세로: 날수

② 물결선 그리기

③ 눈금 한 칸의 크기와 눈금의 수 정하기
눈금 한 칸의 크기: 1일
눈금의 수: 조사한 수 중 가장 큰 수(25일)를 나타낼 수 있도록 할 것.

④ 가로 눈금과 세로 눈금이 만나는 자리에 점 찍기

⑤ 점들을 선분으로 잇기

⑥ 알맞은 제목 붙이기

물결선은 자룟값이 없는 부분에 넣으면 돼.

개념 · 원리 확인

▶정답 및 풀이 23쪽

[1-1 ~ 4-1] 어느 초등학교 4학년 학생 수를 조사하여 나타낸 표를 보고 꺾은선그래프로 나타내려고 합니다. 물음에 답하세요.

4학년 학생 수

연도(년)	2016	2017	2018	2019	2020
학생 수(명)	100	97	94	90	91

1-1 가로에 연도를 나타낸다면 세로에는 무엇을 나타내야 하나요? (　　　　　)

2-1 물결선을 넣는다면 0명과 몇 명 사이에 넣으면 좋은가요? (　　　　　)

3-1 세로 눈금 한 칸은 몇 명으로 나타내어야 할지 가장 적당한 것을 찾아 색칠하세요.

1명	5명	10명

4-1 표를 보고 꺾은선그래프를 완성하세요.

4학년 학생 수

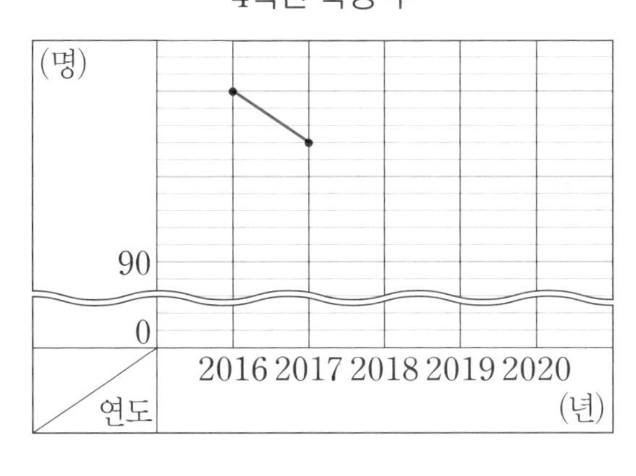

[1-2 ~ 4-2] 어느 목장의 양의 수를 조사하여 나타낸 표를 보고 꺾은선그래프로 나타내려고 합니다. 물음에 답하세요.

목장의 양의 수

월(월)	1	3	5	7	9
양의 수(마리)	220	250	270	270	280

1-2 가로에 월을 나타낸다면 세로에는 무엇을 나타내야 하나요? (　　　　　)

2-2 물결선을 넣는다면 0마리와 몇 마리 사이에 넣으면 좋은가요? (　　　　　)

3-2 세로 눈금 한 칸은 몇 마리로 나타내는 것이 적당한가요?

(　　　　　)

4-2 표를 보고 꺾은선그래프를 완성하세요.

목장의 양의 수

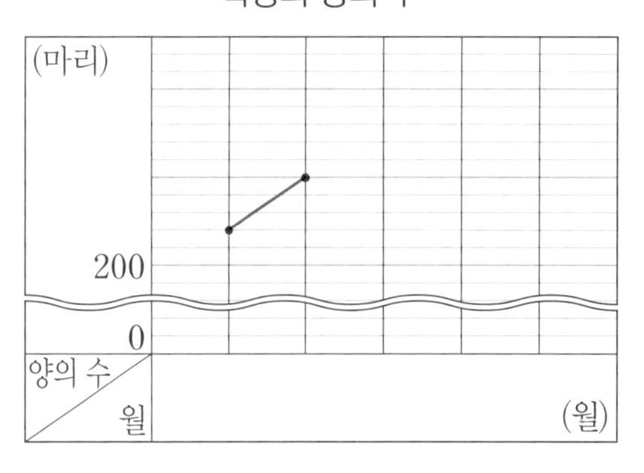

2일 꺾은선그래프 꺾은선그래프 해석하기

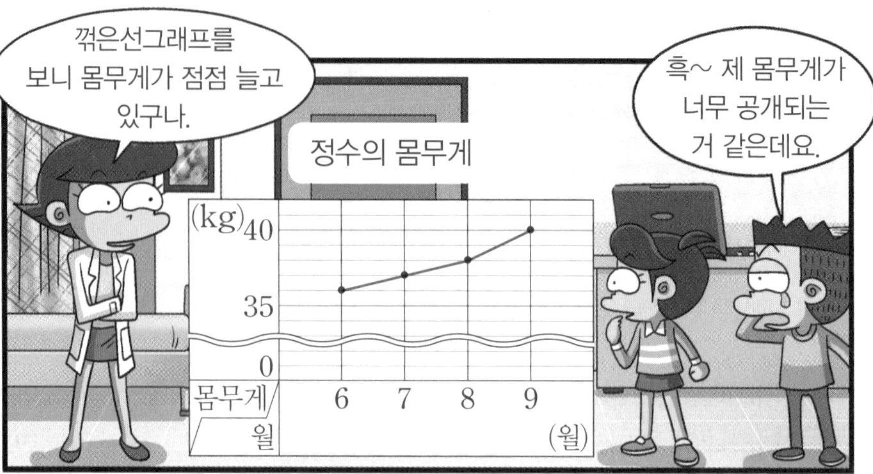

교과서 기초 개념

• 꺾은선그래프 해석하기

성민이의 국어 점수

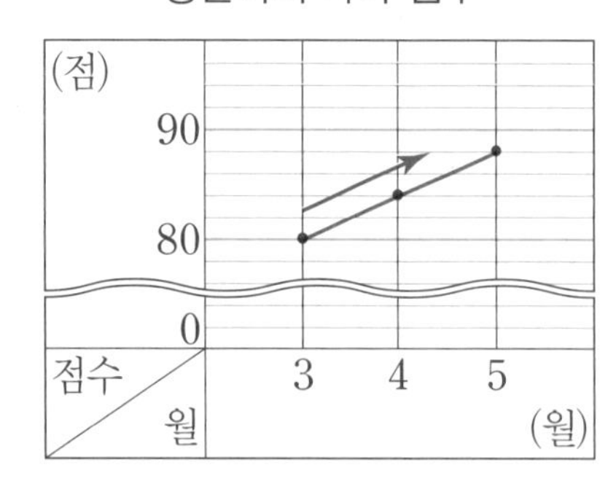

성민이의 수학 점수

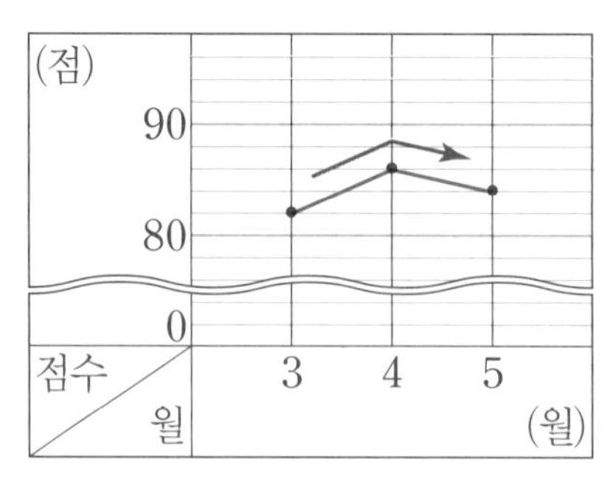

(1) **국어** 점수는 점점 **오르고** 있습니다.

(2) **수학** 점수는 **올랐다가 낮아졌습니다.**

(3) 국어 점수가 매달 ❶ [ ] 점씩 올랐으므로 6월의 국어 점수는 ❷ [ ] 점이 될 것 같습니다.

정답 ❶ 4 ❷ 92

개념 · 원리 확인

▶ 정답 및 풀이 24쪽

[1-1 ~ 3-1] 어느 마을의 장마 기간 강수량을 조사하여 표로 나타냈습니다. 물음에 답하세요.

강수량

날짜(일)	25	26	27	28	29
강수량(mm)	60	80	80	120	130

1-1 표를 보고 꺾은선그래프를 완성하세요.

강수량

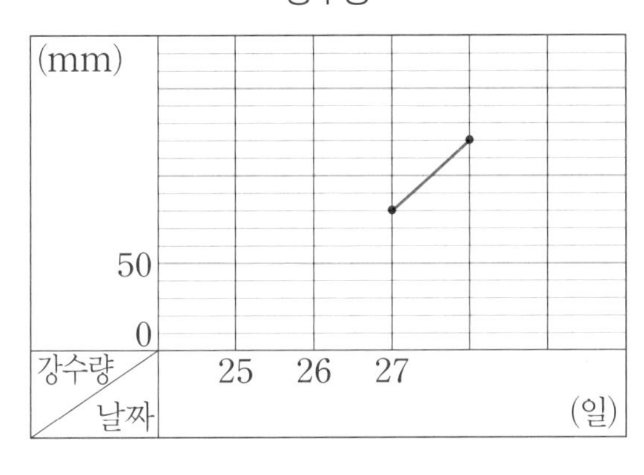

2-1 위 1-1의 그래프에서 전날보다 강수량이 가장 많이 늘어난 때는 며칠인가요?

(　　　　　　　)

3-1 위 1-1의 그래프를 보고 바르게 말한 사람은 누구인가요?

강수량이 점점 줄어들고 있어.

26일과 27일의 강수량은 변화가 없어.

(　　　　　　　)

[1-2 ~ 3-2] 어느 수영장에 등록한 회원 수를 조사하여 표로 나타냈습니다. 물음에 답하세요.

회원 수

월(월)	7	8	9	10	11
회원 수(명)	210	200	150	130	120

1-2 표를 보고 꺾은선그래프를 완성하세요.

회원 수

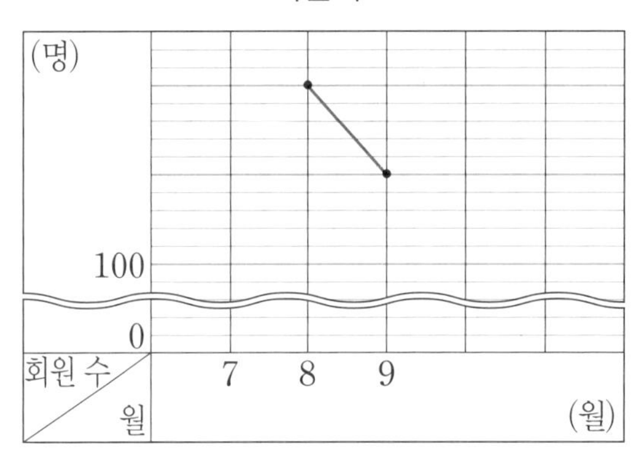

2-2 위 1-2의 그래프에서 전달보다 등록한 회원 수가 가장 많이 줄어든 때는 몇 월인가요?

(　　　　　　　)

3-2 위 1-2의 그래프를 보고 바르게 말한 사람은 누구인가요?

등록한 회원 수가 점점 줄어들고 있어.

8월에는 전달보다 등록한 회원 수가 늘었어.

(　　　　　　　)

4주 2일

2일 기초 집중 연습

기본 문제 연습

1-1 현주가 줄넘기 2단 뛰기를 한 개수를 조사하여 나타낸 표를 보고 꺾은선그래프를 완성하세요.

줄넘기 2단 뛰기 개수

회(회)	1	2	3	4
개수(개)	5	3	6	8

줄넘기 2단 뛰기 개수

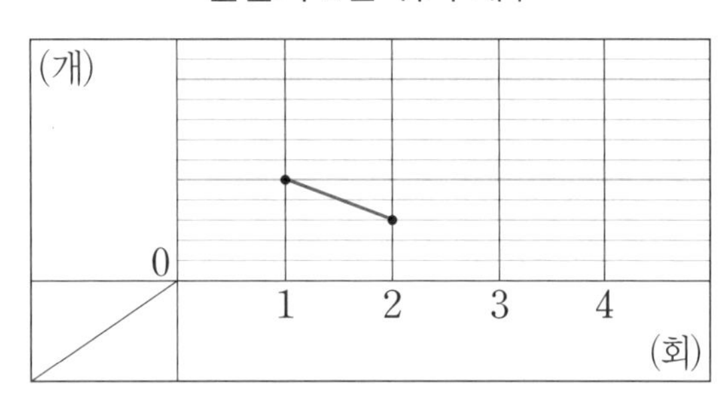

1-2 지우의 키를 조사하여 나타낸 표를 보고 꺾은선그래프를 완성하세요.

지우의 키

(매월 1일에 조사)

월(월)	1	2	3	4
키(cm)	138.2	139	139.6	140.2

지우의 키

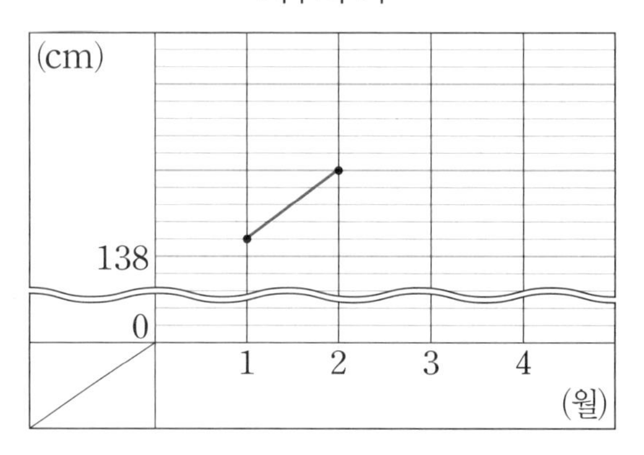

[2-1 ~ 3-2] 어느 지역에서 생산되는 고구마, 감자, 무의 생산량을 조사하여 꺾은선그래프로 각각 나타냈습니다. 물음에 답하세요.

고구마 생산량

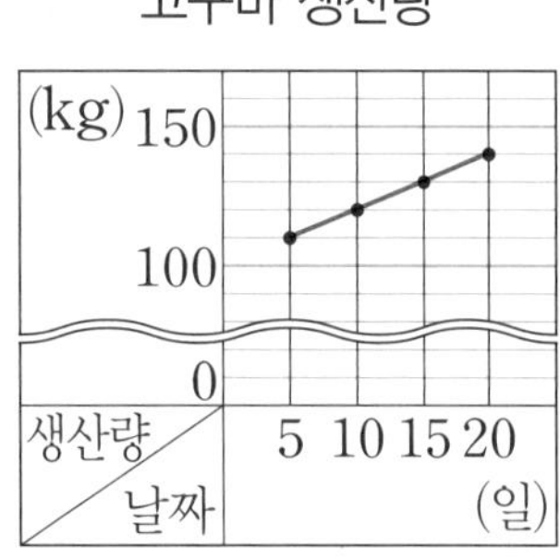

감자 생산량

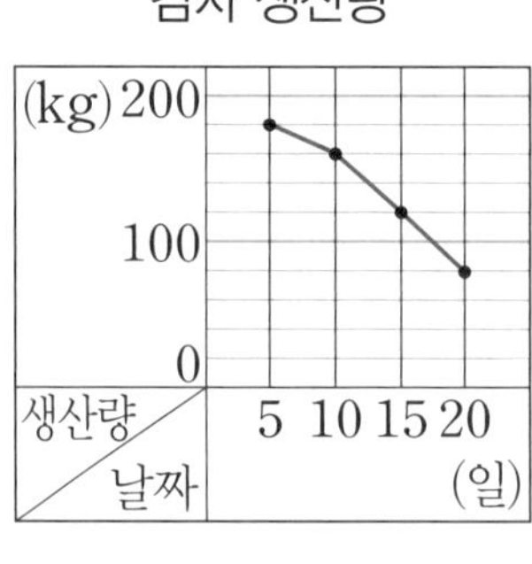

무 생산량

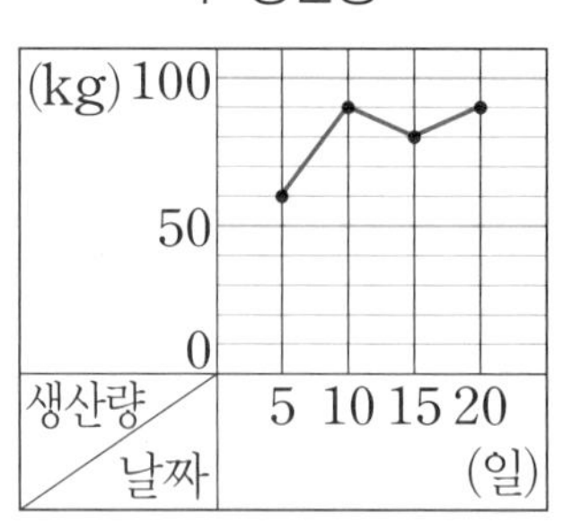

2-1 생산량이 점점 늘어나는 것은 무엇인가요?

( )

2-2 생산량이 점점 줄어드는 것은 무엇인가요?

( )

3-1 조사한 기간 동안 날짜별 생산량이 모두 50 kg과 100 kg 사이인 것은 무엇인가요?

( )

3-2 조사한 기간 동안 날짜별 생산량이 모두 100 kg과 150 kg 사이인 것은 무엇인가요?

( )

▶ 정답 및 풀이 24쪽

기초 → 기본 연습 두 꺾은선그래프를 비교하자.

[기초 ~ 4-3] 어느 가게의 사과와 배의 판매량을 조사하여 꺾은선그래프로 각각 나타냈습니다. 물음에 답하세요.

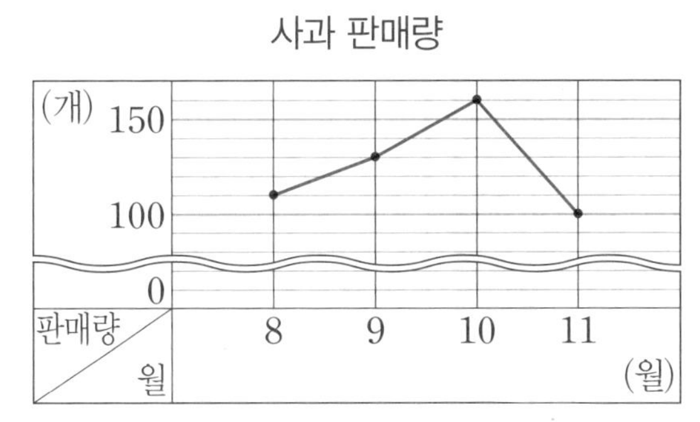

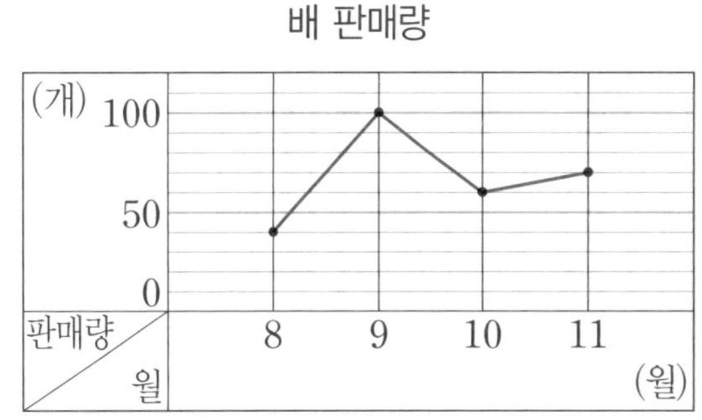

기초 (1) 사과를 160개 판매한 달은 몇 월인가요?

( )

(2) 10월의 배 판매량은 몇 개인가요?

( )

4-1 사과를 160개 판매한 달의 배 판매량은 몇 개인가요?

답 ____________

4-2 배를 40개 판매한 달의 사과 판매량은 몇 개인가요?

답 

4-3 사과 판매량과 배 판매량의 합이 가장 큰 달은 몇 월인가요?

답 

교과서 기초 개념

- **다각형:** 선분으로만 둘러싸인 도형

변이 5개

변이 6개

변이 7개

다각형의 **이름**은 **변의 수**에 따라 정해져.

도형마다 **변의 수**와 **꼭짓점의 수**가 같아.

정답 ❶ 칠

개념·원리 확인

▶정답 및 풀이 25쪽

1-1 다각형에 ○표 하세요.

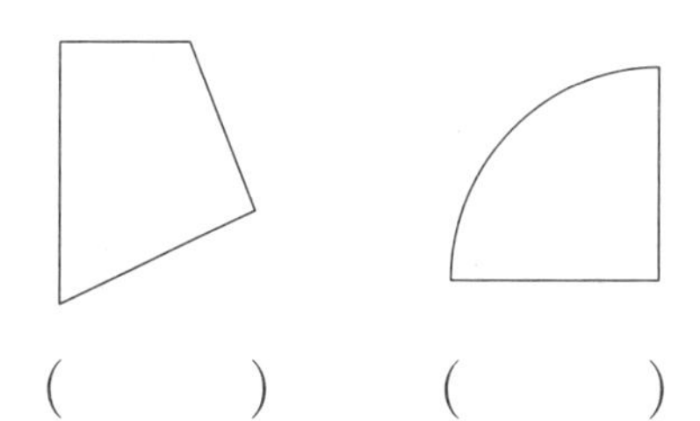

( ) ( )

1-2 다각형에 ○표 하세요.

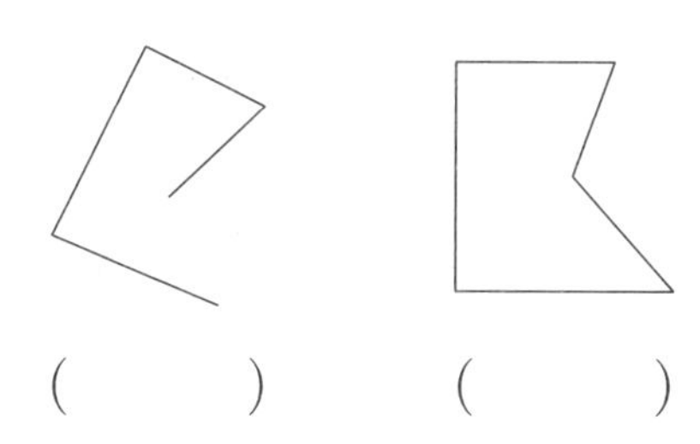

( ) ( )

[2-1 ~ 2-4] 도형을 보고 □ 안에 알맞은 수나 말을 써넣으세요.

2-1

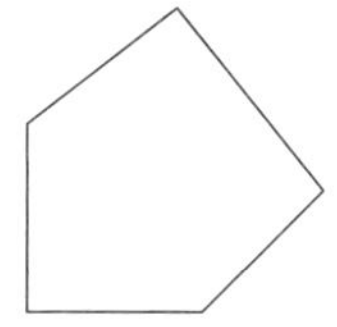

변의 수: □개
다각형의 이름: □

2-2

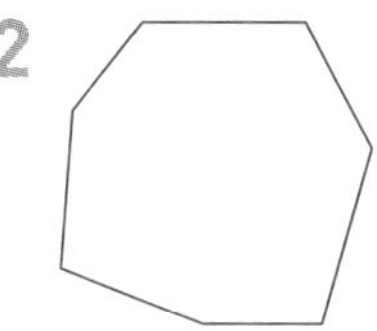

변의 수: □개
다각형의 이름: □

2-3

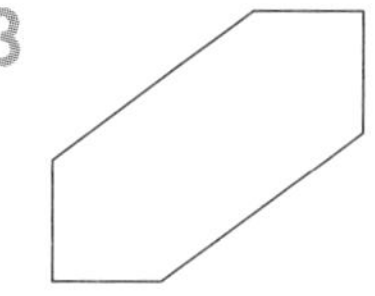

변의 수: □개
다각형의 이름: □

2-4

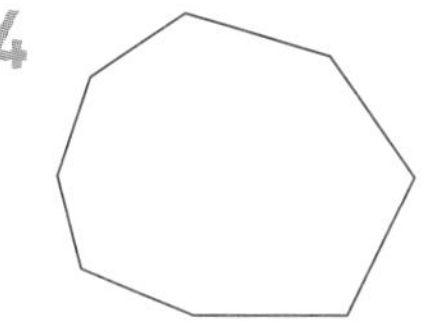

변의 수: □개
다각형의 이름: □

[3-1 ~ 3-2] 점 종이에 그려진 선분을 이용하여 주어진 다각형을 완성하세요.

3-1

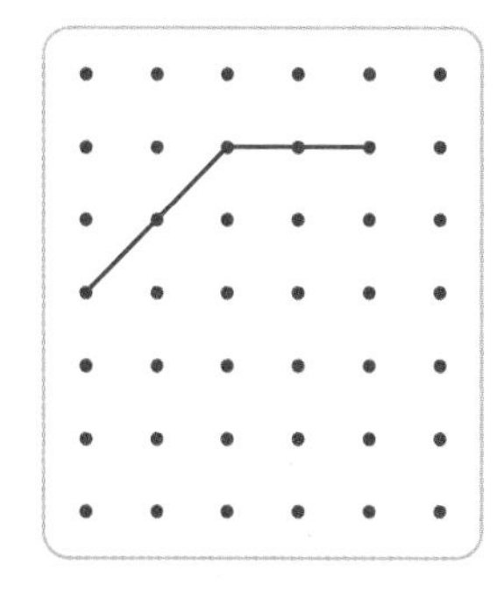

3-2 육각형

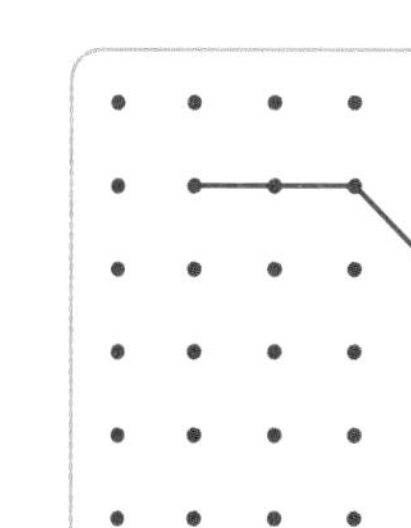

정다각형 알아보기

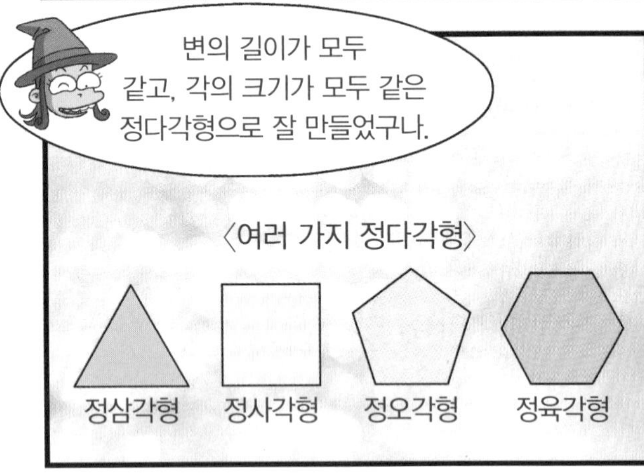

교과서 기초 개념

• **정다각형**: 변의 길이가 모두 같고, 각의 크기가 모두 같은 다각형

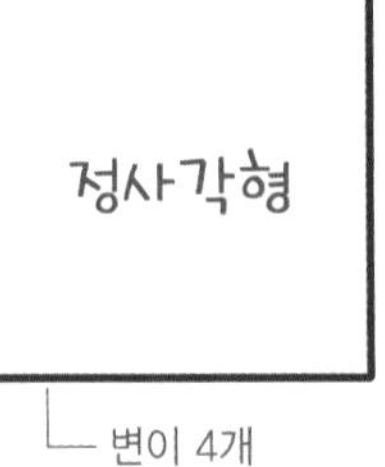

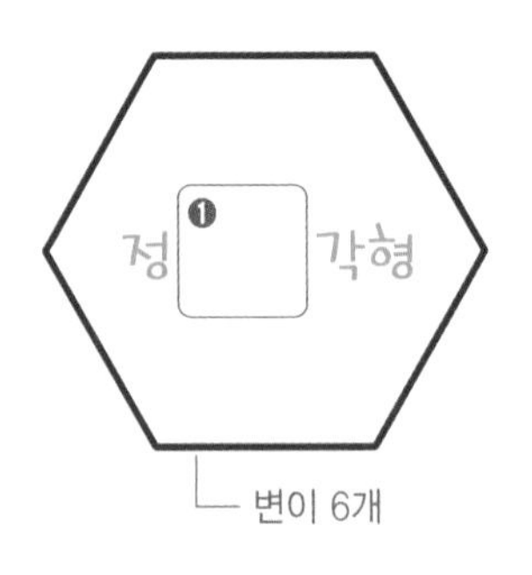

정다각형이 아닌 경우

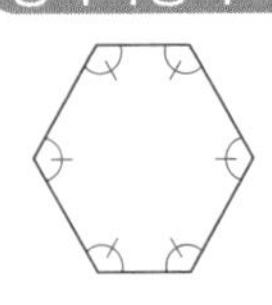

각의 크기는 모두 같지만
변의 길이가 모두 같지 않음.

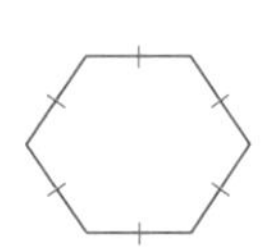

변의 길이는 모두 같지만
각의 크기가 모두 같지 않음.

정답 ❶ 육

개념 · 원리 확인

▶정답 및 풀이 25쪽

1-1 정다각형에 ○표 하세요.

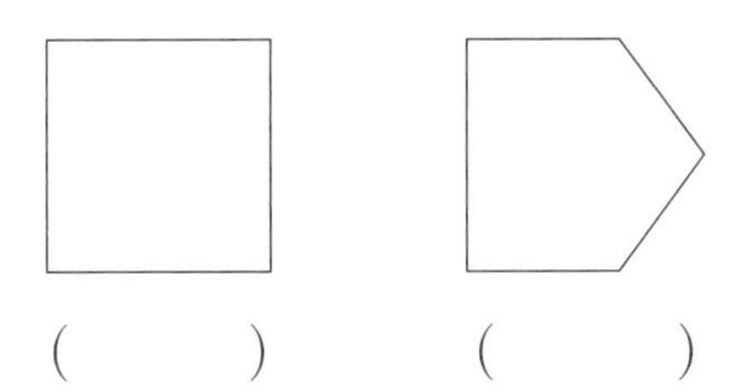

(　　　) (　　　)

1-2 정다각형에 ○표 하세요.

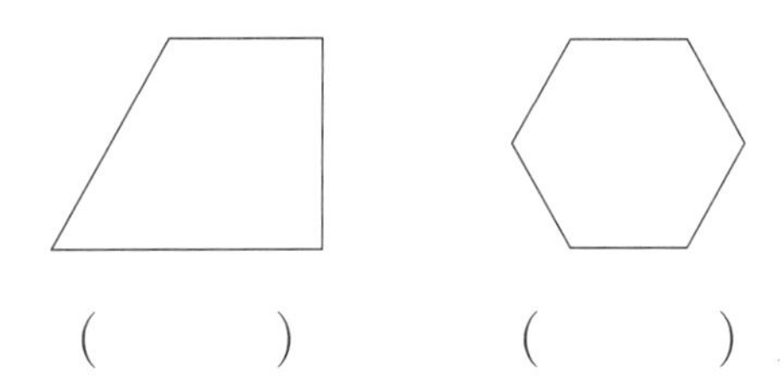

(　　　) (　　　)

2-1 정다각형의 이름을 써 보세요.

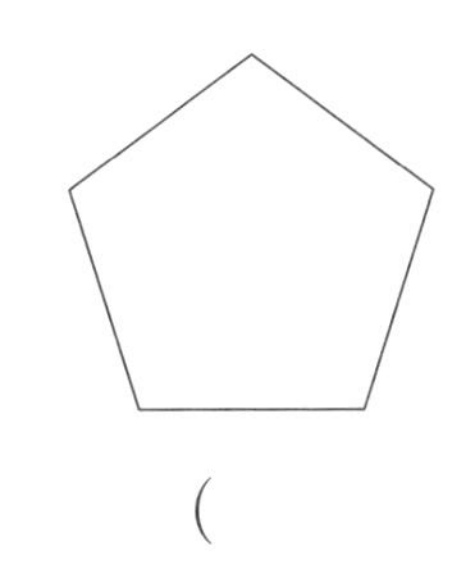

(　　　　　　　　)

2-2 정다각형의 이름을 써 보세요.

(　　　　　　　　)

[3-1 ~ 3-4] 정다각형입니다. □ 안에 알맞은 수를 써넣으세요.

3-1

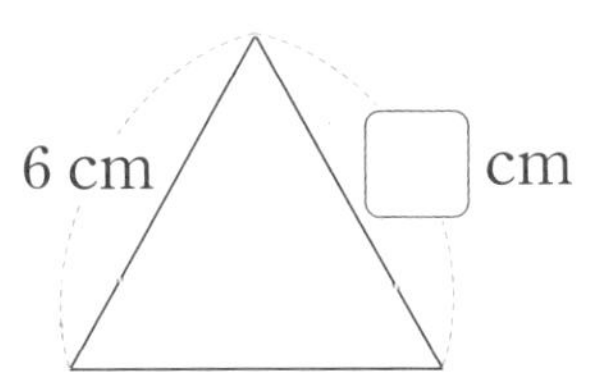

3-2

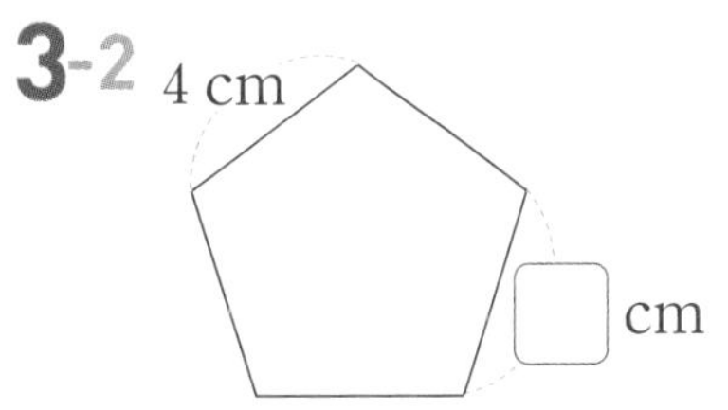

3-3

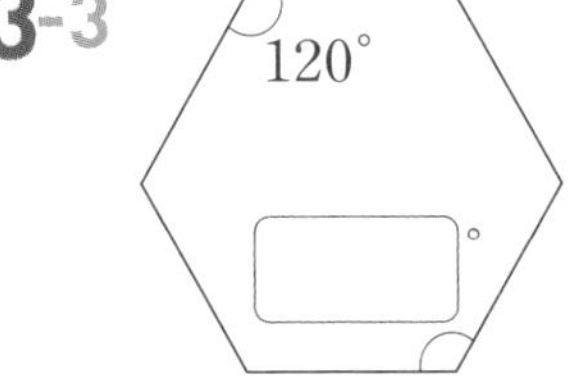

3-4

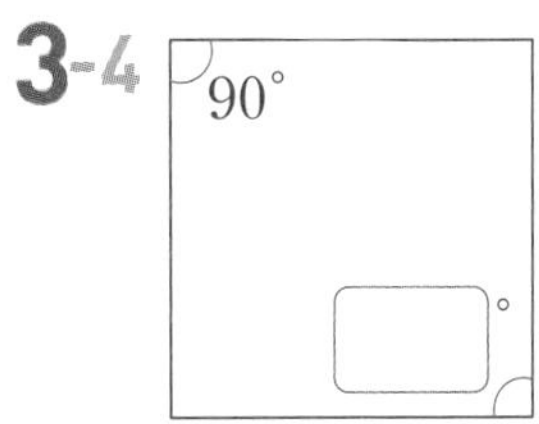

기초 집중 연습

기본 문제 연습

1-1 칠각형을 찾아 ○표 하세요.

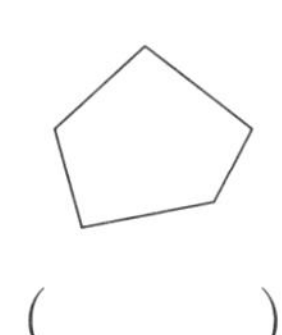 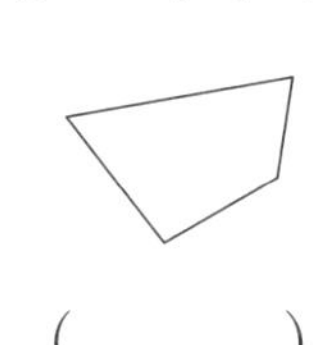 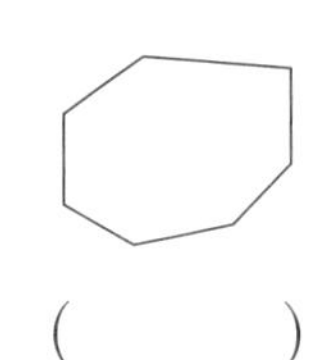

(　　) (　　) (　　)

1-2 오각형을 찾아 ○표 하세요.

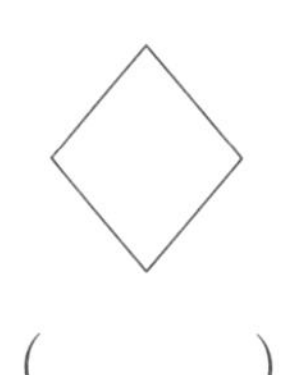 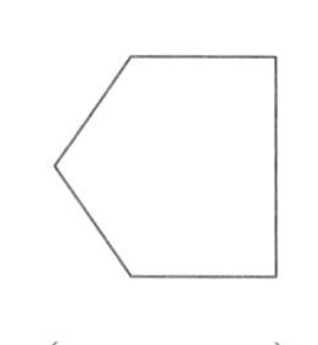 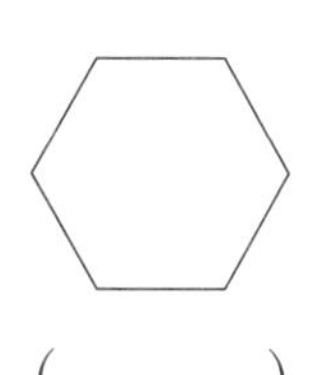

(　　) (　　) (　　)

2-1 다각형에 대해 바르게 설명한 사람의 이름을 써 보세요.

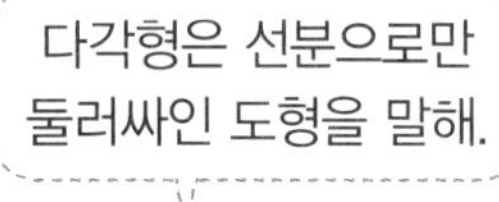

다각형은 선분으로만 둘러싸인 도형을 말해.

우석

다각형은 곡선이 있는 도형을 말해.

(　　　　　)

2-2 바르게 말한 사람의 이름을 써 보세요.

십각형은 변이 10개 있어.
준희

각이 8개인 다각형의 이름은 육각형이야.

(　　　　　)

[3-1 ~ 3-2] 정다각형입니다. □ 안에 알맞은 수를 써넣으세요.

3-1

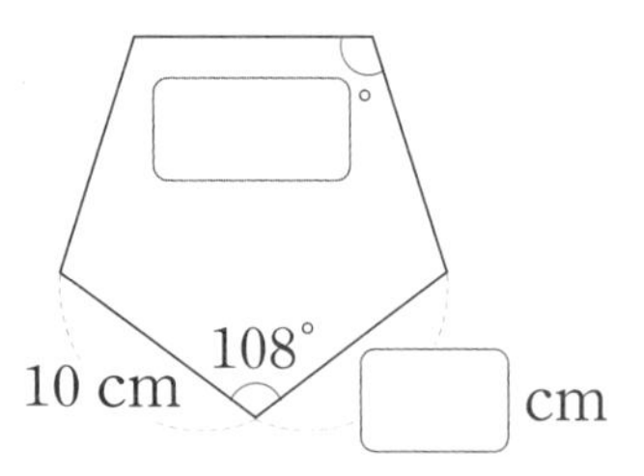

3-2

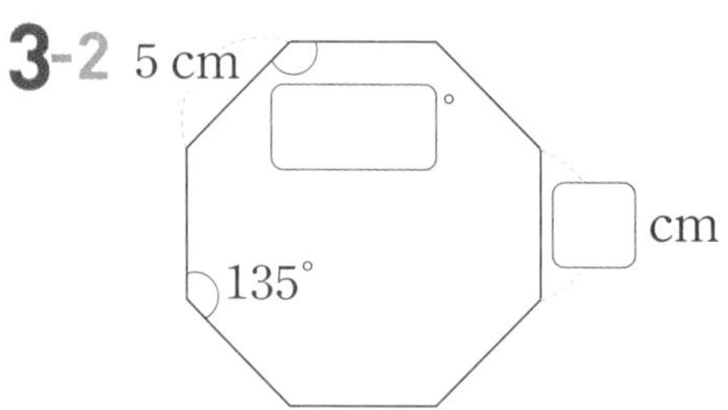

4-1 오른쪽은 정사각형이 아닙니다. 그 이유로 알맞은 말에 ○표 하세요.

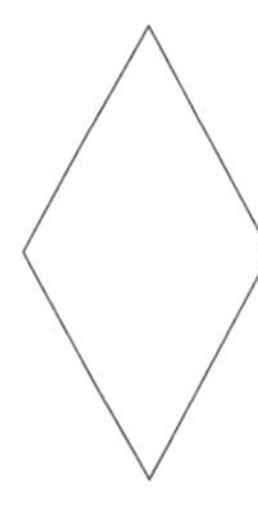

이유 (변의 길이 , 각의 크기)가 모두 같지 않기 때문입니다.

4-2 다음 도형은 정오각형이 아닙니다. 그 이유로 알맞은 말에 ○표 하세요.

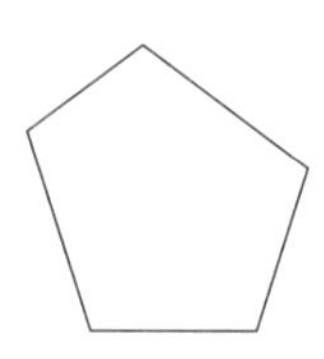

이유 (변의 길이 , 각의 크기)가 모두 같지 않기 때문입니다.

기초 → 기본 연습 (정■각형의 모든 변의 길이의 합)=(한 변의 길이)×■

기초 정사각형입니다. 모든 변의 길이의 합은 몇 cm인가요?

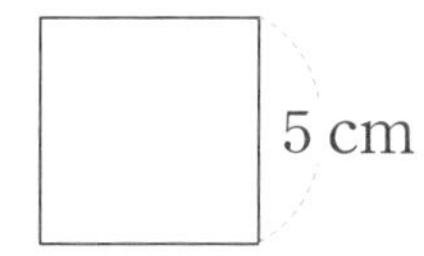

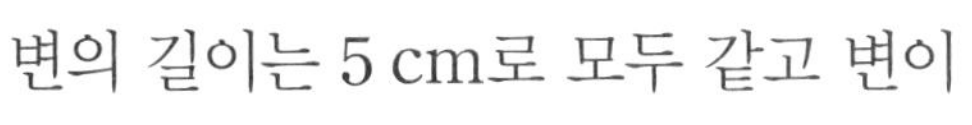

변의 길이는 5 cm로 모두 같고 변이 □개 있습니다.

→ (모든 변의 길이의 합)

$=5\times$ □ = □ (cm)

5-1 한 변의 길이가 4 cm인 정오각형입니다. 모든 변의 길이의 합은 몇 cm인가요?

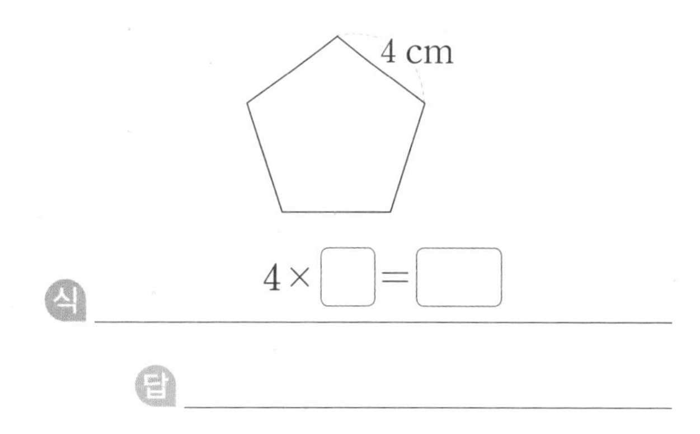

식 $4\times$ □ = □

답 ____________

4주 3일

5-2 오른쪽은 한 변의 길이가 30 cm인 정팔각형 모양의 표지판입니다. 표지판의 모든 변의 길이의 합은 몇 cm인가요?

식 ____________

답 ____________

5-3 오른쪽과 같이 모든 변의 길이의 합이 12 m인 정육각형 모양의 울타리를 치려고 합니다. 한 변의 길이를 몇 m로 해야 하나요?

답 ____________

다각형

대각선 알아보기 (1)

교과서 기초 개념

• **대각선:** 다각형에서 선분 ㄱㄷ, 선분 ㄴㄹ과 같이 서로 이웃하지 않는 두 ❶ [ ] 을 이은 선분

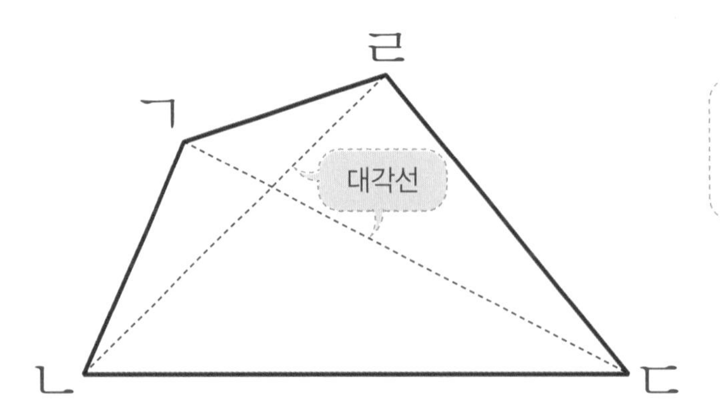

정답 ❶ 꼭짓점

개념 · 원리 확인

▶ 정답 및 풀이 25쪽

[1-1 ~ 1-2] 대각선을 바르게 나타낸 것에 ○표 하세요.

1-1

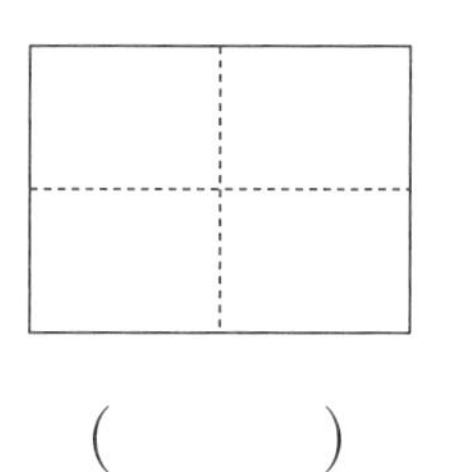

( ) ( )

1-2

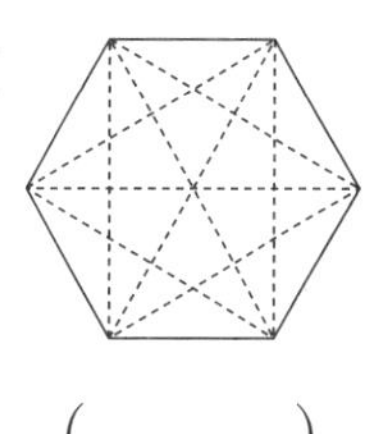

( ) ( )

[2-1 ~ 2-2] 점 ㄱ에서 그을 수 있는 대각선을 모두 그어 보세요.

2-1

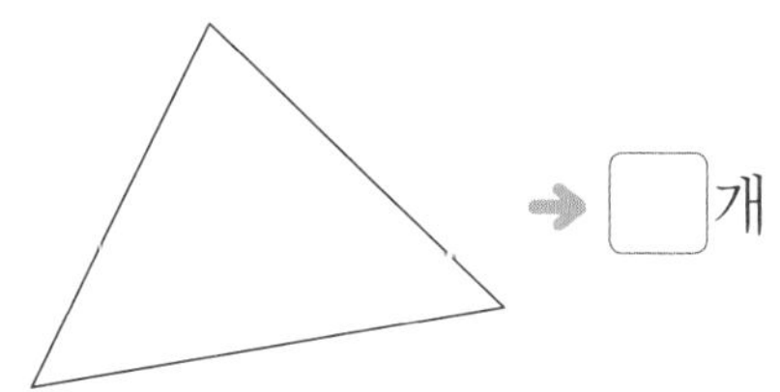

2-2

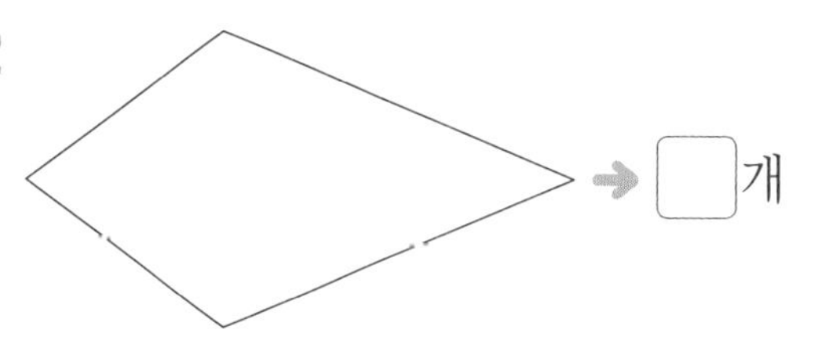

[3-1 ~ 3-4] 다각형에 대각선을 모두 그어 보고, 몇 개인지 □ 안에 알맞은 수를 써넣으세요.

3-1

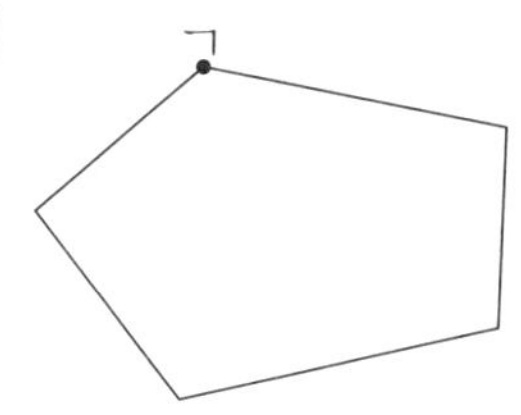

3-2

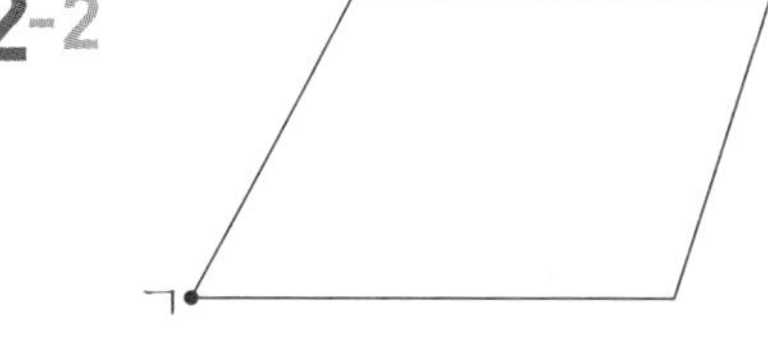

3-3

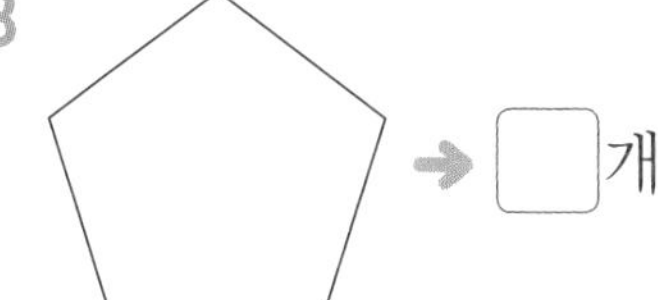

3-4

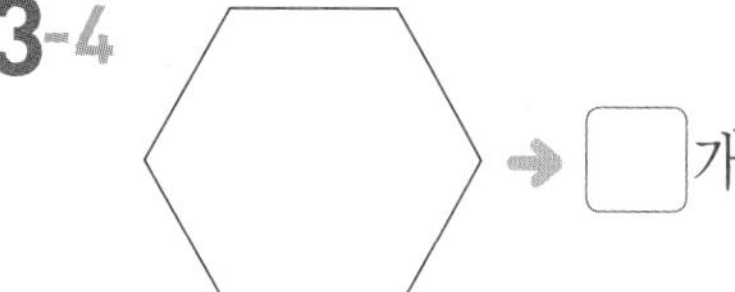

교과서 기초 개념

• 사각형에서 대각선의 성질 알아보기

두 대각선의 길이가 같은 경우

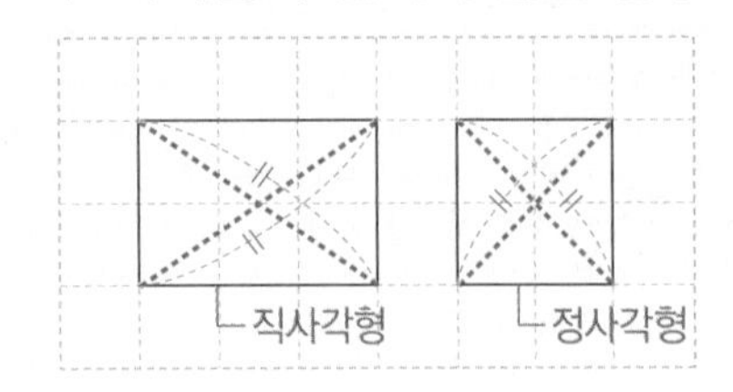

두 대각선이 서로 수직으로 만나는 경우

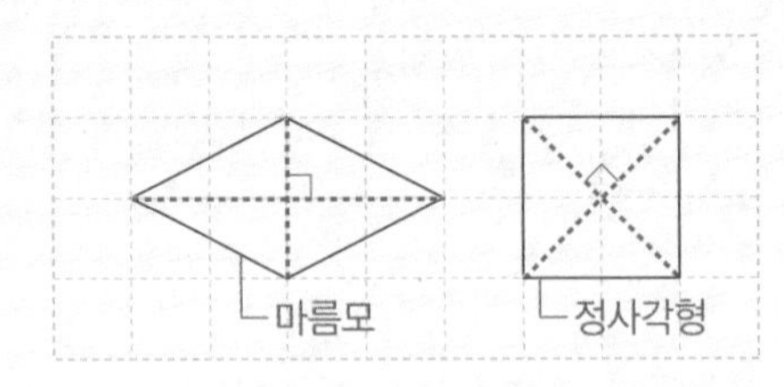

한 대각선이 다른 대각선을 똑같이 둘로 나누는 경우

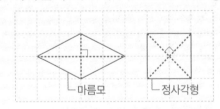

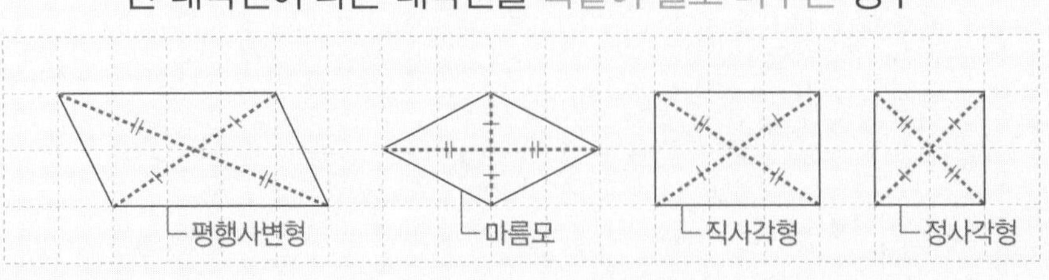

개념 · 원리 확인

▶정답 및 풀이 26쪽

[1-1 ~ 4-1] 사각형을 보고 □ 안에 알맞은 기호를 써넣으세요.

가 나
다 라

1-1 두 대각선의 길이가 같은 사각형은 □, □입니다.

2-1 두 대각선이 서로 수직으로 만나는 사각형은 □, □입니다.

3-1 한 대각선이 다른 대각선을 똑같이 둘로 나누는 사각형은 □, □, □, □입니다.

4-1 두 대각선의 길이가 같고 서로 수직으로 만나는 사각형은 □입니다.

[1-2 ~ 4-2] 사각형을 보고 □ 안에 알맞은 기호를 써넣으세요.

가 나
다 라

1-2 두 대각선의 길이가 같은 사각형은 □, □입니다.

2-2 두 대각선이 서로 수직으로 만나는 사각형은 □입니다.

3-2 한 대각선이 다른 대각선을 똑같이 둘로 나누는 사각형은 □, □, □입니다.

4-2 두 대각선의 길이가 같고 한 대각선이 다른 대각선을 똑같이 둘로 나누는 사각형은 □, □입니다.

4일

기초 집중 연습

기본 문제 연습

1-1 사각형 ㄱㄴㄷㄹ에 그어진 선분 중 대각선을 찾아 써 보세요.

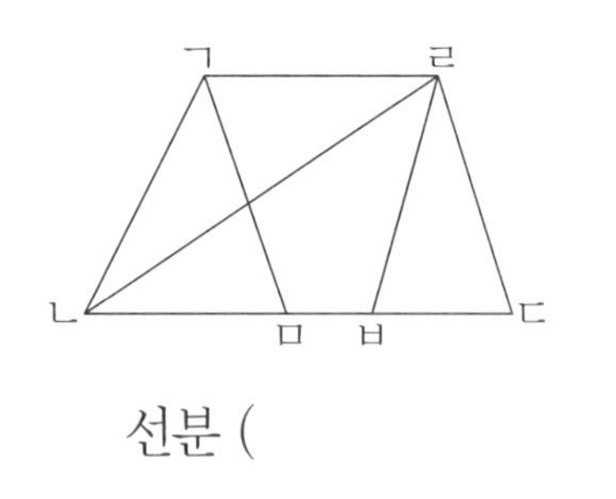

선분 (   )

1-2 육각형 ㄱㄴㄷㄹㅁㅂ에 그어진 선분 중 대각선을 찾아 써 보세요.

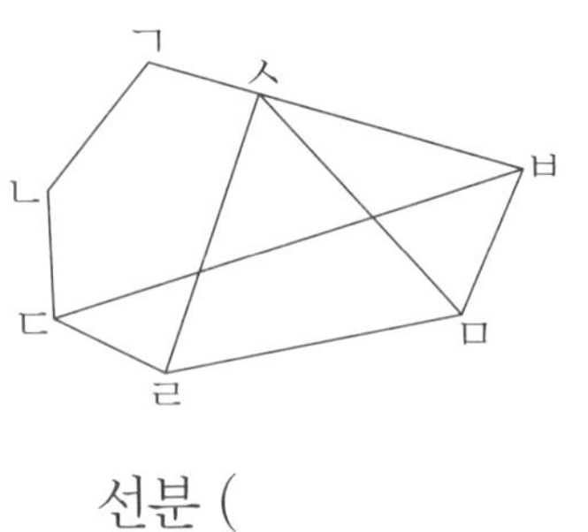

선분 (   )

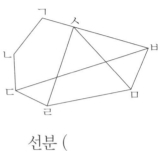

2-1 두 대각선이 서로 수직으로 만나는 사각형을 모두 찾아 ○표 하세요.

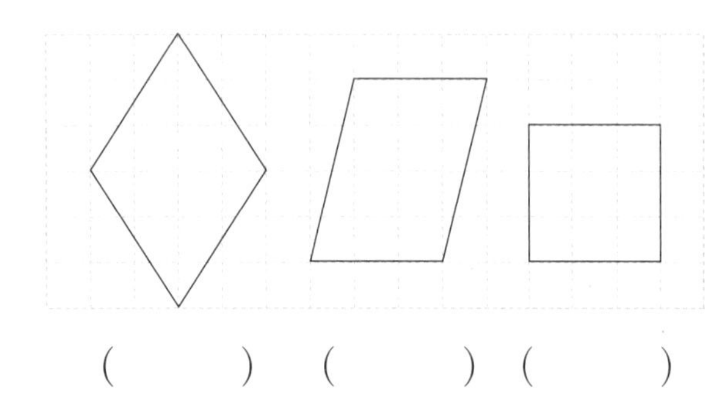

(   ) (   ) (   )

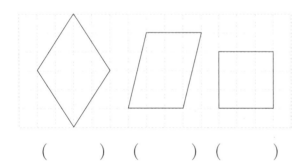

2-2 두 대각선의 길이가 같은 사각형을 모두 찾아 ○표 하세요.

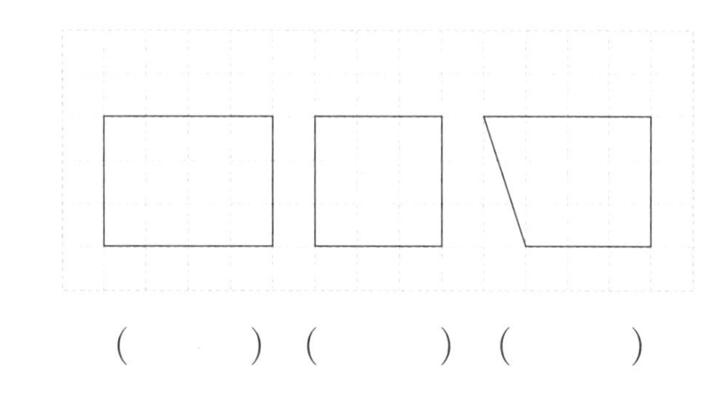

(   ) (   ) (   )

3-1 대각선의 수가 많은 순서대로 기호를 써 보세요.

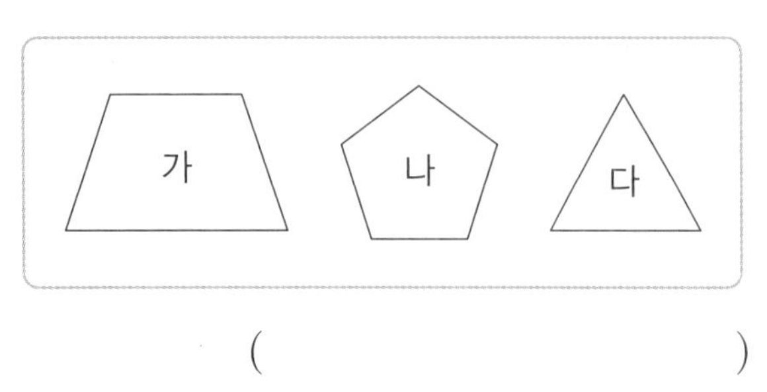

(   )

3-2 대각선의 수가 많은 순서대로 기호를 써 보세요.

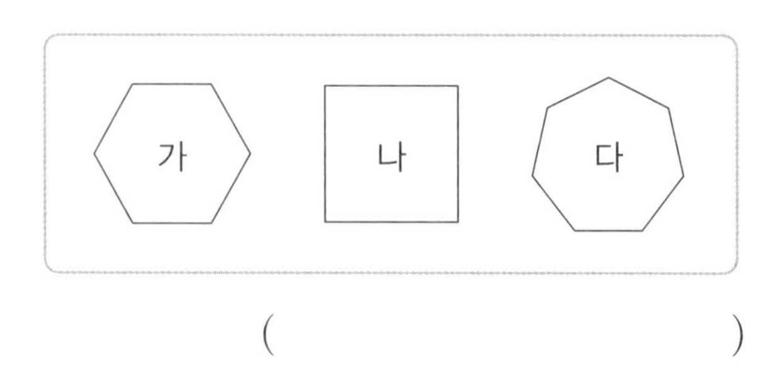

(   )

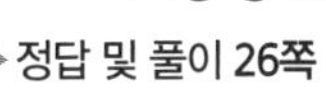
▶정답 및 풀이 26쪽

기초 → 기본 연습 대각선은 서로 이웃하지 않는 두 꼭짓점끼리 잇자.

기초 점 ㄱ에서 그을 수 있는 대각선을 모두 그어 보세요.

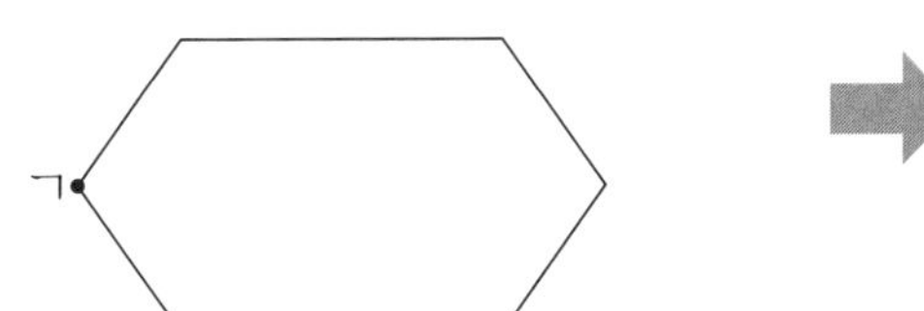

4-1 한 꼭짓점에서 그을 수 있는 대각선의 수를 비교하여 ◯ 안에 >, =, <를 알맞게 써넣으세요.

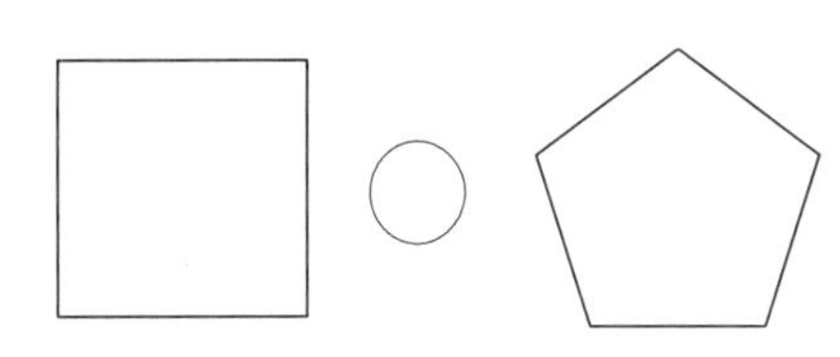

4-2 표시된 꼭짓점에서 그을 수 있는 대각선을 모두 그어 보고, 알맞은 말에 ◯표 하세요.

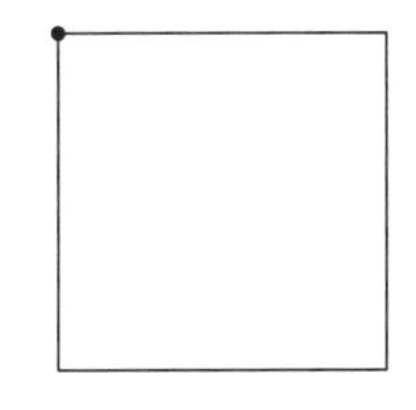

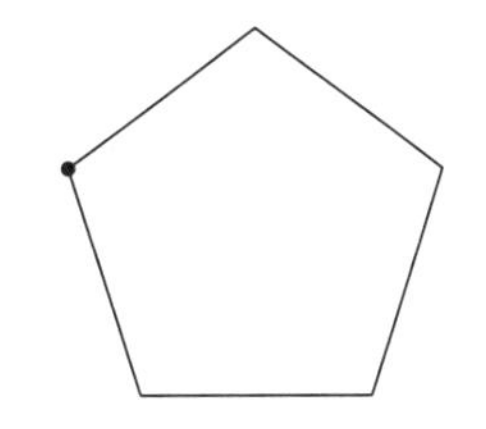

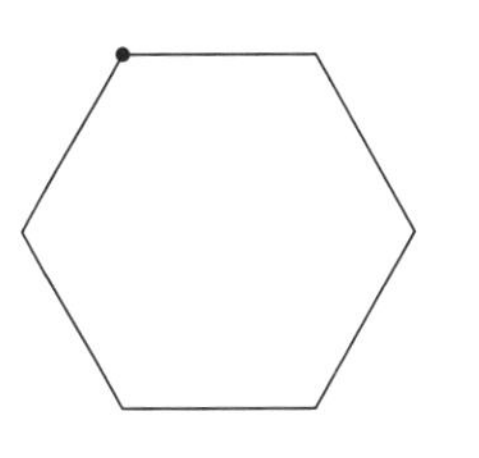

꼭짓점의 수가 많은 다각형일수록 더 (적은 , 많은) 대각선을 그을 수 있습니다.

4-3 삼각형에는 대각선을 그을 수 없습니다. 그 이유를 완성해 보세요.

삼각형에는 대각선을 그을 수 없어.
왜냐하면 꼭짓점 3개가

교과서 기초 개념

• 모양 조각으로 만든 모양 살펴보기

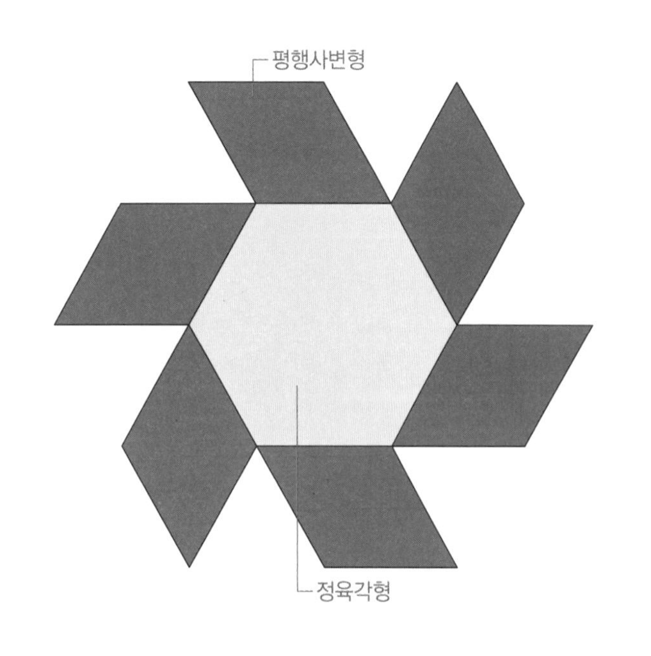

(1) 사용한 모양 조각 이름

➔ 평행사변형, 정육각형

(2) 사용한 모양 조각 수

➔ 평행사변형: ❶ □개

정육각형: ❷ □개

정답 ❶ 6 ❷ 1

개념 · 원리 확인

▶정답 및 풀이 26쪽

[1-1 ~ 2-1] 모양을 보고 물음에 답하세요.

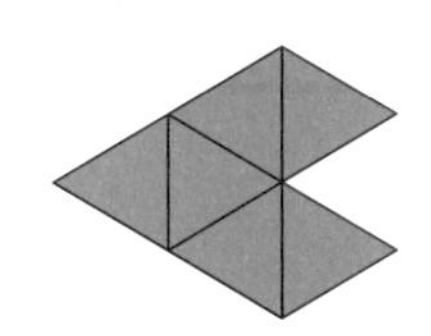

1-1 모양을 만드는 데 사용한 모양 조각의 이름에 ○표 하세요.

(정삼각형 , 정사각형)

2-1 위의 모양을 만들려면 1-1에서 답한 모양 조각은 몇 개 필요한가요?

( )

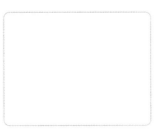

[1-2 ~ 2-2] 모양을 보고 물음에 답하세요.

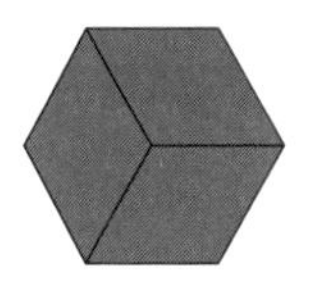

1-2 모양을 만드는 데 사용한 모양 조각의 이름에 ○표 하세요.

(평행사변형 , 정삼각형)

2-2 위의 모양을 만들려면 1-2에서 답한 모양 조각은 몇 개 필요한가요?

( )

[3-1 ~ 4-1] 주어진 모양 조각을 모두 사용하여 도형을 만들려고 합니다. 물음에 답하세요.

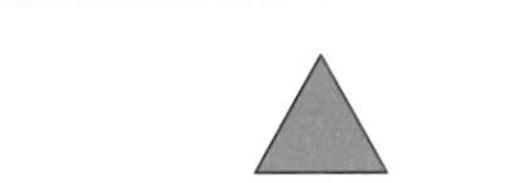

3-1 사다리꼴을 만든 것에 ○표 하세요.

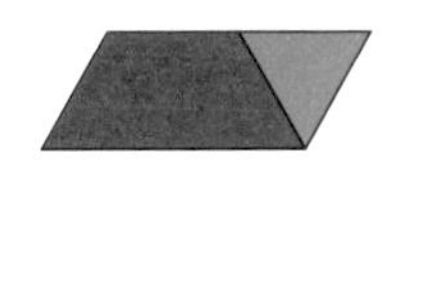

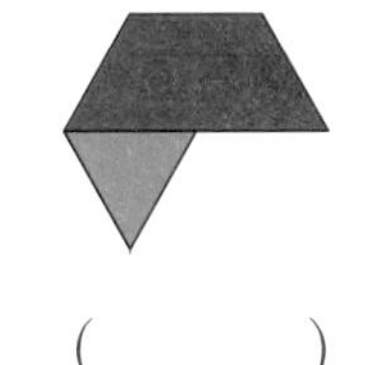

( ) ( )

4-1 삼각형을 만들어 보세요.

[3-2 ~ 4-2] 주어진 모양 조각을 모두 사용하여 도형을 만들려고 합니다. 물음에 답하세요.

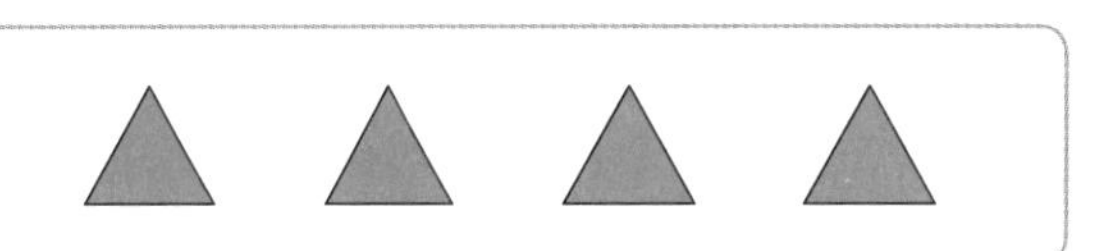

3-2 삼각형을 만든 것에 ○표 하세요.

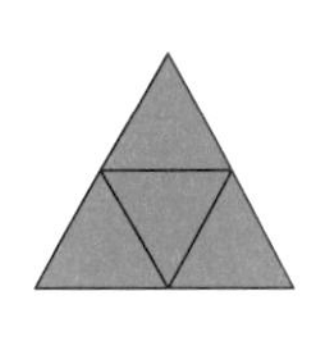

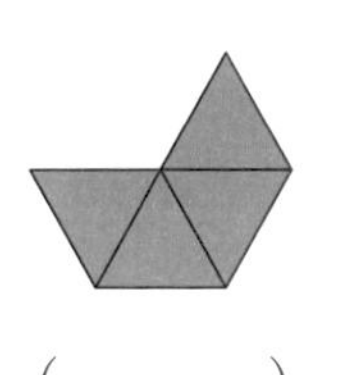

( ) ( )

4-2 평행사변형을 만들어 보세요.

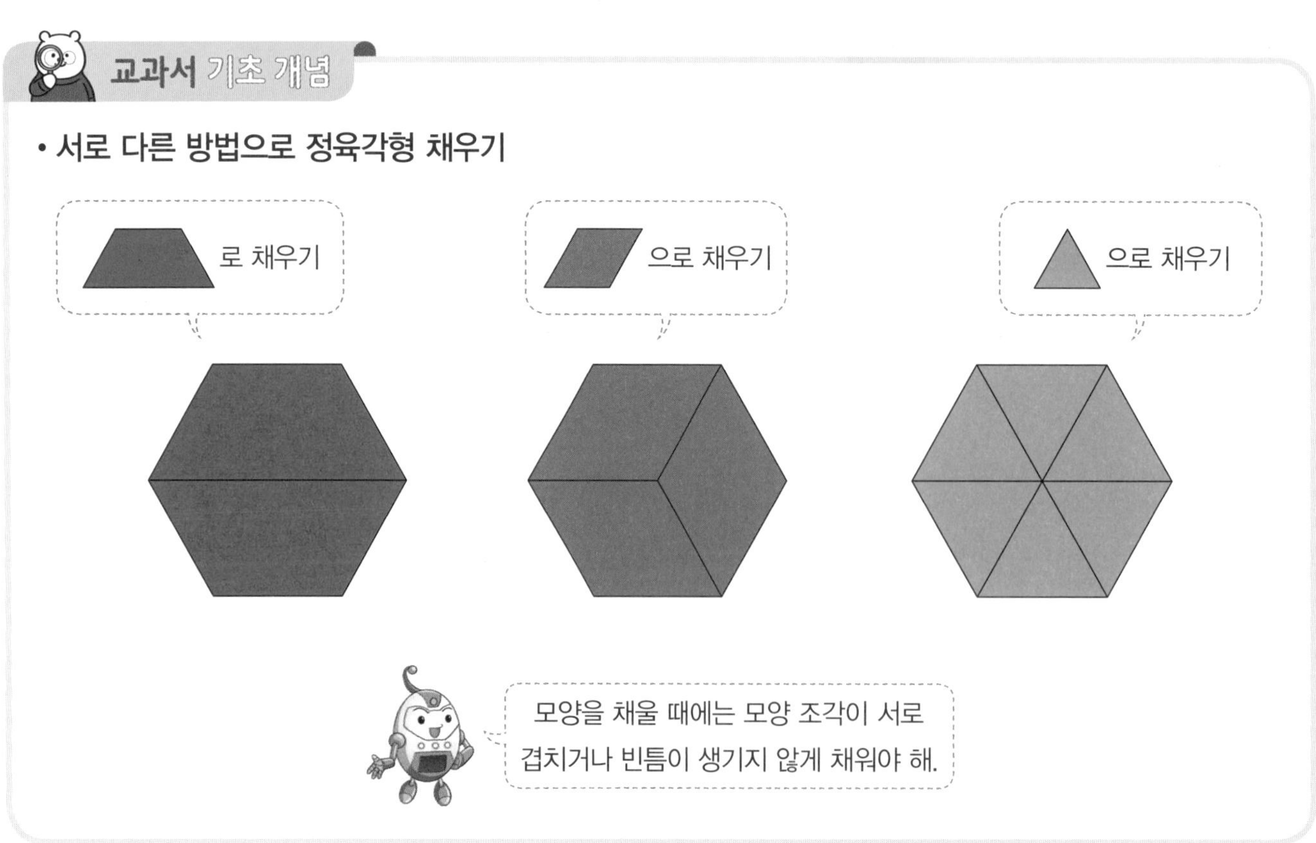

• 서로 다른 방법으로 정육각형 채우기

모양을 채울 때에는 모양 조각이 서로 겹치거나 빈틈이 생기지 않게 채워야 해.

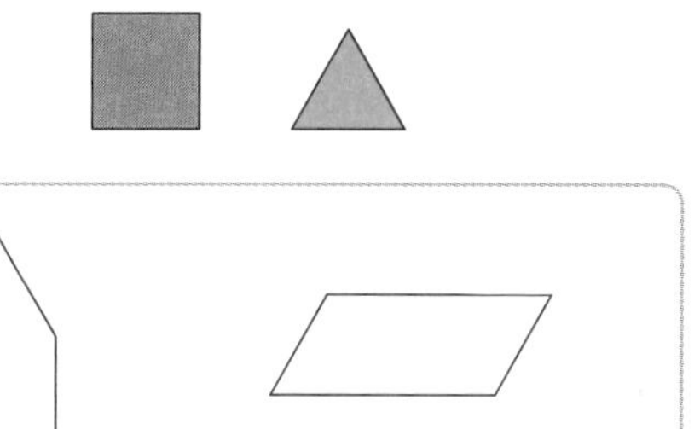

▶정답 및 풀이 27쪽

[1-1 ~ 1-2] 주어진 모양 조각 2개로 채울 수 있는 모양에 ○표 하세요.

1-1

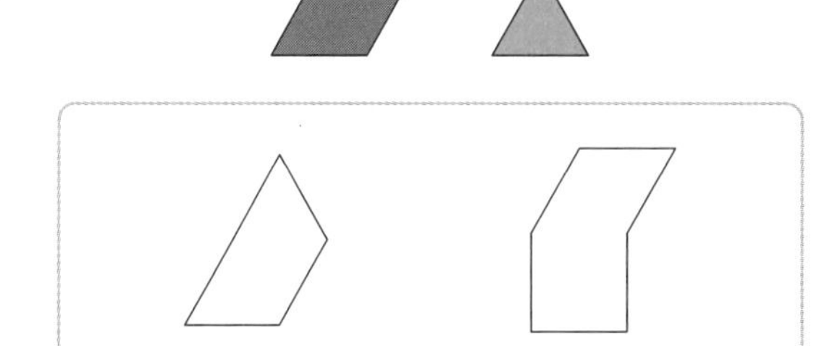

1-2

[2-1 ~ 2-2] 주어진 모양 조각을 모두 사용하여 평행사변형을 채워 보세요. (단, 같은 모양 조각을 여러 번 사용할 수 있습니다.)

2-1

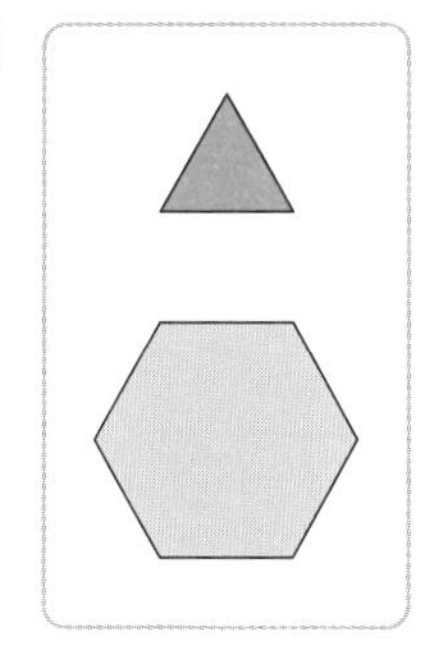

2-2

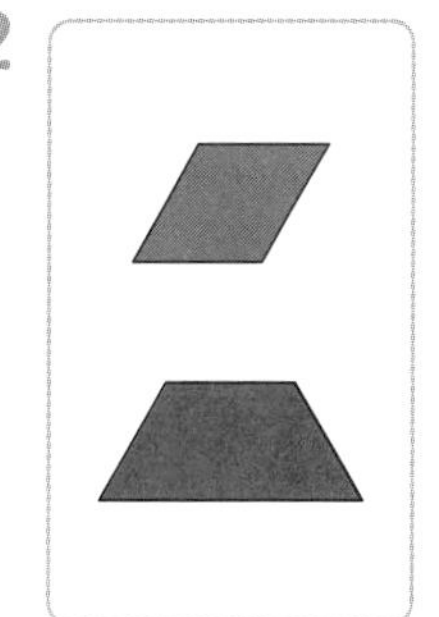

[3-1 ~ 3-2] 주어진 모양 조각을 모두 사용하여 오각형을 채워 보세요. (단, 같은 모양 조각을 여러 번 사용할 수 있습니다.)

3-1

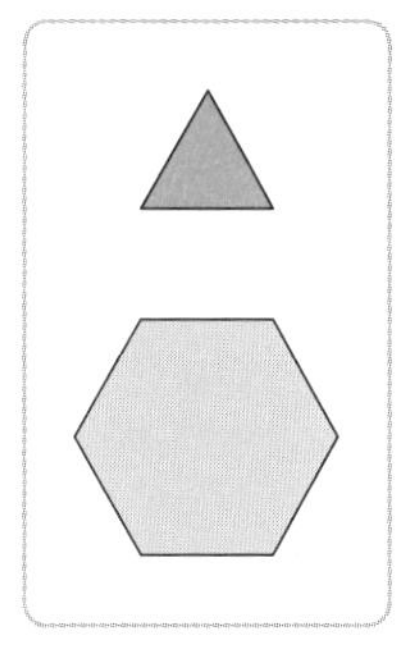

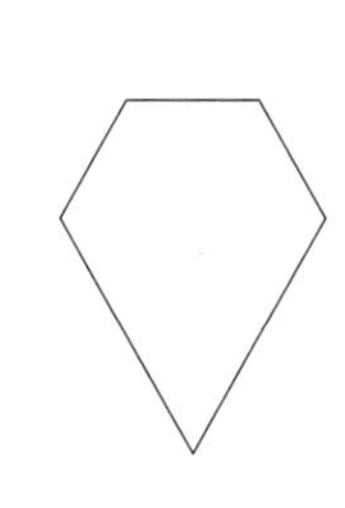

3-2

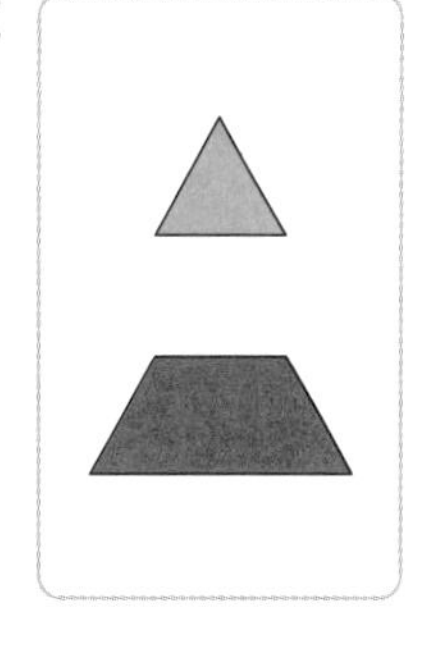

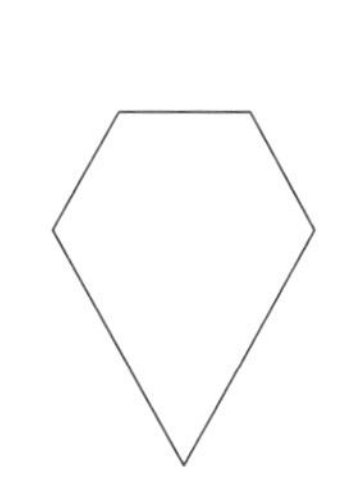

5일 기초 집중 연습

기본 문제 연습

[1-1 ~ 1-2] 모양을 만드는 데 사용한 모양 조각의 이름을 모두 찾아 기호를 써 보세요.

1-1

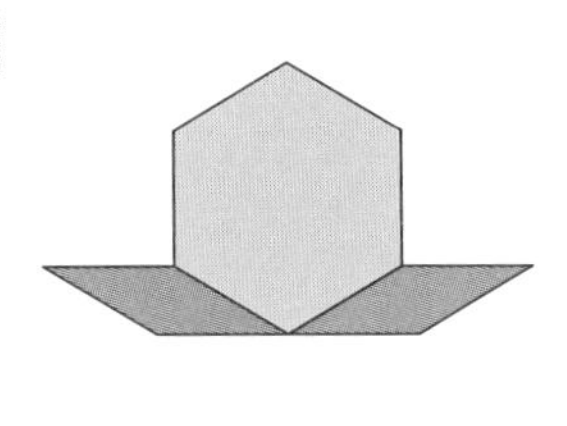

㉠ 정육각형
㉡ 정사각형
㉢ 마름모

(   )

1-2

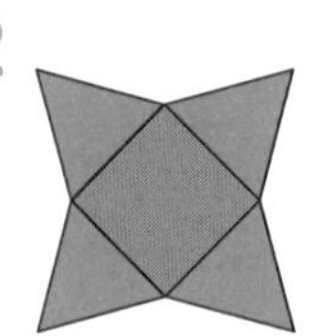

㉠ 정사각형
㉡ 정삼각형
㉢ 정육각형

(   )

2-1 모양 채우기 방법을 바르게 설명한 사람의 이름을 써 보세요.

모양 조각을 길이가 서로 다른 변끼리 이어 붙여야 해.
아라

모양 조각을 빈틈없이 이어 붙여야 해.
윤수

(   )

2-2 모양 채우기 방법을 바르게 설명한 것에 ○표 하세요.

- 모양 조각을 서로 겹치게 놓습니다. ························ (   )
- 모양 조각을 길이가 서로 같은 변끼리 이어 붙입니다. ············ (   )

[3-1 ~ 3-2] 모양 조각을 사용하여 주어진 모양을 채워 보세요. (단, 같은 모양 조각을 여러 번 사용할 수 있습니다.)

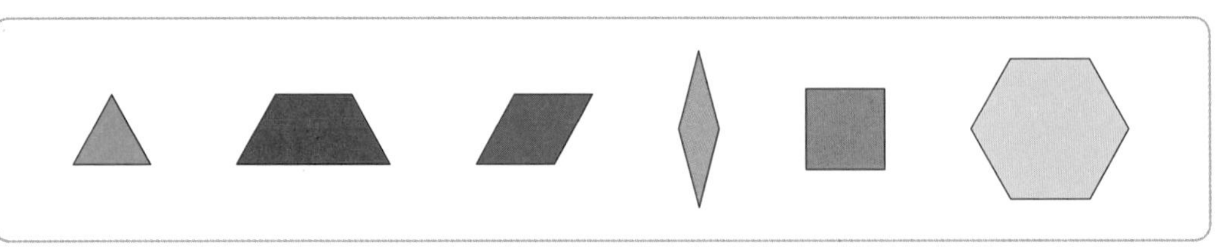

3-1

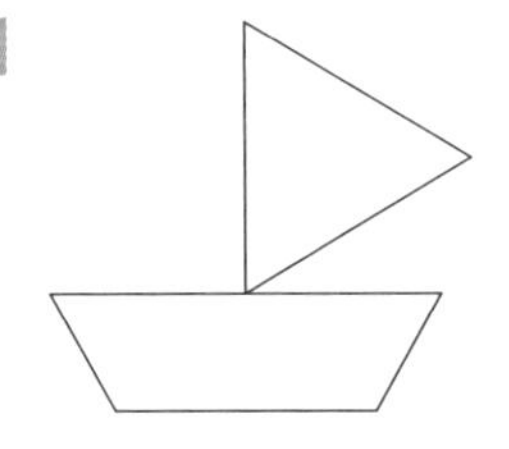

3-2

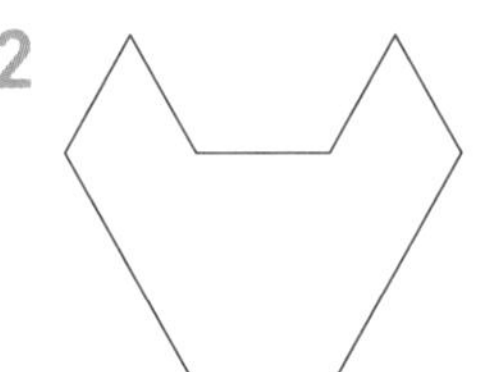

기초 → 기본 연습 변과 변끼리 이어 겹치지 않게 모양을 만들자.

기초 다음 모양을 만들려면  모양 조각은 몇 개 필요한가요?

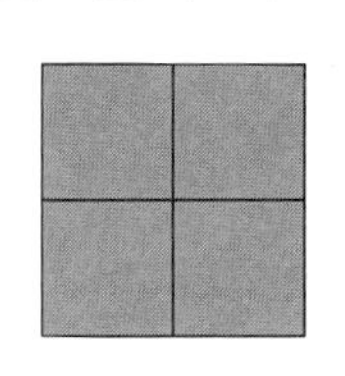

(　　　　　　　　)

4-1 한 가지 모양 조각으로 다음 모양을 만들려면 각각의 모양 조각이 몇 개 필요한가요?

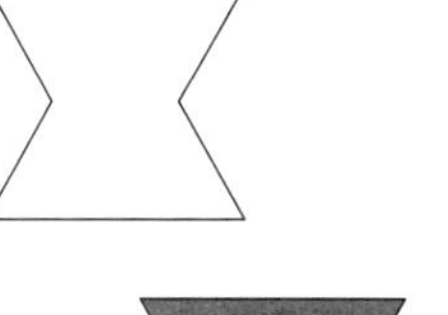

답 

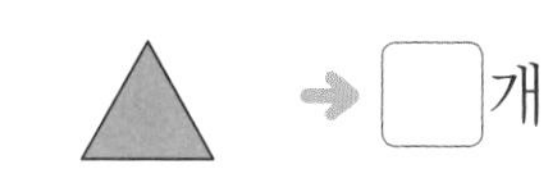

4-2 한 가지 모양 조각으로 다음 모양을 만들려면 각각의 모양 조각이 몇 개 필요한가요?

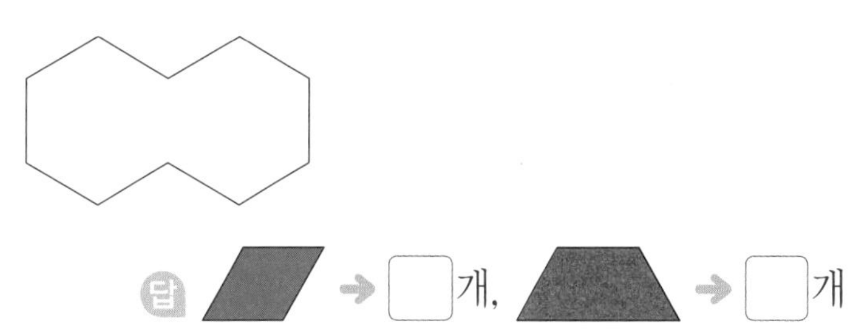

4-3 다음 모양을 (삼각형) 모양 조각으로만 만들면 ㉠개, (평행사변형) 모양 조각으로만 만들면 ㉡개 필요합니다. ㉠－㉡을 구하세요.

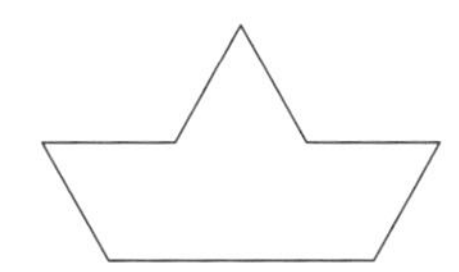

답 ______________

누구나 100점 맞는 테스트

[1 ~ 2] 운동장의 기온 변화를 조사하여 그래프로 나타냈습니다. 물음에 답하세요.

운동장의 기온

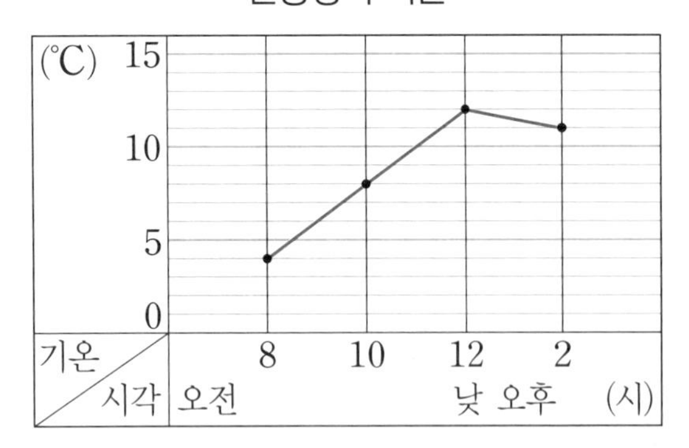

1 위와 같은 그래프를 무슨 그래프라고 하나요?

( )

2 오전 10시의 기온은 몇 ℃인가요?

( )

3 오각형에 그어진 선분 중 대각선은 어느 것인가요? ·························( )

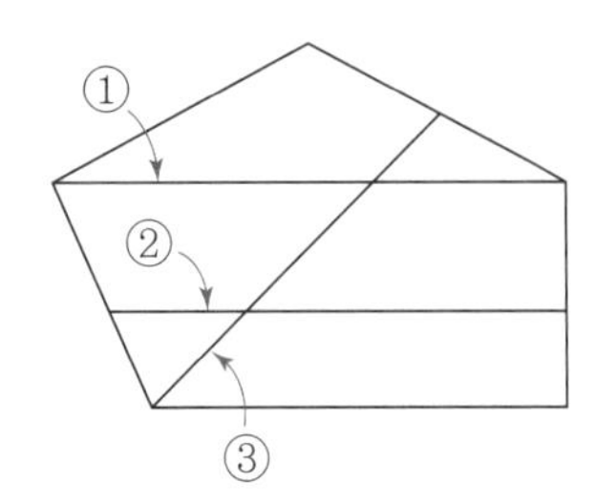

4 서우의 키를 매년 1월 1일에 조사하여 막대그래프와 꺾은선그래프로 나타냈습니다. 키의 변화를 한눈에 알아보기 쉬운 그래프는 어느 그래프인가요?

서우의 키　　　　서우의 키

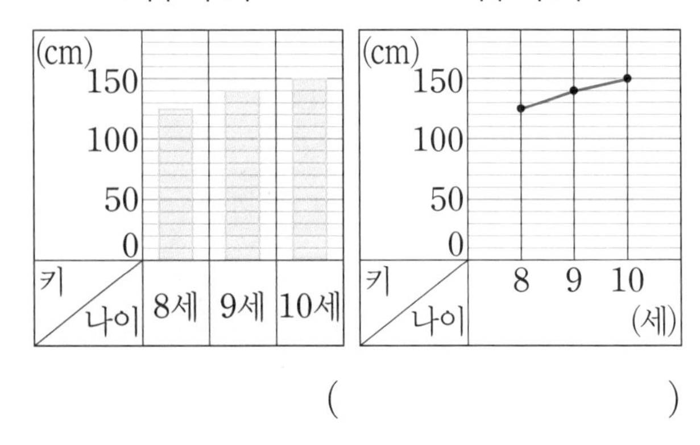

( )

5 관계있는 것끼리 선으로 이어 보세요.

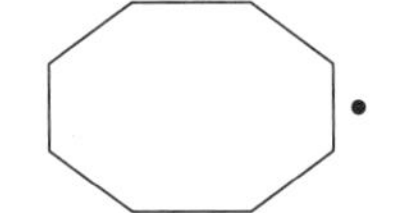 •　　　　• 오각형

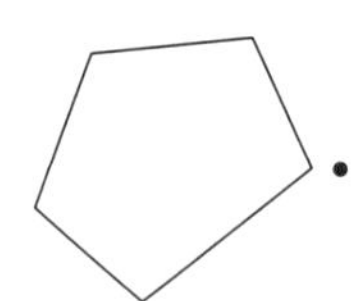 •　　　　• 칠각형

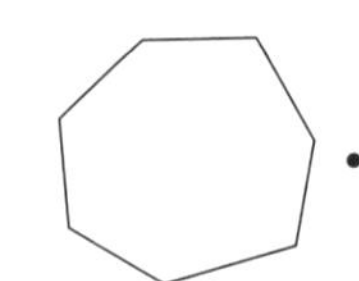 •　　　　• 팔각형

맞은 점수 /100점

▶ 정답 및 풀이 27쪽

6 사각형을 보고 바르게 말한 사람의 이름을 써 보세요.

두 대각선의 길이가 같아.
두 대각선이 서로 수직으로 만나.
준희
태연

( )

7 다음 모양을 보고 잘못 설명한 것을 찾아 기호를 써 보세요.

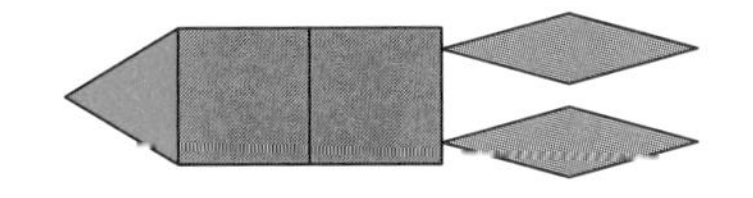

㉠ 삼각형과 사각형 모양 조각만 사용하여 만들었습니다.
㉡ 사각형 모양 조각을 4개 사용했습니다.
㉢ 모양 조각을 서로 겹쳐서 놓았습니다.

( )

8 정육각형입니다. □ 안에 알맞은 수를 써넣으세요.

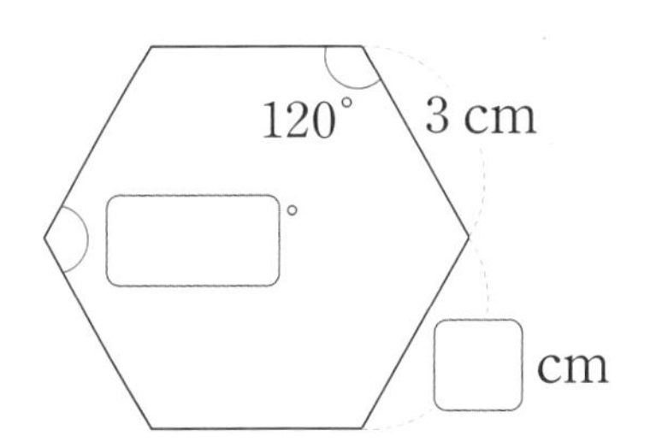

[9 ~ 10] 어느 마을의 초등학생 수를 매년 3월 1일에 조사하여 나타낸 표를 보고 꺾은선그래프로 나타내려고 합니다. 물음에 답하세요.

초등학생 수

연도(년)	2017	2018	2019	2020
초등학생 수(명)	300	330	350	290

9 가로에 연도를 나타낸다면 세로에는 무엇을 나타내야 하나요?

( )

10 표를 보고 꺾은선그래프를 완성하세요.

초등학생 수

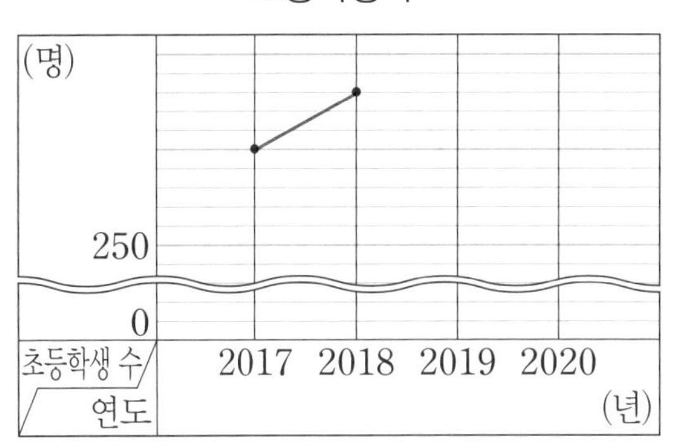

4주 평가

찢어진 그림에는 어떤 정다각형들이 그려져 있었을까요? 그려져 있던 두 정다각형을 모두 찾아 ○표 하고, 정다각형의 이름을 써 보세요.

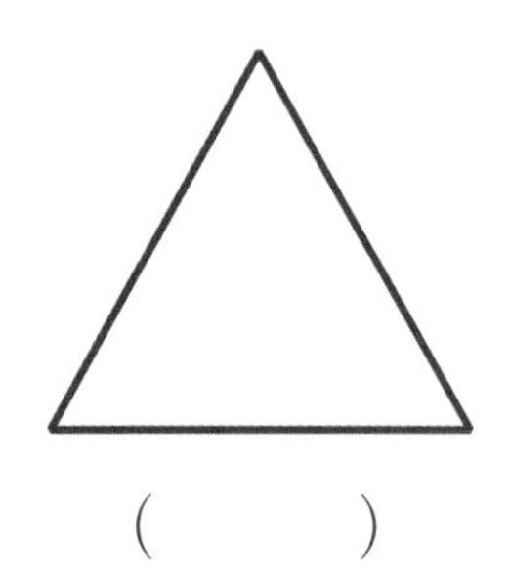
( )

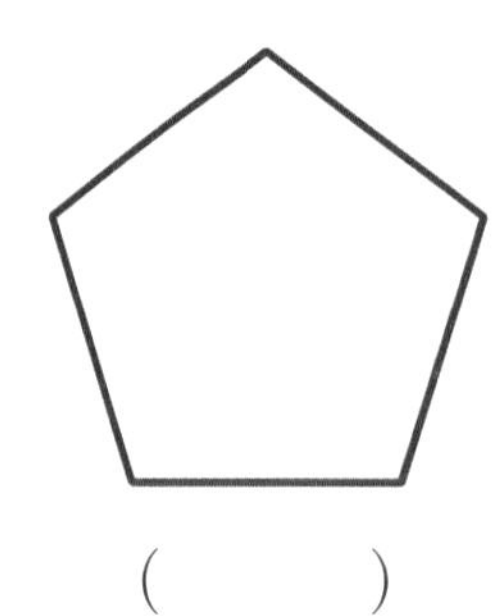
( )

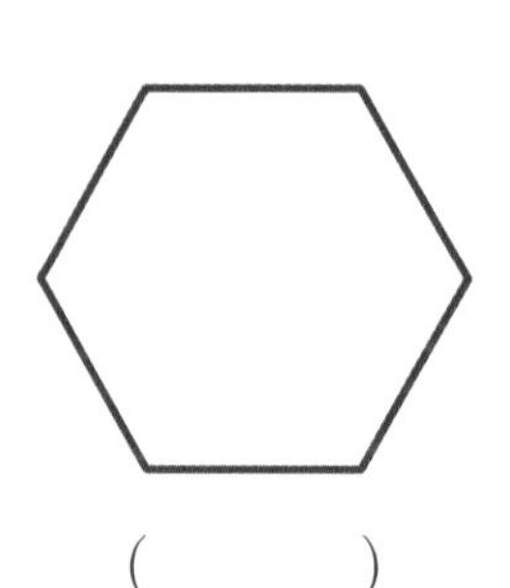
( )

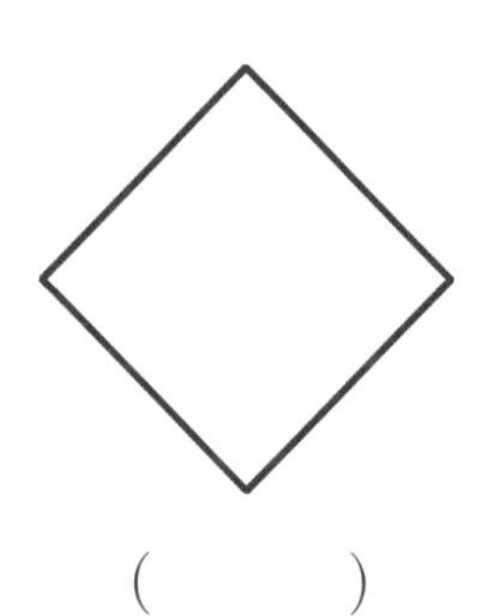
( )

답 ______________, ______________

▶정답 및 풀이 28쪽

재석이는 달리기 연습 중입니다. 3회까지의 기록을 조사하여 표를 완성하고, 꺾은선그래프로 나타내세요.

재석이의 달리기 기록

회(회)	1	2	3
기록(초)			

재석이의 달리기 기록

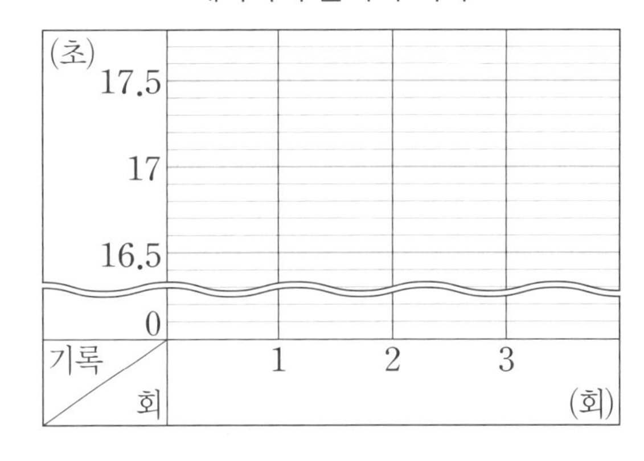

[3~4] 칠교판 조각을 사용하여 다각형을 만들고 있습니다. 물음에 답하세요.

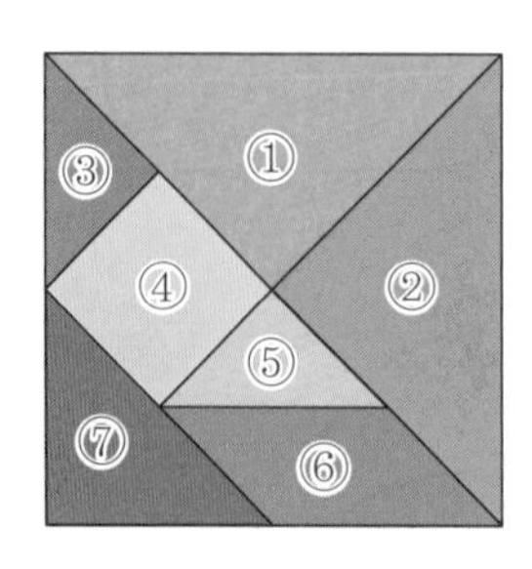

창의 3 만든 다각형의 이름을 써 보세요.

(1)

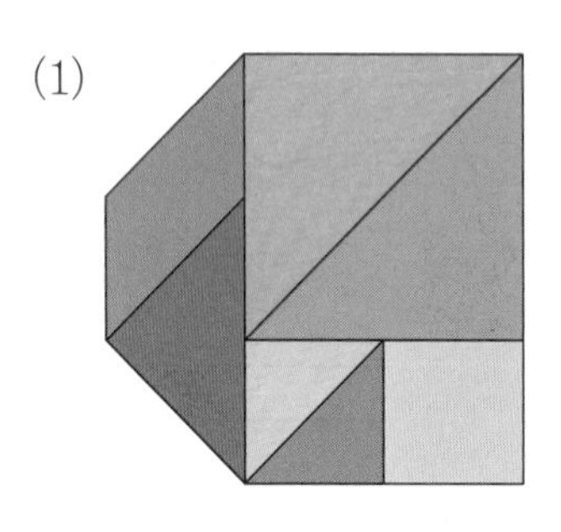

답 ______________

(2)

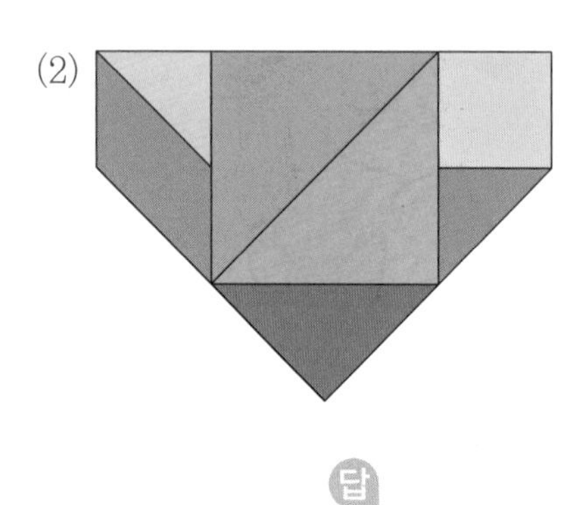

답 ______________

창의 4 주어진 다각형을 만들고 있습니다. 화살표가 가리키는 빈 곳을 채우기에 알맞은 칠교판 한 조각을 찾아 번호를 써 보세요.

(1) 평행사변형

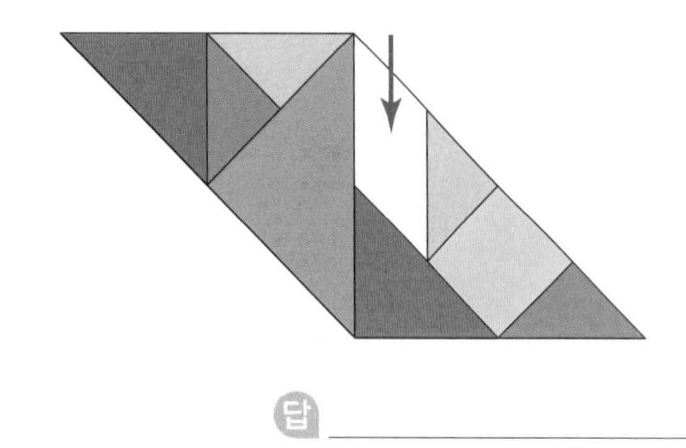

답 ______________

(2) 마름모

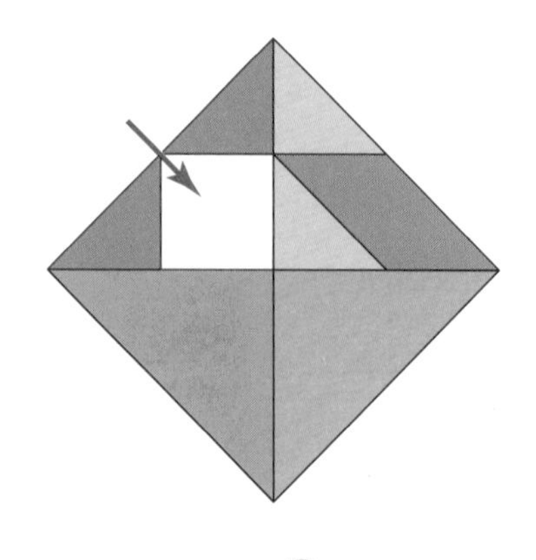

답 ______________

▶정답 및 풀이 28쪽

창의 5 색종이로 정다각형을 만들고 있습니다. 완성된 정다각형 안의 선이 대각선만 나타내는 것을 찾아 ○표 하세요.

〈정사각형 만들기〉

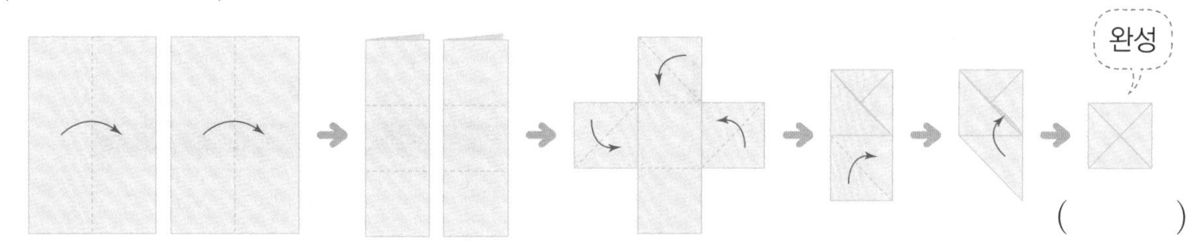

(　　　)

〈정육각형 만들기〉

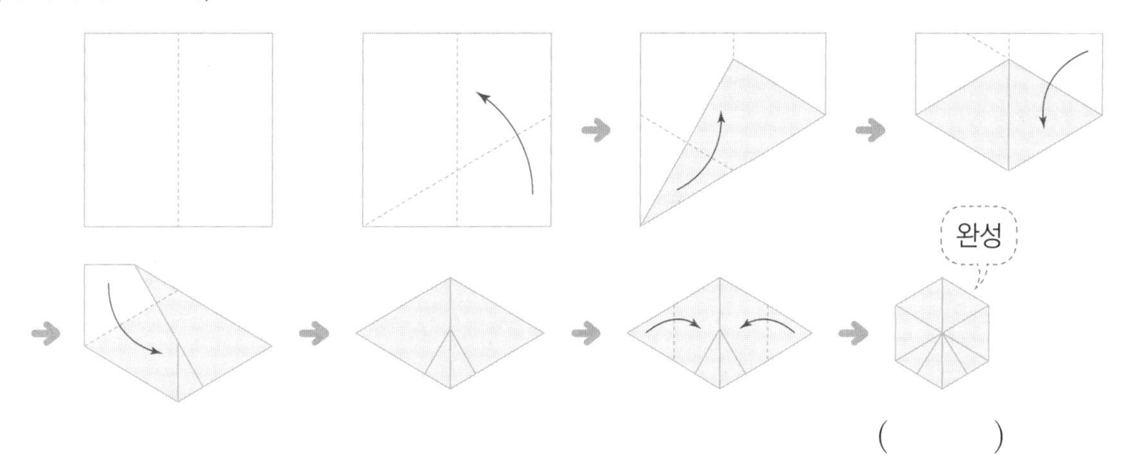

(　　　)

융합 6 주어진 자료를 나타내기에 더 알맞은 그래프를 찾아 선으로 이어 보세요.

나라별 관광객 수	날짜별 강낭콩의 키	우리나라의 연도별 최고 기온

막대그래프	꺾은선그래프

[7~9] 진주네 집의 하루당 에어컨 가동 시간과 전기 요금을 매달 조사하여 꺾은선그래프로 나타냈습니다. 물음에 답하세요.

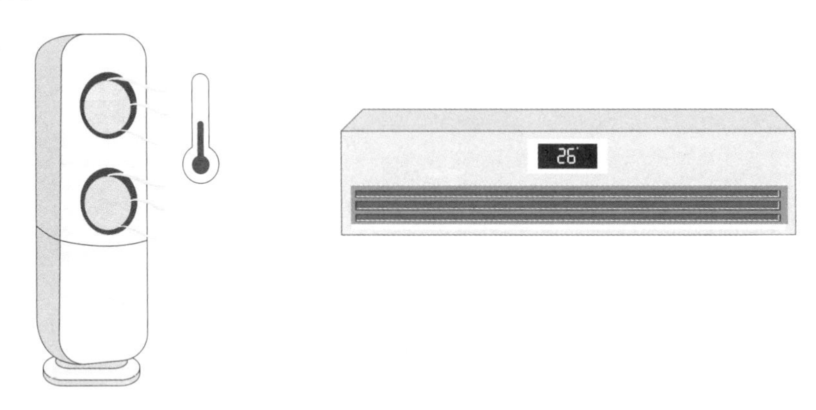

하루당 에어컨 가동 시간

(시간)
10
5
0
시간 / 월
6 7 8 9 (월)

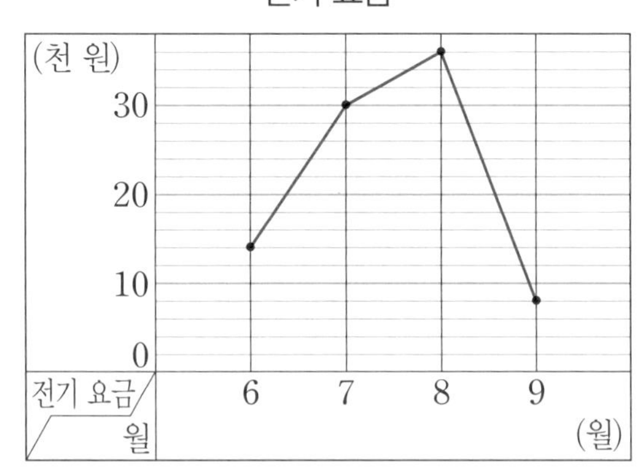

융합 7 하루당 에어컨 가동 시간이 줄어든 때는 몇 월과 몇 월 사이인가요?

답 □월과 □월 사이

융합 8 전기 요금이 줄어든 때는 몇 월과 몇 월 사이인가요?

답 

융합 9 두 꺾은선그래프를 보고 알 수 있는 점을 써 보세요.

용수철에 추를 매달았을 때 늘어난 길이를 조사하여 표로 나타냈습니다. 표를 보고 꺾은선그래프로 나타내세요.

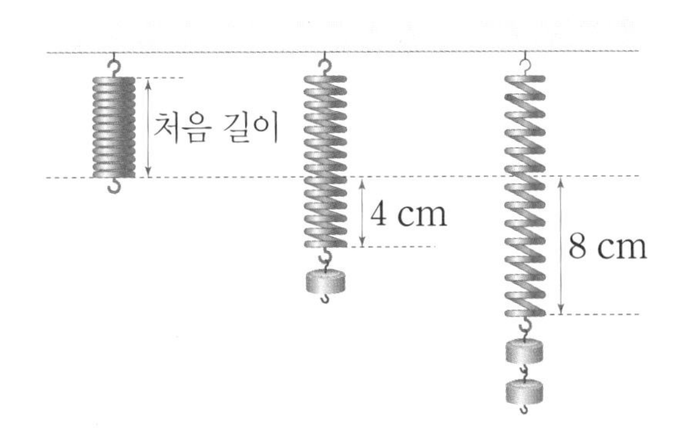

용수철의 늘어난 길이

추의 무게(g)	30	60	90	120
늘어난 길이(cm)	4	8	12	16

용수철의 늘어난 길이

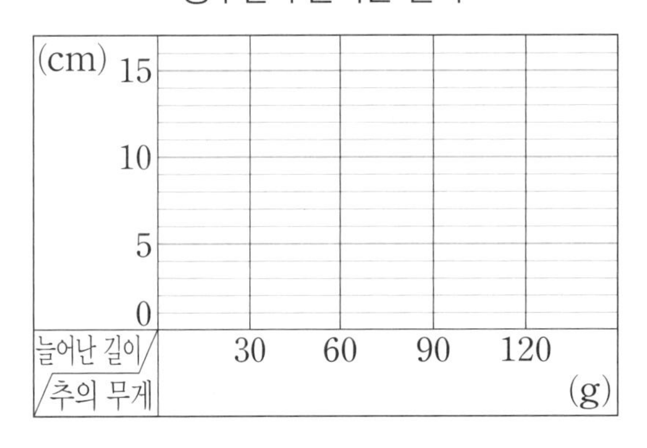

창의 11

다음은 작은 정삼각형으로 이루어진 도형입니다. 이 도형에서 선을 따라 그릴 수 없는 다각형을 찾아 ○표 하세요.

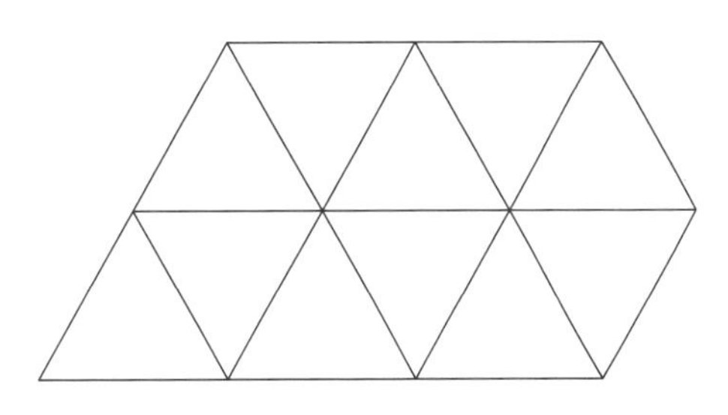

정육각형	정사각형	마름모	평행사변형	사다리꼴
(　　)	(　　)	(　　)	(　　)	(　　)

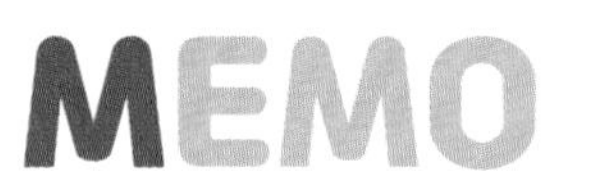

초등 문해력
독해가 힘이다
문장제 수학편
끊어읽기
조건과 구하려는 것
문장제
문해력 어휘 백과

뭘 좋아할지 몰라 다 준비했어♥
전과목 교재

전과목 시리즈 교재

●무등생 해법시리즈

– 국어/수학	1~6학년, 학기용
– 사회/과학	3~6학년, 학기용
– SET(전과목/국수, 국사과)	1~6학년, 학기용

●똑똑한 하루 시리즈

– 똑똑한 하루 독해	예비초~6학년, 총 14권
– 똑똑한 하루 글쓰기	예비초~6학년, 총 14권
– 똑똑한 하루 어휘	예비초~6학년, 총 14권
– 똑똑한 하루 한자	예비초~6학년, 총 14권
– 똑똑한 하루 수학	1~6학년, 총 12권
– 똑똑한 하루 계산	예비초~6학년, 총 14권
– 똑똑한 하루 도형	예비초~6학년, 총 8권
– 똑똑한 하루 사고력	1~6학년, 총 12권
– 똑똑한 하루 사회/과학	3~6학년, 학기용
– 똑똑한 하루 안전	1~2학년, 총 2권
– 똑똑한 하루 Voca	3~6학년, 학기용
– 똑똑한 하루 Reading	초3~초6, 학기용
– 똑똑한 하루 Grammar	초3~초6, 학기용
– 똑똑한 하루 Phonics	예비초~초등, 총 8권

●독해가 힘이다 시리즈

– 초등 수학도 독해가 힘이다	1~6학년, 학기용
– 초등 문해력 독해가 힘이다 문장제수학편	1~6학년, 총 12권
– 초등 문해력 독해가 힘이다 비문학편	3~6학년, 총 8권

영어 교재

●초등영어 교과서 시리즈

파닉스(1~4단계)	3~6학년, 학년용
영단어(1~4단계)	3~6학년, 학년용
●LOOK BOOK 영단어	3~6학년, 단행본
●원서 읽는 LOOK BOOK 영단어	3~6학년, 단행본

국가수준 시험 대비 교재

●해법 기초학력 진단평가 문제집	2~6학년·중1 신입생, 총 6권

정답 및 풀이

똑 똑 한

하루 수학

초등 수학 4·2

천재교육

정답 및 풀이 포인트 3가지

- OX 퀴즈로 쉬어가며 개념 확인
- 혼자서도 이해할 수 있는 문제 풀이
- 참고, 주의 등 자세한 풀이 제시

정답 및 풀이

1주 분수의 덧셈과 뺄셈

개념 ○✕ 퀴즈

옳으면 ○에, 틀리면 ✕에 ○표 하세요.

퀴즈 1

$\frac{1}{5}+\frac{2}{5}=\frac{3}{5}$

퀴즈 2

$4-\frac{4}{7}=3\frac{2}{7}$

정답은 8쪽에서 확인하세요.

6~7쪽 1주에는 무엇을 공부할까?②

1-1 예)

1-2 예)

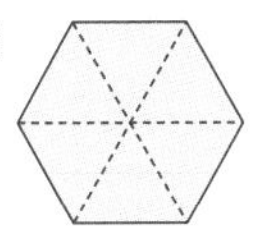 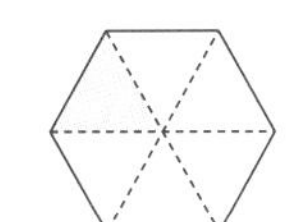

2-1 $\frac{1}{3}$, $1\frac{2}{3}$, $2\frac{1}{3}$ **2-2** $\frac{4}{5}$, $1\frac{3}{5}$, $2\frac{2}{5}$

3-1 (1) $4\frac{3}{5}$ (2) $5\frac{1}{7}$ **3-2** (1) $3\frac{4}{9}$ (2) $6\frac{1}{4}$

4-1 (1) $\frac{11}{8}$ (2) $\frac{22}{9}$ **4-2** (1) $\frac{11}{6}$ (2) $\frac{29}{12}$

5-1 > **5-2** <

1-1 전체 5칸 중 3칸을 색칠합니다.

1-2 $\frac{7}{6}=1\frac{1}{6}$이므로 육각형 1개를 색칠하고 남은 6칸 중 1칸을 색칠합니다.

5-1 $\frac{7}{2}=3\frac{1}{2} > 1\frac{1}{2}$ **5-2** $1\frac{4}{7}=\frac{11}{7} < \frac{12}{7}$

9쪽 개념 · 원리 확인

1-1 2, 3, 5 **1-2** 3, 2, 5

2-1 2, 3 / 3 **2-2** 3, 5 / 5

3-1 (1) $\frac{5}{6}$ (2) $1\frac{1}{3}$ **3-2** (1) $\frac{6}{7}$ (2) $1\frac{3}{10}$

4-1 $\frac{7}{8}$ **4-2** $\frac{7}{9}$

3-1 (1) $\frac{1}{6}+\frac{4}{6}=\frac{1+4}{6}=\frac{5}{6}$

(2) $\frac{2}{3}+\frac{2}{3}=\frac{2+2}{3}=\frac{4}{3}=1\frac{1}{3}$

3-2 (1) $\frac{3}{7}+\frac{3}{7}=\frac{3+3}{7}=\frac{6}{7}$

(2) $\frac{9}{10}+\frac{4}{10}=\frac{9+4}{10}=\frac{13}{10}=1\frac{3}{10}$

4-1 $\frac{4}{8}+\frac{3}{8}=\frac{4+3}{8}=\frac{7}{8}$

4-2 $\frac{5}{9}+\frac{2}{9}=\frac{5+2}{9}=\frac{7}{9}$

11쪽 개념 · 원리 확인

1-1 예) / 2

1-2 예)

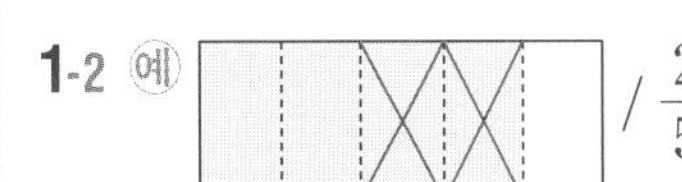

/ $\frac{2}{5}$

2-1 6, 3, 3 **2-2** 6, 2, 4

3-1 (1) $\frac{3}{10}$ (2) $\frac{1}{6}$ **3-2** (1) $\frac{2}{8}$ (2) $\frac{2}{11}$

4-1 $\frac{5}{12}$ **4-2** $\frac{3}{10}$

정답 및 풀이

1-1 $\frac{1}{4}$만큼 ×표 하면 $\frac{2}{4}$가 남습니다.

1-2 $\frac{2}{5}$만큼 ×표 하면 $\frac{2}{5}$가 남습니다.

2-1~2-2 분모를 그대로 두고 분자끼리 뺍니다.

3-1 (1) $\frac{7}{10}-\frac{4}{10}=\frac{7-4}{10}=\frac{3}{10}$

(2) $\frac{5}{6}-\frac{4}{6}=\frac{5-4}{6}=\frac{1}{6}$

3-2 (1) $\frac{7}{8}-\frac{5}{8}=\frac{7-5}{8}=\frac{2}{8}$

(2) $\frac{5}{11}-\frac{3}{11}=\frac{5-3}{11}=\frac{2}{11}$

4-1 $\frac{7}{12}-\frac{2}{12}=\frac{7-2}{12}=\frac{5}{12}$

4-2 $\frac{9}{10}-\frac{6}{10}=\frac{9-6}{10}=\frac{3}{10}$

12~13쪽 기초 집중 연습

1-1 $\frac{3}{7}$ **1-2** $\frac{5}{9}$

2-1 $1\frac{1}{5}$ **2-2** $\frac{4}{8}$

3-1 $\frac{4}{7}+\frac{5}{7}=\frac{4+5}{7}=\frac{9}{7}=1\frac{2}{7}$

3-2 $\frac{7}{9}+\frac{3}{9}=\frac{7+3}{9}=\frac{10}{9}=1\frac{1}{9}$

4-1 < **4-2** 수현

연산 $\frac{3}{5}$ **5-1** $\frac{2}{5}+\frac{1}{5}=\frac{3}{5}$, $\frac{3}{5}$ L

5-2 $\frac{5}{8}+\frac{6}{8}=1\frac{3}{8}$, $1\frac{3}{8}$ m

5-3 $\frac{9}{10}-\frac{2}{10}=\frac{7}{10}$, $\frac{7}{10}$ L

1-1 $\frac{5}{7}-\frac{2}{7}=\frac{5-2}{7}=\frac{3}{7}$

1-2 $\frac{7}{9}-\frac{2}{9}=\frac{7-2}{9}=\frac{5}{9}$

2-1 $\frac{2}{5}+\frac{4}{5}=\frac{2+4}{5}=\frac{6}{5}=1\frac{1}{5}$

2-2 $\frac{7}{8}-\frac{3}{8}=\frac{7-3}{8}=\frac{4}{8}$

4-1 $\frac{3}{10}+\frac{3}{10}=\frac{3+3}{10}=\frac{6}{10}$

$\frac{8}{10}-\frac{1}{10}=\frac{8-1}{10}=\frac{7}{10}$

4-2 정우: $\frac{10}{11}-\frac{2}{11}=\frac{10-2}{11}=\frac{8}{11}$

수현: $\frac{6}{11}+\frac{3}{11}=\frac{6+3}{11}=\frac{9}{11}$

연산 $\frac{2}{5}+\frac{1}{5}=\frac{2+1}{5}=\frac{3}{5}$

5-1 (오전에 마신 물의 양)+(오후에 마신 물의 양)

$=\frac{2}{5}+\frac{1}{5}=\frac{2+1}{5}=\frac{3}{5}$ (L)

5-2 (분홍색 테이프의 길이)+(연두색 테이프의 길이)

$=\frac{5}{8}+\frac{6}{8}=\frac{5+6}{8}=\frac{11}{8}=1\frac{3}{8}$ (m)

5-3 (남은 우유의 양)

=(처음에 있던 우유의 양)−(마신 우유의 양)

$=\frac{9}{10}-\frac{2}{10}=\frac{9-2}{10}=\frac{7}{10}$ (L)

15쪽 개념 · 원리 확인

1-1 $\frac{3}{4}$ **1-2** $\frac{1}{6}$

2-1 7, 3 / $\frac{3}{7}$ **2-2** 5, 3 / $\frac{3}{5}$

3-1 3, 3, 1 **3-2** 9, 9, 4

4-1 (1) $\frac{1}{5}$ (2) $\frac{7}{9}$ **4-2** (1) $\frac{5}{6}$ (2) $\frac{1}{8}$

1-1 $1=\frac{4}{4}$에서 $\frac{1}{4}$을 1개 지우면 $\frac{1}{4}$이 3개 남습니다.

➔ $1-\frac{1}{4}=\frac{3}{4}$

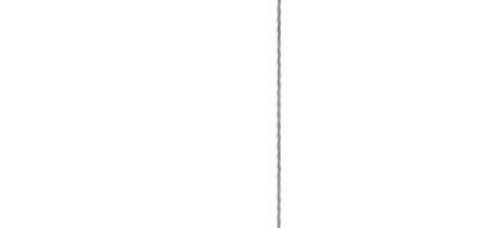

1-2 $1=\frac{6}{6}$에서 $\frac{1}{6}$을 5개 지우면 $\frac{1}{6}$이 1개 남습니다.

➔ $1-\frac{5}{6}=\frac{1}{6}$

2-1 $\frac{1}{7}$이 7개인 수에서 $\frac{1}{7}$이 4개인 수를 빼면 $\frac{1}{7}$이 3개 남습니다. ➔ $\frac{3}{7}$

2-2 $\frac{1}{5}$이 5개인 수에서 $\frac{1}{5}$이 2개인 수를 빼면 $\frac{1}{5}$이 3개 남습니다. ➔ $\frac{3}{5}$

4-1 (1) $1-\frac{4}{5}=\frac{5}{5}-\frac{4}{5}=\frac{5-4}{5}=\frac{1}{5}$

(2) $1-\frac{2}{9}=\frac{9}{9}-\frac{2}{9}=\frac{9-2}{9}=\frac{7}{9}$

4-2 (1) $1-\frac{1}{6}=\frac{6}{6}-\frac{1}{6}=\frac{6-1}{6}=\frac{5}{6}$

(2) $1-\frac{7}{8}=\frac{8}{8}-\frac{7}{8}=\frac{8-7}{8}=\frac{1}{8}$

17쪽 개념 · 원리 확인

1-1 3, 4 **1-2** 2, 5

2-1 1, 1, 3, 2, $3\frac{2}{3}$ **2-2** 1, 4, 4, 6, $4\frac{6}{7}$

3-1 11, 12, 23, $2\frac{7}{8}$ **3-2** 20, 14, 34, $3\frac{7}{9}$

4-1 (1) $3\frac{3}{4}$ (2) $3\frac{6}{7}$ **4-2** (1) $5\frac{4}{5}$ (2) $4\frac{7}{8}$

2-1~2-2 자연수끼리 더하고, 진분수끼리 더합니다.

4-1 (1) $1\frac{1}{4}+2\frac{2}{4}=(1+2)+\left(\frac{1}{4}+\frac{2}{4}\right)=3\frac{3}{4}$

(2) $2\frac{5}{7}+1\frac{1}{7}=(2+1)+\left(\frac{5}{7}+\frac{1}{7}\right)=3\frac{6}{7}$

4-2 (1) $3\frac{1}{5}+2\frac{3}{5}=(3+2)+\left(\frac{1}{5}+\frac{3}{5}\right)=5\frac{4}{5}$

(2) $1\frac{5}{8}+3\frac{2}{8}=(1+3)+\left(\frac{5}{8}+\frac{2}{8}\right)=4\frac{7}{8}$

18~19쪽 기초 집중 연습

1-1 $3\frac{3}{8}$ **1-2** $4\frac{5}{9}$

2-1 $\frac{3}{8}$ **2-2** $\frac{2}{5}$

3-1 ㉡ **3-2** 준희

4-1 > **4-2** ㉡

연산 $2\frac{3}{5}$

5-1 $1\frac{2}{5}+1\frac{1}{5}=2\frac{3}{5}$, $2\frac{3}{5}$시간

5-2 $1-\frac{5}{6}=\frac{1}{6}$, $\frac{1}{6}$ kg

5-3 $1\frac{1}{5}+1\frac{1}{5}=2\frac{2}{5}$, $2\frac{2}{5}$컵

1-1 $1\frac{1}{8}+2\frac{2}{8}=(1+2)+\left(\frac{1}{8}+\frac{2}{8}\right)=3+\frac{3}{8}=3\frac{3}{8}$

2-1 $1-\frac{5}{8}=\frac{8}{8}-\frac{5}{8}=\frac{8-5}{8}=\frac{3}{8}$

3-1 ㉠ $1-\frac{4}{9}=\frac{9}{9}-\frac{4}{9}=\frac{9-4}{9}=\frac{5}{9}$

3-2 민호: $1-\frac{3}{7}=\frac{7}{7}-\frac{3}{7}=\frac{7-3}{7}=\frac{4}{7}$

4-1 $7\frac{2}{7}+1\frac{1}{7}=(7+1)+\left(\frac{2}{7}+\frac{1}{7}\right)=8\frac{3}{7}$

$4\frac{3}{7}+2\frac{3}{7}=(4+2)+\left(\frac{3}{7}+\frac{3}{7}\right)=6\frac{6}{7}$

4-2 ㉠ $3\frac{3}{8}+2\frac{2}{8}=(3+2)+\left(\frac{3}{8}+\frac{2}{8}\right)=5\frac{5}{8}$

㉡ $1\frac{1}{8}+4\frac{5}{8}=(1+4)+\left(\frac{1}{8}+\frac{5}{8}\right)=5\frac{6}{8}$

연산 $1\frac{2}{5}+1\frac{1}{5}=(1+1)+\left(\frac{2}{5}+\frac{1}{5}\right)=2\frac{3}{5}$

5-2 (도윤이가 딴 밤의 무게)−(지호가 딴 밤의 무게)

$=1-\frac{5}{6}=\frac{6}{6}-\frac{5}{6}=\frac{6-5}{6}=\frac{1}{6}$ (kg)

5-3 (식빵 2개를 만드는 데 필요한 우유의 양)

$=1\frac{1}{5}+1\frac{1}{5}=(1+1)+\left(\frac{1}{5}+\frac{1}{5}\right)=2\frac{2}{5}$(컵)

정답 풀이

21쪽 개념 · 원리 확인

1-2 1, 2, 2, 5, 3, 1

1-2 1, 5, 3, 9, $4\frac{2}{7}$

2-1 7, 6, 13, $3\frac{1}{4}$

2-2 18, 12, 30, $4\frac{2}{7}$

3-1 $1\frac{5}{7}+2\frac{3}{7}=\frac{12}{7}+\frac{17}{7}=\frac{29}{7}=4\frac{1}{7}$

3-2 $1\frac{3}{5}+1\frac{3}{5}=\frac{8}{5}+\frac{8}{5}=\frac{16}{5}=3\frac{1}{5}$

4-1 (1) $4\frac{1}{6}$ (2) 4

4-2 (1) $5\frac{2}{7}$ (2) $3\frac{2}{9}$

2-1~2-2 대분수를 가분수로 바꾸어 계산한 방법입니다.

4-1 (1) $2\frac{2}{6}+1\frac{5}{6}=(2+1)+\left(\frac{2}{6}+\frac{5}{6}\right)=3+\frac{7}{6}$
$=3+1\frac{1}{6}=4\frac{1}{6}$

(2) $1\frac{3}{8}+2\frac{5}{8}=\frac{11}{8}+\frac{21}{8}=\frac{32}{8}=4$

4-2 (1) $3\frac{6}{7}+1\frac{3}{7}=(3+1)+\left(\frac{6}{7}+\frac{3}{7}\right)$
$=4+\frac{9}{7}=4+1\frac{2}{7}=5\frac{2}{7}$

(2) $1\frac{4}{9}+1\frac{7}{9}=\frac{13}{9}+\frac{16}{9}=\frac{29}{9}=3\frac{2}{9}$

23쪽 개념 · 원리 확인

1-2 1, 3, 2, 3, 2, 3

1-2 2, 4, 3, 1, $3\frac{1}{6}$

2-1 11, 6, 5, $1\frac{1}{4}$

2-2 11, 7, 4, $1\frac{1}{3}$

3-1 (1) $1\frac{3}{5}$ (2) $2\frac{1}{6}$

3-2 (1) $1\frac{5}{9}$ (2) $2\frac{1}{3}$

4-1 $2\frac{3}{8}$

4-2 $2\frac{5}{7}$

3-1 (1) $2\frac{4}{5}-1\frac{1}{5}=(2-1)+\left(\frac{4}{5}-\frac{1}{5}\right)=1+\frac{3}{5}=1\frac{3}{5}$

(2) $3\frac{2}{6}-1\frac{1}{6}=\frac{20}{6}-\frac{7}{6}=\frac{13}{6}=2\frac{1}{6}$

4-1 $4\frac{5}{8}-2\frac{2}{8}=2\frac{3}{8}$

4-2 $3\frac{6}{7}-1\frac{1}{7}=2\frac{5}{7}$

24~25쪽 기초 집중 연습

1-1 $3\frac{1}{7}$

1-2 $4\frac{2}{5}$

2-1 (점 잇기)

2-2 (점 잇기)

3-1 (○)( )

3-2 ㉡

4-1 >

4-2 태연

연산 $1\frac{1}{5}$

5-1 $3\frac{2}{5}-2\frac{1}{5}=1\frac{1}{5}$, $1\frac{1}{5}$ m

5-2 $2\frac{4}{7}+1\frac{5}{7}=4\frac{2}{7}$, $4\frac{2}{7}$ kg

5-3 $5\frac{5}{8}-3\frac{2}{8}=2\frac{3}{8}$, $2\frac{3}{8}$ km

1-1 $1\frac{3}{7}+1\frac{5}{7}=(1+1)+\left(\frac{3}{7}+\frac{5}{7}\right)$
$=2+\frac{8}{7}=2+1\frac{1}{7}=3\frac{1}{7}$

2-1 $3\frac{6}{9}-1\frac{2}{9}=2\frac{4}{9}$, $7\frac{8}{9}-5\frac{3}{9}=2\frac{5}{9}$

2-2 $5\frac{3}{7}-2\frac{1}{7}=3\frac{2}{7}$, $4\frac{6}{7}-1\frac{5}{7}=3\frac{1}{7}$

3-1 $2\frac{3}{6}-1\frac{2}{6}=(2-1)+\left(\frac{3}{6}-\frac{2}{6}\right)=1+\frac{1}{6}=1\frac{1}{6}$

3-2 ㉡ $4\frac{7}{8}-1\frac{2}{8}=(4-1)+\left(\frac{7}{8}-\frac{2}{8}\right)=3+\frac{5}{8}=3\frac{5}{8}$

4-1 $1\frac{6}{7}+5\frac{4}{7}=(1+5)+\left(\frac{6}{7}+\frac{4}{7}\right)$
$=6+\frac{10}{7}=6+1\frac{3}{7}=7\frac{3}{7}$

$3\frac{1}{7}+2\frac{6}{7}=(3+2)+\left(\frac{1}{7}+\frac{6}{7}\right)$
$=5+\frac{7}{7}=5+1=6$

4-2 정우: $2\frac{2}{9}+1\frac{8}{9}=(2+1)+\left(\frac{2}{9}+\frac{8}{9}\right)$
$=3+\frac{10}{9}=3+1\frac{1}{9}=4\frac{1}{9}$

태연: $1\frac{4}{9}+2\frac{7}{9}=(1+2)+\left(\frac{4}{9}+\frac{7}{9}\right)$

$=3+\frac{11}{9}=3+1\frac{2}{9}=4\frac{2}{9}$

연산 $3\frac{2}{5}-2\frac{1}{5}=(3-2)+\left(\frac{2}{5}-\frac{1}{5}\right)$

$=1+\frac{1}{5}=1\frac{1}{5}$

5-2 (쌀의 무게)+(보리의 무게)

$=2\frac{4}{7}+1\frac{5}{7}=(2+1)+\left(\frac{4}{7}+\frac{5}{7}\right)$

$=3+\frac{9}{7}=3+1\frac{2}{7}=4\frac{2}{7}$ (kg)

5-3 (진영이네 집에서 공원까지 거리)

−(진영이네 집에서 도서관까지 거리)

$=5\frac{5}{8}-3\frac{2}{8}=2\frac{3}{8}$ (km)

27쪽	개념 · 원리 확인
1-1 $1\frac{3}{5}$	**1**-2 $2\frac{1}{3}$
2-1 2, 2, 1	**2**-2 7, 1, 3
3-1 24, 5, 19, $3\frac{1}{6}$	**3**-2 24, 3, 21, $2\frac{5}{8}$
4-1 (1) $4\frac{2}{5}$ (2) $3\frac{1}{7}$	**4**-2 (1) $2\frac{7}{9}$ (2) $6\frac{1}{4}$

1-1 2에서 $\frac{2}{5}$를 빼면 $1\frac{3}{5}$이 남습니다.

➜ $2-\frac{2}{5}=1\frac{3}{5}$

1-2 3에서 $\frac{2}{3}$를 빼면 $2\frac{1}{3}$이 남습니다.

➜ $3-\frac{2}{3}=2\frac{1}{3}$

2-1 3을 $2\frac{2}{2}$로 바꾼 다음 계산합니다.

2-2 2를 $1\frac{7}{7}$로 바꾼 다음 계산합니다.

4-1 (1) $5-\frac{3}{5}=4\frac{5}{5}-\frac{3}{5}=4\frac{2}{5}$

(2) $4-\frac{6}{7}=\frac{28}{7}-\frac{6}{7}=\frac{22}{7}=3\frac{1}{7}$

4-2 (1) $3-\frac{2}{9}=2\frac{9}{9}-\frac{2}{9}=2\frac{7}{9}$

(2) $7-\frac{3}{4}=\frac{28}{4}-\frac{3}{4}=\frac{25}{4}=6\frac{1}{4}$

29쪽	개념 · 원리 확인
1-1 5, 2, 3	**1**-2 7, 2, 3
2-1 20, 7, 13, 2, 3	**2**-2 35, 18, 17, $2\frac{3}{7}$
3-1 (1) $\frac{1}{6}$ (2) $\frac{5}{8}$	**3**-2 (1) $1\frac{1}{4}$ (2) $2\frac{7}{9}$
4-1 8, 5, 3, 8, 5, 3	**4**-2 6, 4, 2, 6, 4, 2

3-1 (1) $2-1\frac{5}{6}=1\frac{6}{6}-1\frac{5}{6}=\frac{1}{6}$

(2) $3-2\frac{3}{8}=2\frac{8}{8}-2\frac{3}{8}=\frac{5}{8}$

3-2 (1) $3-1\frac{3}{4}=2\frac{4}{4}-1\frac{3}{4}=1\frac{1}{4}$

(2) $6-3\frac{2}{9}=5\frac{9}{9}-3\frac{2}{9}=2\frac{7}{9}$

30~31쪽	기초 집중 연습
1-1 $3\frac{3}{5}$	**1**-2 $4\frac{5}{7}$
2-1 $2\frac{2}{9}$	**2**-2 $3\frac{1}{8}$
3-1 $2\frac{1}{4}$	**3**-2 $3\frac{1}{3}$
4-1 $1\frac{3}{8}$	**4**-2 $1\frac{5}{6}$
연산 $\frac{3}{5}$	**5**-1 $2-1\frac{2}{5}=\frac{3}{5}$, $\frac{3}{5}$ L
5-2 $3-\frac{3}{4}=2\frac{1}{4}$, $2\frac{1}{4}$ m	
5-3 $6-3\frac{1}{2}=2\frac{1}{2}$, $2\frac{1}{2}$ kg	

1-1 $5-\frac{7}{5}=\frac{25}{5}-\frac{7}{5}=\frac{18}{5}=3\frac{3}{5}$

1-2 $6-\frac{9}{7}=\frac{42}{7}-\frac{9}{7}=\frac{33}{7}=4\frac{5}{7}$

2-1 $3-\frac{7}{9}=2\frac{9}{9}-\frac{7}{9}=2\frac{2}{9}$

2-2 $4-\frac{7}{8}=3\frac{8}{8}-\frac{7}{8}=3\frac{1}{8}$

3-1 $8-5\frac{3}{4}=7\frac{4}{4}-5\frac{3}{4}=2\frac{1}{4}$

3-2 $7-3\frac{2}{3}=6\frac{3}{3}-3\frac{2}{3}=3\frac{1}{3}$

4-1 $4-2\frac{5}{8}=3\frac{8}{8}-2\frac{5}{8}=1\frac{3}{8}$

4-2 $3-1\frac{1}{6}=2\frac{6}{6}-1\frac{1}{6}=1\frac{5}{6}$

연산 $2-1\frac{2}{5}=1\frac{5}{5}-1\frac{2}{5}=\frac{3}{5}$

5-2 $3-\frac{3}{4}=2\frac{4}{4}-\frac{3}{4}=2\frac{1}{4}$ (m)

5-3 (개의 무게)−(고양이의 무게)
$=6-3\frac{1}{2}=5\frac{2}{2}-3\frac{1}{2}=2\frac{1}{2}$ (kg)

33쪽 개념 · 원리 확인

1-1 1, 2	**1**-2 2
2-1 1, 7, 1, 4	**2**-2 2, 10, $2\frac{6}{7}$
3-1 12, 9, 1, 4	**3**-2 24, 20, 2, 6
4-1 (1) $\frac{3}{4}$ (2) $3\frac{4}{8}$	**4**-2 (1) $2\frac{5}{6}$ (2) $1\frac{6}{9}$

2-1 자연수에서 1만큼을 가분수로 바꾸어 계산한 방법입니다.
➜ $2\frac{2}{5}=1\frac{7}{5}$

2-2 자연수에서 1만큼을 가분수로 바꾸어 계산한 방법입니다.
➜ $3\frac{3}{7}=2\frac{10}{7}$

3-1~**3**-2 대분수를 가분수로 바꾸어 계산한 방법입니다.

4-1 (1) $1\frac{2}{4}-\frac{3}{4}=\frac{6}{4}-\frac{3}{4}=\frac{3}{4}$
(2) $4\frac{1}{8}-\frac{5}{8}=\frac{33}{8}-\frac{5}{8}=\frac{28}{8}=3\frac{4}{8}$

4-2 (1) $3\frac{2}{6}-\frac{3}{6}=\frac{20}{6}-\frac{3}{6}=\frac{17}{6}=2\frac{5}{6}$
(2) $2\frac{4}{9}-\frac{7}{9}=1\frac{13}{9}-\frac{7}{9}=1\frac{6}{9}$

35쪽 개념 · 원리 확인

1-1 9, 5	**1**-2 5, 1, 2
2-1 10, 5, 5, 1, 2	**2**-2 31, 17, 14, 2, 2
3-1 (1) $1\frac{4}{8}$ (2) $1\frac{4}{5}$	**3**-2 (1) $1\frac{8}{9}$ (2) $3\frac{6}{7}$
4-1 $2\frac{1}{7}-1\frac{3}{7}=\frac{15}{7}-\frac{10}{7}=\frac{5}{7}$	
4-2 $3\frac{2}{9}-2\frac{7}{9}=\frac{29}{9}-\frac{25}{9}=\frac{4}{9}$	

1-1 $2\frac{2}{7}=1\frac{9}{7}$ **1**-2 $4\frac{1}{4}=3\frac{5}{4}$

2-1 $3\frac{1}{3}=\frac{10}{3}$ **2**-2 $5\frac{1}{6}=\frac{31}{6}$

3-1 (1) $4\frac{3}{8}-2\frac{7}{8}=3\frac{11}{8}-2\frac{7}{8}=1\frac{4}{8}$
(2) $5\frac{2}{5}-3\frac{3}{5}=4\frac{7}{5}-3\frac{3}{5}=1\frac{4}{5}$

3-2 (1) $3\frac{5}{9}-1\frac{6}{9}=2\frac{14}{9}-1\frac{6}{9}=1\frac{8}{9}$
(2) $6\frac{4}{7}-2\frac{5}{7}=5\frac{11}{7}-2\frac{5}{7}=3\frac{6}{7}$

4-1~**4**-2 대분수를 가분수로 바꾸어 계산한 방법입니다.

36~37쪽 기초 집중 연습

1-1 $\frac{3}{8}$　　**1-2** $2\frac{3}{5}$

2-1 $4\frac{2}{3}$　　**2-2** $2\frac{3}{4}$

3-1 $2\frac{2}{6}-1\frac{5}{6}=1\frac{8}{6}-1\frac{5}{6}=\frac{3}{6}$

3-2 $4\frac{5}{7}-2\frac{6}{7}=3\frac{12}{7}-2\frac{6}{7}=1\frac{6}{7}$

4-1 $>$　　**4-2** 민하

연산 $1\frac{4}{5}$

5-1 $3\frac{1}{5}-1\frac{2}{5}=1\frac{4}{5}$, $1\frac{4}{5}$ m

5-2 $2\frac{3}{10}-1\frac{7}{10}=\frac{6}{10}$, $\frac{6}{10}$ kg

5-3 $2\frac{3}{7}-1\frac{5}{7}=\frac{5}{7}$, $\frac{5}{7}$ L

1-1 $3\frac{2}{8}-2\frac{7}{8}=2\frac{10}{8}-2\frac{7}{8}=\frac{3}{8}$

1-2 $4\frac{1}{5}-1\frac{3}{5}=\frac{21}{5}-\frac{8}{5}=\frac{13}{5}=2\frac{3}{5}$

2-1 $5\frac{1}{3}-\frac{2}{3}=4\frac{4}{3}-\frac{2}{3}=4\frac{2}{3}$

2-2 $3\frac{1}{4}-\frac{2}{4}=2\frac{5}{4}-\frac{2}{4}=2\frac{3}{4}$

3-1 자연수에서 1만큼을 가분수로 바꾸면 $2\frac{2}{6}=1\frac{8}{6}$입니다. $\left(2\frac{8}{6}\text{이 아닙니다.}\right)$

3-2 자연수에서 1만큼을 가분수로 바꾸면 $4\frac{5}{7}=3\frac{12}{7}$입니다. $\left(4\frac{12}{7}\text{가 아닙니다.}\right)$

4-1 $4\frac{3}{8}-1\frac{6}{8}=3\frac{11}{8}-1\frac{6}{8}=2\frac{5}{8}$

$3\frac{1}{8}-\frac{5}{8}=2\frac{9}{8}-\frac{5}{8}=2\frac{4}{8}$

4-2 수현: $5\frac{2}{9}-2\frac{4}{9}=4\frac{11}{9}-2\frac{4}{9}=2\frac{7}{9}$

민하: $4\frac{6}{9}-\frac{7}{9}=3\frac{15}{9}-\frac{7}{9}=3\frac{8}{9}$

연산 $3\frac{1}{5}-1\frac{2}{5}=2\frac{6}{5}-1\frac{2}{5}=1\frac{4}{5}$

5-2 $2\frac{3}{10}-1\frac{7}{10}=1\frac{13}{10}-1\frac{7}{10}=\frac{6}{10}$ (kg)

5-3 $2\frac{3}{7}-1\frac{5}{7}=1\frac{10}{7}-1\frac{5}{7}=\frac{5}{7}$ (L)

38~39쪽 누구나 100점 맞는 테스트

1 4　　**2** 6, 2, 4

3 (1) $1\frac{2}{5}$ (2) $1\frac{4}{6}$　　**4** $\frac{3}{9}$

5 $\frac{7}{10}$ km　　**6** $4\frac{7}{8}$

7 $1\frac{2}{4}$　　**8** ㉡

9 $<$　　**10** $\frac{8}{9}$ kg

3 (1) $\frac{3}{5}+\frac{4}{5}=\frac{3+4}{5}=\frac{7}{5}=1\frac{2}{5}$

(2) $2\frac{5}{6}-1\frac{1}{6}=(2-1)+\left(\frac{5}{6}-\frac{1}{6}\right)=1\frac{4}{6}$

4 $1-\frac{6}{9}=\frac{9}{9}-\frac{6}{9}=\frac{3}{9}$

5 $\frac{3}{10}+\frac{4}{10}=\frac{7}{10}$ (km)

6 $3\frac{3}{8}+1\frac{4}{8}=4\frac{7}{8}$

7 $3\frac{1}{4}-1\frac{3}{4}=2\frac{5}{4}-1\frac{3}{4}=1\frac{2}{4}$

8 ㉠ $\frac{4}{9}+\frac{3}{9}=\frac{4+3}{9}=\frac{7}{9}$

㉡ $\frac{5}{6}+\frac{2}{6}=\frac{5+2}{6}=\frac{7}{6}=1\frac{1}{6}$

9 $1\frac{4}{7}+1\frac{5}{7}=2+\frac{9}{7}=2+1\frac{2}{7}=3\frac{2}{7}$

$4-\frac{4}{7}=3\frac{7}{7}-\frac{4}{7}=3\frac{3}{7}$

정답
풀이

10 $1\frac{1}{9}-\frac{2}{9}=\frac{10}{9}-\frac{2}{9}=\frac{8}{9}$ (kg)

40~45쪽 특강 창의 · 융합 · 코딩

창의 1 $\frac{3}{5}+\frac{4}{5}$ / $1\frac{2}{5}$

창의 2 1번 자리: 지호, 2번 자리: 은지, 3번 자리: 유라, 4번 자리: 준수 / 4, 3 / $\frac{1}{8}$

융합 3 $\frac{1}{4}$컵

창의 4 9

코딩 5 $2\frac{1}{4}$

융합 6 $1\frac{1}{5}$ km

융합 7 $1\frac{5}{7}$ m

코딩 8 D

창의 9 $5\frac{2}{5}$ kg

융합 10 $1\frac{1}{8}$ m

창의 1 왼쪽의 자음과 오른쪽의 모음을 조합하면 '오분의 삼 더하기 오분의 사'입니다.

➔ $\frac{3}{5}+\frac{4}{5}=\frac{3+4}{5}=\frac{7}{5}=1\frac{2}{5}$

창의 2 은지: 2번 자리

준수: 바로 뒤에 은지가 있다고 했으므로 준수는 4번 자리입니다.

유라: 유라는 은지 옆자리가 아니므로 앞자리이고 준수가 4번 자리이므로 유라는 3번 자리입니다.

지호: 남은 자리가 1번이므로 지호는 1번 자리입니다.

➔ $\frac{4}{8}-\frac{3}{8}=\frac{4-3}{8}=\frac{1}{8}$

융합 3 $2\frac{3}{4}-2\frac{2}{4}=\frac{1}{4}$(컵)

창의 4 분모가 같은 분수의 덧셈은 분모는 그대로 두고 분자끼리 더하므로 계산 결과에서 분자는 $2+5=7$이고 분모가 9이므로 ★=9입니다.

다른 풀이

$\frac{2}{★}+\frac{5}{★}=\frac{2+5}{★}=\frac{7}{★}$

➔ $\frac{7}{★}$과 $\frac{7}{9}$을 비교하면 ★=9입니다.

코딩 5 1번 반복: $\frac{3}{4}+\frac{3}{4}=\frac{6}{4}$

2번 반복: $\frac{6}{4}+\frac{3}{4}=\frac{9}{4}=2\frac{1}{4}$

융합 6 (지중해 관의 거리)+(아메리카 관의 거리)

$=\frac{4}{5}+\frac{2}{5}=\frac{6}{5}=1\frac{1}{5}$ (km)

융합 7 $3-1\frac{2}{7}=2\frac{7}{7}-1\frac{2}{7}=1\frac{5}{7}$ (m)

코딩 8 A=C?: 분모가 같은지 묻는 과정입니다.

B+D=E: 분모가 같은 분수는 분자끼리 더해서 계산하므로 분자끼리 더하는 과정입니다.

$\frac{E}{A}$: 계산 결과를 쓰는 과정입니다.

$\left(\frac{2}{7}+\frac{4}{7}=\frac{2+4}{7}=\frac{6}{7}\right)$

창의 9 (책 9권의 무게)

=(책 11권의 무게)−(책 1권의 무게)−(책 1권의 무게)

$=6\frac{3}{5}-\frac{3}{5}-\frac{3}{5}$

$=6-\frac{3}{5}=5\frac{5}{5}-\frac{3}{5}=5\frac{2}{5}$ (kg)

융합 10 (필요한 철사의 길이)

=(한 변의 길이)+(한 변의 길이)+(한 변의 길이)

$=\frac{3}{8}+\frac{3}{8}+\frac{3}{8}=\frac{6}{8}+\frac{3}{8}=\frac{9}{8}=1\frac{1}{8}$ (m)

개념 ○✕ 퀴즈 정답

퀴즈 1 $\frac{1}{5}+\frac{2}{5}=\frac{1+2}{5}=\frac{3}{5}$

퀴즈 2 $4-\frac{4}{7}=3\frac{7}{7}-\frac{4}{7}=3\frac{3}{7}$

2주 삼각형 / 소수의 덧셈과 뺄셈

개념 OX 퀴즈
옳으면 ○에, 틀리면 ✕에 ○표 하세요.
퀴즈 1
두 변의 길이가 같은 삼각형은 이등변삼각형입니다.
○ ✕
퀴즈 2
8.93의 $\frac{1}{10}$은 89.3입니다.
○ ✕
정답은 15쪽에서 확인하세요.

48~49쪽 2주에는 무엇을 공부할까?②

1-1 180	**1-2** 180
2-1 (○)(　)	**2-2** (　)(○)
3-1 0.2	**3-2** 0.7
4-1 영 점 삼	**4-2**

1-1 삼각형의 세 꼭짓점이 한 점에 모이도록 이어 붙이면 직선 위에 꼭 맞춰집니다.
➡ 삼각형의 세 각의 크기의 합은 180°입니다.

1-2 $55° + 85° + 40° = 180°$

2-1 각도가 0°보다 크고 직각보다 작은 각에 ○표 합니다.

2-2 각도가 직각보다 크고 180°보다 작은 각에 ○표 합니다.

3-1 전체를 똑같이 10으로 나눈 것 중의 2는 $\frac{2}{10}=0.2$입니다.

3-2 전체를 똑같이 10으로 나눈 것 중의 7은 $\frac{7}{10}=0.7$입니다.

4-1 0.3은 영 점 삼이라고 읽습니다.

4-2 $\frac{6}{10}$은 0.6이고 영 점 육이라고 읽습니다.
$\frac{9}{10}$는 0.9이고 영 점 구라고 읽습니다.

51쪽 개념 · 원리 **확인**

1-1 가	**1-2** 나
2-1	**2-2**
3-1 (1) 8 (2) 6	**3-2** (1) 4 (2) 5

1-1 두 변의 길이가 같은 삼각형은 가입니다.

1-2 세 변의 길이가 같은 삼각형은 나입니다.

3-1 이등변삼각형은 두 변의 길이가 같습니다.

3-2 정삼각형은 세 변의 길이가 같습니다.

53쪽 개념 · 원리 **확인**

1-1	**1-2**
2-1 두에 ○표	**2-2** 같습니다에 ○표
3-1 70	**3-2** 60

1-1 이등변삼각형은 두 각의 크기가 같습니다.

1-2 정삼각형은 세 각의 크기가 같습니다.

2-1 두 각의 크기가 각각 40°로 같습니다.

2-2

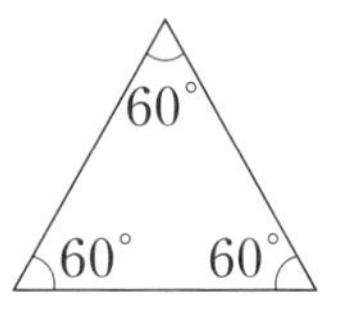

정삼각형은 세 각의 크기가 60°로 모두 같습니다.

3-1 이등변삼각형은 두 각의 크기가 같습니다.

3-2 정삼각형은 세 각의 크기가 60°로 모두 같습니다.

54~55쪽 기초 집중 연습

1-1 가, 다, 라 / 가, 라	**1-2** 가, 나, 다 / 나, 다
2-1 40	**2-2** 60
3-1 (1) 60° (2) 30°	**3-2** 75, 75
기초 3	**4-1** 9 cm
4-2 24 cm	**4-3** 13 cm

1-1 두 변의 길이가 같은 삼각형은 가, 다, 라입니다.
세 변의 길이가 같은 삼각형은 가, 라입니다.

1-2 두 변의 길이가 같은 삼각형은 가, 나, 다입니다.
세 변의 길이가 같은 삼각형은 나, 다입니다.

2-1 두 변의 길이가 같은 삼각형이므로 이등변삼각형입니다. 이등변삼각형은 길이가 같은 두 변과 함께 하는 두 각의 크기가 같으므로 □ 안에 알맞은 수는 40입니다.

2-2 세 변의 길이가 같은 삼각형이므로 정삼각형입니다. 정삼각형은 세 각의 크기가 같으므로 □ 안에 알맞은 수는 60입니다.

3-1 (1) 삼각형의 세 각의 크기의 합은 180°입니다.
➔ ㉠+㉡=180°−120°=60°
(2) 이등변삼각형은 두 각의 크기가 같습니다.
➔ ㉠=60°÷2=30°

3-2 180°−30°=150° ➔ 150°÷2=75°

4-1 정삼각형은 세 변의 길이가 같습니다.
(정삼각형의 세 변의 길이의 합)
=(한 변의 길이)+(한 변의 길이)+(한 변의 길이)
=3+3+3=9 (cm)

4-2 8+8+8=24 (cm)

4-3 (한 변의 길이)
=(정삼각형의 세 변의 길이의 합)÷3
=39÷3=13 (cm)

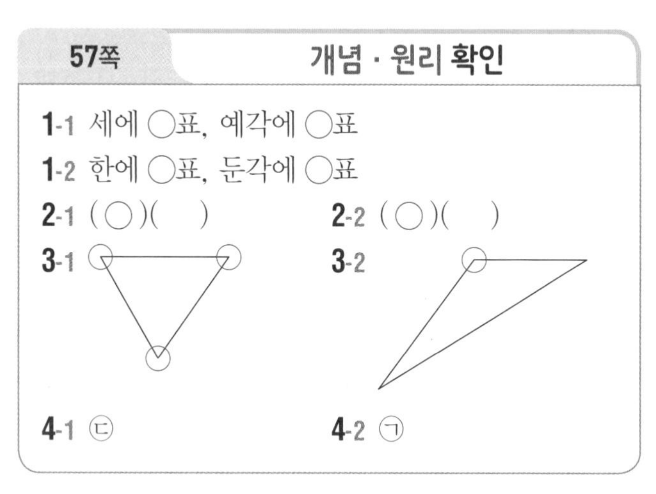

57쪽
개념 · 원리 확인
1-1 세에 ○표, 예각에 ○표
1-2 한에 ○표, 둔각에 ○표
2-1 (○)( )
2-2 (○)( )
3-1
3-2
4-1 ㉢
4-2 ㉠

2-1 세 각이 모두 예각인 삼각형을 찾습니다.

2-2 한 각이 둔각인 삼각형을 찾습니다.

4-1 삼각형을 그렸을 때 세 각이 모두 예각이 되도록 하는 점은 ㉢입니다.

4-2 삼각형을 그렸을 때 한 각이 둔각이 되도록 하는 점은 ㉠입니다.

59쪽 개념 · 원리 확인

1-1 (1) 정삼각형 (2) 예각삼각형
1-2 (1) 이등변삼각형 (2) 직각삼각형
2-1 (1) 나, 라 / 가, 다, 마, 바
(2) 라, 바 / 가, 나 / 다, 마
2-2 가 / 마 / 라 /
다 / 나 / 바

2-1 (1) 두 변의 길이가 같은 삼각형은 나, 라입니다.
세 변의 길이가 모두 다른 삼각형은 가, 다, 마, 바입니다.

(2) 세 각이 모두 예각인 삼각형은 라, 바입니다.
한 각이 직각인 삼각형은 가, 나입니다.
한 각이 둔각인 삼각형은 다, 마입니다.

60~61쪽 **기초 집중 연습**

1-1 둔각삼각형 **1-2** 예각삼각형
2-1 (도형 생략) **2-2** 이등변삼각형, 예각삼각형에 ○표
3-1 다 **3-2** 가
기초 예각삼각형에 ○표
4-1 예각삼각형 **4-2** 둔각삼각형
4-3 (1) 60° (2) 예각삼각형

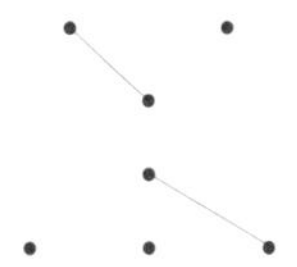

1-1 한 각이 둔각인 삼각형이므로 둔각삼각형입니다.

1-2 세 각이 모두 예각인 삼각형이므로 예각삼각형입니다.

2-1 두 변의 길이가 같은 삼각형이므로 이등변삼각형입니다.
한 각이 둔각인 삼각형이므로 둔각삼각형입니다.

2-2 두 변의 길이가 같은 삼각형이므로 이등변삼각형입니다.
세 각이 모두 예각인 삼각형이므로 예각삼각형입니다.

3-1 이등변삼각형은 나, 다이고, 이 중에서 직각삼각형은 다입니다.

3-2 세 변의 길이가 모두 다른 삼각형은 가, 다이고, 이 중에서 예각삼각형은 가입니다.

기초 세 각이 모두 예각인 삼각형이므로 예각삼각형입니다.

4-2 한 각이 둔각인 삼각형이므로 둔각삼각형입니다.

4-3 (1) 삼각형의 세 각의 크기의 합은 180°이므로 나머지 한 각의 크기는 180°−50°−70°=60°입니다.
(2) 50°, 70°, 60°로 세 각이 모두 예각인 삼각형이므로 예각삼각형입니다.

63쪽 **개념 · 원리 확인**

1-1 27, 0.27 **1-2** 42, 0.42
2-1 (1) 영 점 육일 (2) 일 점 이사
2-2 (1) 3.02 (2) 0.71
3-1 3, 6 **3-2** 1, 9, 7
4-1 2, 0.2 **4-2** 9, 0.09

1-1 $\frac{1}{10}$(=0.1)이 2개, $\frac{1}{100}$(=0.01)이 7개이므로 $\frac{27}{100}$(=0.27)입니다.

1-2 $\frac{1}{10}$(=0.1)이 4개, $\frac{1}{100}$(=0.01)이 2개이므로 $\frac{42}{100}$(=0.42)입니다.

3-1 4.36
일의 자리
소수 첫째 자리
소수 둘째 자리

3-2 1.97
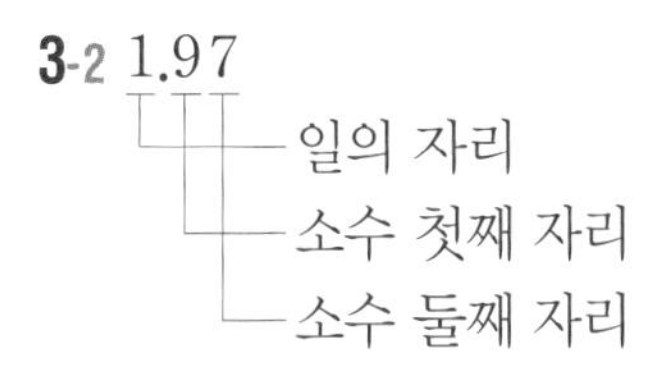

4-1 3.25
소수 첫째 자리 숫자, 0.2

4-2 2.79
소수 둘째 자리 숫자, 0.09

65쪽 **개념 · 원리 확인**

1-1 0.001 **1-2** 0.426
2-1 (1) 영 점 칠일구 (2) 오 점 사구일
2-2 (1) 3.005 (2) 2.364
3-1 2, 0.2 **3-2** 9, 0.009
4-1 2, 5, 1, 2 **4-2** 3, 6, 7, 8

1-1 $\frac{1}{1000}=0.001$

1-2 $\frac{426}{1000}=0.426$

3-1 1.234
└ 소수 첫째 자리 숫자, 0.2

3-2 7.469
└ 소수 셋째 자리 숫자, 0.009

66~67쪽	기초 집중 연습
1-1 1	**1-2** 2
2-1 5, 6, 4	**2-2** 4, 8, 9, 5
3-1 0.01, 0.07	**3-2** 3.215, 3.227
4-1	**4-2**
기초 첫째에 ○표, 0.6에 ○표	
5-1 0.005	**5-2** 0.07
5-3 (1) ㉠ 0.9, ㉡ 0.09 (2) ㉡	

1-1 7.51
└ 소수 둘째 자리 숫자

1-2 3.572
└ 소수 셋째 자리 숫자

4-1 $\frac{34}{100}=0.34$, $\frac{26}{100}=0.26$

4-2 $\frac{21}{1000}=0.021$, $\frac{113}{1000}=0.113$

5-1 8.235
└ 소수 셋째 자리 숫자, 0.005

5-2 6.374
└ 소수 둘째 자리 숫자, 0.07

5-3 (1) ㉠ 7.932
└ 소수 첫째 자리 숫자, 0.9
㉡ 6.295
└ 소수 둘째 자리 숫자, 0.09

69쪽	개념 · 원리 확인
1-1 $<$	**1-2** $>$
2-1 $<$	**2-2** $<$
3-1 ㉠	**3-2** ㉡
4-1 $>$, $>$	**4-2** $>$, $>$

1-1 $0.60<0.69$
└ $0<9$ ┘

1-2 $0.48>0.42$
└ $8>2$ ┘

2-1 2.24보다 2.33이 오른쪽에 있으므로 $2.24<2.33$입니다.

2-2 5.516보다 5.524가 오른쪽에 있으므로 $5.516<5.524$입니다.

3-1 0.9의 오른쪽 끝자리에 0을 붙여 0.90으로 나타낼 수 있습니다.

3-2 4.71의 오른쪽 끝자리에 0을 붙여 4.710으로 나타낼 수 있습니다.

4-1 자연수 부분을 비교합니다.

4-2 자연수 부분이 같으므로 소수 첫째 자리 수를 비교합니다.

71쪽	개념 · 원리 확인
1-1 10	**1-2** 10
2-1 (1) 0.1 (2) 0.01	**2-2** (1) 0.01 (2) 0.1
3-1 6.3에 ○표	**3-2** 0.432에 ○표
4-1 0.25, 0.025	**4-2** 5.1, 51

1-1 1은 0.1의 10배입니다.

1-2 0.1은 0.01의 10배입니다.

3-1 10배 하면 소수점을 기준으로 수가 왼쪽으로 한 자리 이동합니다.

3-2 $\frac{1}{10}$을 하면 소수점을 기준으로 수가 오른쪽으로 한 자리 이동합니다.

4-1 2.5의 $\frac{1}{10}$ ➔ 0.25
2.5의 $\frac{1}{100}$ ➔ 0.025

4-2 0.51의 10배 ➔ 5.1
0.51의 100배 ➔ 51

72~73쪽	기초 집중 연습
1-1 (○)(　)	**1-2** (　)(○)
2-1 3.05	**2-2** 10.5
3-1 (위에서부터) 0.04, 0.4 / 0.43, 43	
3-2 (위에서부터) 0.052, 0.52, 52 / 0.09, 9, 90	
4-1 ㉠	**4-2** ㉡
기초 >	**5-1** 빨간색
5-2 준하	**5-3** 학교

1-1 6.81>4.84
└6>4┘

1-2 0.86<0.98
└8<9┘

2-1 소수에서 오른쪽 끝에 있는 0은 생략할 수 있습니다.
➔ 2.1~~0~~ → 2.1, 4.~~0~~ → 4

2-2 소수에서 오른쪽 끝에 있는 0은 생략할 수 있습니다.
➔ 15.8~~0~~ → 15.8, 9.45~~0~~ → 9.45

3-1 $\frac{1}{10}$을 하면 소수점을 기준으로 수가 오른쪽으로 한 자리 이동하고, 10배 하면 소수점을 기준으로 수가 왼쪽으로 한 자리 이동합니다.

4-1 ㉠ 66.1의 $\frac{1}{10}$은 6.61입니다.
㉡ 66.1의 10배는 661입니다.

4-2 ㉠ 94.7의 $\frac{1}{100}$은 0.947입니다.
㉡ 0.947의 10배는 9.47입니다.

5-1 3.92>3.64 ➔ 빨간색 리본이 더 깁니다.
└9>6┘

5-2 2.13>2.04
└1>0┘
➔ 준하의 책가방의 무게가 더 가볍습니다.

5-3 1.643<1.71
└6<7┘
➔ 수아네 집에서 학교까지의 거리가 더 가깝습니다.

75쪽	개념 · 원리 확인
1-1 0.7	**1-2** 0.9
2-1 6, 8, 0.8	**2-2** 5, 13, 1.3
3-1 (1) 0.8 (2) 2.8	**3-2** (1) 1.7 (2) 3.5
4-1 4.6	**4-2** 4.5

1-1 0.3을 색칠하고 이어서 0.4만큼 더 색칠하면 0.7입니다.

1-2 0.4를 색칠하고 이어서 0.5만큼 더 색칠하면 0.9입니다.

2-1 0.1이 8개이면 0.8이므로 0.2+0.6=0.8입니다.

2-2 0.1이 13개이면 1.3이므로 0.8+0.5=1.3입니다.

3-1 (1) $\begin{array}{r} 0.1 \\ +0.7 \\ \hline 0.8 \end{array}$ (2) $\begin{array}{r} 1.5 \\ +1.3 \\ \hline 2.8 \end{array}$

3-2 (1) $\begin{array}{r} 0.2 \\ +1.5 \\ \hline 1.7 \end{array}$ (2) $\begin{array}{r} {}^{1} \\ 1.6 \\ +1.9 \\ \hline 3.5 \end{array}$

4-1 $\begin{array}{r} 2.2 \\ +2.4 \\ \hline 4.6 \end{array}$

4-2 $\begin{array}{r} {}^{1} \\ 1.8 \\ +2.7 \\ \hline 4.5 \end{array}$

77쪽 개념 · 원리 **확인**

1-1 0.4	**1**-2 0.7
2-1 4, 3, 0.3	**2**-2 9, 6, 0.6
3-1 (1) 0.2 (2) 1.3	**3**-2 (1) 0.8 (2) 0.5
4-1 2.4	**4**-2 1.9

1-1 0.9를 색칠하고 0.5만큼 빗금을 치면 남은 부분은 0.4입니다.

1-2 1.4를 색칠하고 0.7만큼 빗금을 치면 남은 부분은 0.7입니다.

2-1 0.1이 3개이면 0.3이므로 0.7−0.4=0.3입니다.

2-2 0.1이 6개이면 0.6이므로 1.5−0.9=0.6입니다.

3-1 (1) $\begin{array}{r} 0.5 \\ -0.3 \\ \hline 0.2 \end{array}$ (2) $\begin{array}{r} 3.8 \\ -2.5 \\ \hline 1.3 \end{array}$

3-2 (1) $\begin{array}{r} 1.9 \\ -1.1 \\ \hline 0.8 \end{array}$ (2) $\begin{array}{r} {\scriptstyle 1\ 10} \\ \not{2}.1 \\ -1.6 \\ \hline 0.5 \end{array}$

4-1 $\begin{array}{r} 4.8 \\ -2.4 \\ \hline 2.4 \end{array}$

4-2 $\begin{array}{r} {\scriptstyle 4\ 10} \\ \not{5}.2 \\ -3.3 \\ \hline 1.9 \end{array}$

78~79쪽 기초 집중 연습

1-1 (1) 3.4 (2) 2.1	**1**-2 (1) 1.1 (2) 0.7
2-1 0.7, 1.2	**2**-2 0.8, 3.9
3-1 5.2	**3**-2 0.7
4-1 <	**4**-2 <

연산 5.1

5-1 2.8+2.3=5.1, 5.1 kg

5-2 1.3+0.5=1.8, 1.8 L

5-3 빨간색, 0.9 cm

2-1 0에서 0.5만큼 간 후 0.7만큼 더 가면 1.2입니다.
➜ 0.5+0.7=1.2

2-2 4.7에서 0.8만큼 되돌아오면 3.9입니다.
➜ 4.7−0.8=3.9

3-1 3.4+1.8=5.2

3-2 5.2>4.5 ➜ $\begin{array}{r} {\scriptstyle 4\ 10} \\ \not{5}.2 \\ -4.5 \\ \hline 0.7 \end{array}$

4-1 6.1+3.6=9.7 ➜ 9.7<10

4-2 6.2−3.8=2.4 ➜ 2.4<2.5

5-1 (사과의 무게)+(귤의 무게)
=2.8+2.3=5.1 (kg)

5-2 (물통에 있는 물의 양)
=(물통에 있던 물의 양)+(더 담은 물의 양)
=1.3+0.5=1.8 (L)

5-3 9.4 cm>8.5 cm이므로 빨간색 색연필이 9.4−8.5=0.9 (cm) 더 깁니다.

80~81쪽 누구나 **100점 맞는** 테스트

1 예각삼각형	**2** 5
3 7	**4** 6, 3, 1, 9
5 6.7	**6** 0.5
7 ㉠	**8** 4.8
9 120°	**10** 2.8 kg

2 이등변삼각형은 두 변의 길이가 같습니다.

3 정삼각형은 세 변의 길이가 같습니다.

4 6.319
- 일의 자리 숫자
- 소수 첫째 자리 숫자
- 소수 둘째 자리 숫자
- 소수 셋째 자리 숫자

6 7.53
- 소수 첫째 자리 숫자, 0.5

7 ㉠ 0.271의 10배는 2.71입니다.
㉡ 271의 $\frac{1}{10}$ 은 27.1입니다.

8 4.09 < 4.51 < 4.7 < 4.8
➜ 4.7보다 큰 수는 4.8입니다.

9 정삼각형은 세 각의 크기가 60°로 모두 같습니다.
➜ 60° + 60° = 120°

10 (남은 밀가루의 양)
= (처음 밀가루의 양) − (머핀을 만든 밀가루의 양)
= 4.5 − 1.7 = 2.8 (kg)

82~87쪽 특강 창의 · 융합 · 코딩

창의 1 ㉠, ㉢, ㉡
창의 2 (왼쪽에서부터) 과일 가게, 생선 가게, 우물, 보물상 / 생선 가게
코딩 3 (1) 0.154 (2) 예 $\frac{9}{100}$
코딩 4 (위에서부터) 예각삼각형, 둔각삼각형
융합 5 1198.1
융합 6 (1) 3.7 km (2) 2.1 km
코딩 7 (위에서부터) 4.42, 4.52, 4.62 / 4.33, 4.34, 4.35
코딩 8 (위에서부터) 25, 250 / 0.25, 0.025
창의 9 5.336 코딩 10 1, 2, 1
창의 11 14 cm

창의 1 • 다미가 구운 쿠키는 둔각삼각형 모양이 아니라고 했으므로 ㉠이거나 ㉢입니다.
• 진우가 구운 쿠키는 정삼각형 모양이 아니라고 했으므로 ㉡이거나 ㉢입니다.
• 수진이가 구운 쿠키는 예각삼각형 모양이 아니라고 했으므로 ㉡입니다.
따라서 다미가 구운 쿠키는 ㉠, 진우가 구운 쿠키는 ㉢, 수진이가 구운 쿠키는 ㉡입니다.

창의 2 소수의 크기를 비교해 보면 0.955 km < 1.31 km 이므로 생선 가게와 우물 중에서 궁전에서 더 가까운 곳은 생선 가게이고 더 먼 곳은 우물입니다.
궁전에서 가장 먼 곳은 보물상이고, 과일 가게는 궁전과 생선 가게 사이에 있으므로 빈칸을 왼쪽에서부터 차례로 채워 보면
과일 가게, 생선 가게, 우물, 보물상입니다.
따라서 보물이 숨겨진 장소는 생선 가게입니다.

코딩 4 한 각이 둔각인 삼각형은 둔각삼각형, 세 각이 모두 예각인 삼각형은 예각삼각형입니다.

융합 5 1크노네 = 119.81원
10크노네 = 1198.1원
(10배 ↓, 10배 ↑)

융합 6 (1) 1.5 + 2.2 = 3.7 (km)
(2) 5.8 − 3.7 = 2.1 (km)

창의 9 5 . 3 3 6
- 6: 소수 첫째 자리 숫자의 2배
- 3: 소수 둘째 자리 숫자 3
- 3: 소수 첫째 자리 숫자 3
- 5: 5보다 크고 6보다 작은 소수이므로 자연수 부분은 5

코딩 10 출발점부터 이등변삼각형이 놓여 있는 칸을 따라 차례로 선을 그려 보고 지나는 방향의 칸 수만큼 명령어를 완성해 봅니다.

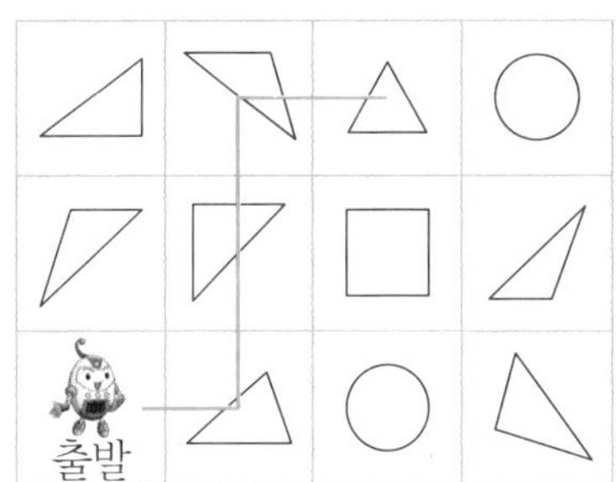

창의 11 민하가 만든 삼각형에서 세 변의 길이의 합을 구하면 12 + 12 + 18 = 42 (cm)이고, 영탁이가 만든 삼각형의 한 변의 길이는 42 ÷ 3 = 14 (cm)입니다.

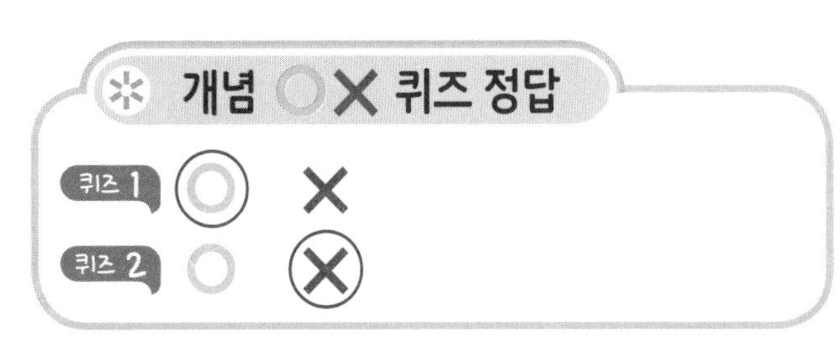

정답
풀이

3주 소수의 덧셈과 뺄셈 / 사각형

개념 ○✕ 퀴즈
옳으면 ○에, 틀리면 ✕에 ○표 하세요.
퀴즈 1
0.97+1.3=2.27
퀴즈 2
평행한 변이 한 쌍이라도 있는
사각형을 평행사변형이라고 합니다.
정답은 22쪽에서 확인하세요.

90~91쪽 3주에는 무엇을 공부할까?②

1-1 일 점 사 **1-2** 2.7, 이 점 칠

2-1 (1) 11 (2) 35, 삼 점 오

2-2 (1) 46 (2) 85 (3) 2.9

3-1

3-2

4-1 나 **4-2** 2개

4-1 네 각 중에서 직각이 아닌 각이 있는 사각형은 나입니다.

93쪽 개념 · 원리 확인

1-1 0.69 **1-2** 0.93

2-1 1, 1 / 2, 0, 5 **2-2** 1 / 3, 1, 3

3-1 (1) 0.75 (2) 2.45 **3-2** (1) 3.18 (2) 4.28

4-1 3.92 **4-2** 9.98

1-1 색칠된 0.1이 6개, 0.01이 9개이므로 $0.24+0.45=0.69$입니다.

4-1
$$\begin{array}{r} {\scriptstyle 1} \\ 2.55 \\ +\,1.37 \\ \hline 3.92 \end{array}$$

4-2
$$\begin{array}{r} 1.48 \\ +\,8.5 \\ \hline 9.98 \end{array}$$

95쪽 개념 · 원리 확인

1-1 0.17 **1-2** 0.29, 3.26

2-1 1, 10 / 1, 7, 4 **2-2** 7, 14, 10 / 5, 5, 8

3-1 (1) 0.69 (2) 0.47 **3-2** (1) 2.33 (2) 1.51

4-1 2.58 **4-2** 2.83

1-1 0.34만큼 간 다음 0.17만큼 되돌아오면 0.17입니다.
➜ $0.34-0.17=0.17$

4-1
$$\begin{array}{r} {\scriptstyle 3\ 12\ 10} \\ \not{4}.\not{3}\,6 \\ -\,1.7\,8 \\ \hline 2.5\,8 \end{array}$$

4-2
$$\begin{array}{r} {\scriptstyle 4\ 17\ 10} \\ \not{5}.\not{8} \\ -\,2.9\,7 \\ \hline 2.8\,3 \end{array}$$

96~97쪽 기초 집중 연습

1-1 (1) 1.27 (2) 0.67 **1-2** (1) 2.15 (2) 3.65

2-1 1.71 **2-2** 0.22

3-1
$$\begin{array}{r} 0.91 \\ +\,0.7 \\ \hline 1.61 \end{array}$$

3-2
$$\begin{array}{r} 0.92 \\ -\,0.53 \\ \hline 0.39 \end{array}$$

4-1 > **4-2** (○)( )

연산 0.58

5-1 0.95, 0.58 / 0.58 m

5-2 $9.18-7.36=1.82$, 1.82초

5-3 $5.43-2.71=2.72$ / 소희, 2.72 m

1-2 (1)
$$\begin{array}{r} \scriptstyle 1 \\ 1.3 \\ +\,0.85 \\ \hline 2.15 \end{array}$$
(2)
$$\begin{array}{r} \scriptstyle 6\,10 \\ 4.\cancel{7} \\ -\,1.05 \\ \hline 3.65 \end{array}$$

2-1
$$\begin{array}{r} \scriptstyle 1 \\ 0.32 \\ +\,1.39 \\ \hline 1.71 \end{array}$$

2-2
$$\begin{array}{r} \scriptstyle 7\,10 \\ 0.\cancel{8} \\ -\,0.58 \\ \hline 0.22 \end{array}$$

3-1 소수점끼리 맞추어 쓴 후 같은 자리 수끼리 계산해야 합니다.

3-2 소수 첫째 자리 계산을 할 때 소수 둘째 자리로 받아내림한 수를 빼지 않았습니다.

4-1
$$\begin{array}{r} \scriptstyle 1 \\ 0.77 \\ +\,0.32 \\ \hline 1.09 \end{array}$$
➡ $1.09>0.98$

4-2
$$\begin{array}{r} \scriptstyle 1 \\ 1.43 \\ +\,2.8 \\ \hline 4.23 \end{array}, \quad \begin{array}{r} \scriptstyle 4\,12\,10 \\ \cancel{5}.\cancel{3} \\ -\,1.85 \\ \hline 3.45 \end{array}$$
➡ $4.23>3.45$

연산
$$\begin{array}{r} \scriptstyle 0\,14\,10 \\ \cancel{1}.\cancel{5}3 \\ -\,0.95 \\ \hline 0.58 \end{array}$$

5-1 (지민이의 기록)−(수지의 기록)
$=1.53-0.95=0.58$ (m)

5-2 (은빈이의 기록)−(유정이의 기록)
$=9.18-7.36=1.82$(초)

5-3 5.43 m>2.71 m이므로 소희의 종이비행기가 더 멀리 날아갔습니다.
➡ (소희의 종이비행기가 날아간 거리)
−(윤기의 종이비행기가 날아간 거리)
$=5.43-2.71=2.72$ (m)

99쪽 개념 · 원리 확인

1-1 ( )(○) **1-2** (1) × (2) ○
2-1 (1) 나 (2) 가 **2-2** 직선 다
3-1 ( )(○) **3-2** 나

1-1 삼각자의 직각인 부분을 대어 보고 직각을 이루는 곳을 찾습니다.

3-1 직각이 있는 도형을 찾습니다.

101쪽 개념 · 원리 확인

1-1 ( )(○) **1-2** ( )( )(○)
2-1 ( )(○) **2-2** ③
3-1 예 **3-2** 예

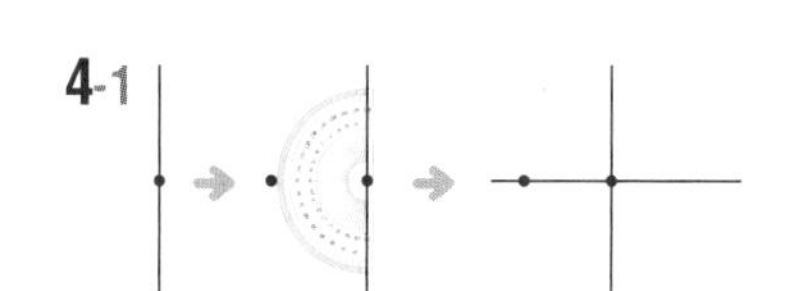

4-1 예 **4-2** 예

1-1 삼각자의 직각인 부분을 대고 선을 그어야 합니다.

4-1

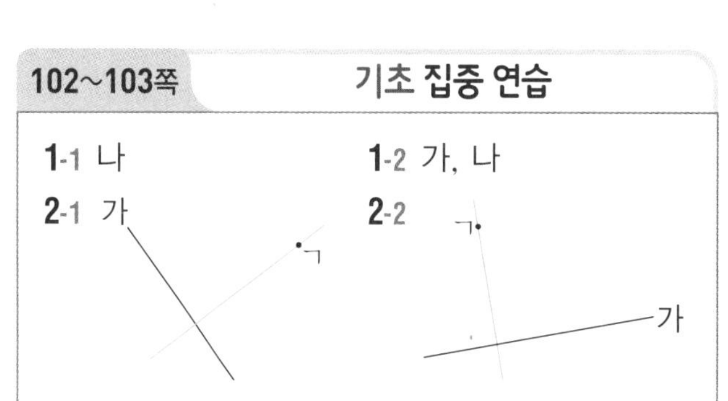

4-2 삼각자의 직각을 낀 변 중 한 변을 주어진 직선에 맞추고 직각을 낀 다른 한 변을 따라 선을 긋습니다.

102~103쪽 기초 집중 연습

1-1 나 **1-2** 가, 나
2-1 가 **2-2**
3-1 직선 다와 직선 라 **3-2** 직선 나와 직선 다

기초 ( ) 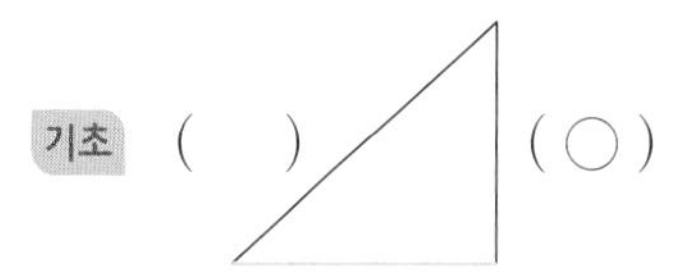 (○)

4-1 선분 ㄴㄹ(또는 선분 ㄴㄷ, 선분 ㄷㄹ)과 선분 ㄱㄷ
4-2 선분 ㄱㄷ과 선분 ㄴㄹ
4-3 3쌍

정답 및 풀이

1-1 삼각자의 직각인 부분이나 각도기를 사용하여 찾습니다.

1-2 직각이 있는 도형을 모두 찾습니다.

2-1

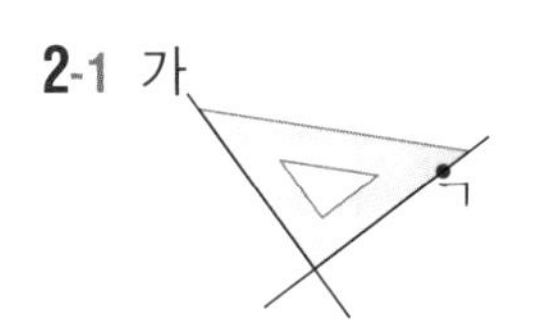

2-2

3-1 직선 다와 직선 라가 만나서 이루는 각이 직각이므로 직선 다와 직선 라는 서로 수직입니다.

3-2 직선 나와 직선 다가 만나서 이루는 각이 직각이므로 직선 나와 직선 다는 서로 수직입니다.

4-1 만나서 이루는 각이 직각인 두 선분은 선분 ㄴㄹ과 선분 ㄱㄷ입니다.

4-2 만나서 이루는 각이 직각인 두 선분은 선분 ㄱㄷ과 선분 ㄴㄹ입니다.

4-3 직선 나와 직선 다, 직선 가와 직선 마, 직선 가와 직선 바가 서로 수직입니다. ➔ 3쌍

105쪽 개념 · 원리 확인

1-1 (○)(   )　　**1-2** (   )(○)

2-1 나, 라　　**2-2** 직선 가와 직선 나

3-1 예

3-2 예

4-1 ㄹㄷ / ㄱㄹ　　**4-2** (   )
(○)

1-1 두 직선에 공통인 수선을 그을 수 있는 것이 평행선입니다.

3-1 모눈종이의 가로선을 따라 평행선을 긋습니다.

3-2 모눈종이의 세로선을 따라 평행선을 긋습니다.

107쪽 개념 · 원리 확인

1-1 ㉡　　**1-2** ㉠

2-1 3　　**2-2** 4 cm

3-1

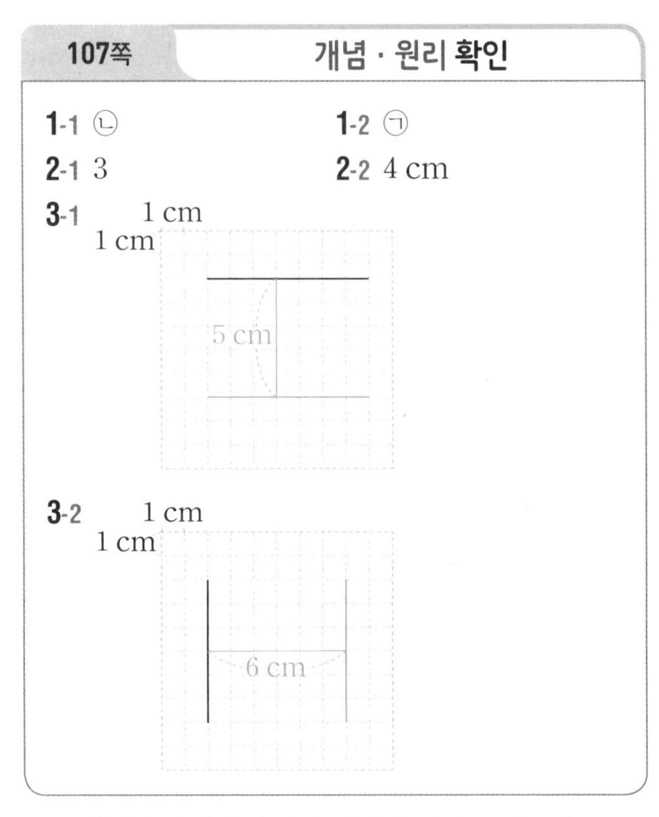

3-2

2-1 평행선 사이의 수직인 선분의 길이를 찾으면 3 cm입니다.

2-2 평행선 사이의 수직인 선분의 길이를 찾으면 4 cm입니다.

108~109쪽 기초 집중 연습

1-1 (○)(   )　　**1-2** (   )(○)(○)

2-1 ㄱ 가

2-2 ㄱ

3-1 직선 가, 직선 나　　**3-2** 직선 다, 직선 라

4-1 2쌍　　**4-2** 3쌍

기초 ㉡　　**5-1** 변 ㅁㄹ

5-2 민하　　**5-3** 12 cm

3-1 직선 가와 직선 나는 직선 라에 수직이므로 서로 만나지 않고 평행합니다.

3-2 직선 다와 직선 라는 직선 가에 수직이므로 서로 만나지 않고 평행합니다.

4-1 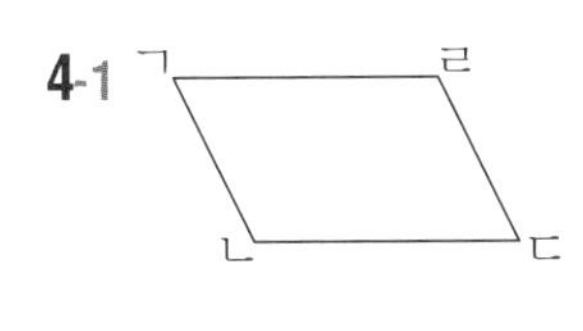

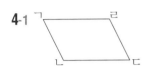

서로 만나지 않는 두 변을 찾으면 변 ㄱㄴ과 변 ㄹㄷ, 변 ㄴㄷ과 변 ㄱㄹ로 평행선은 모두 2쌍입니다.

5-1 변 ㄱㅁ과 변 ㄷㄹ이 서로 평행하므로 평행선 사이의 거리를 나타내는 변은 변 ㄱㅁ과 변 ㄷㄹ 사이의 수직인 선분인 변 ㅁㄹ입니다.

5-2 변 ㄱㄹ과 변 ㄴㄷ이 서로 평행하므로 평행선 사이의 거리를 나타내는 변은 변 ㄱㄹ과 변 ㄴㄷ 사이의 수직인 선분인 변 ㄹㄷ입니다.

5-3 도형에서 길이가 10 cm, 20 cm인 변이 서로 평행하므로 평행선 사이의 거리는 두 변 사이의 수직인 선분의 길이인 12 cm입니다.

111쪽 개념 · 원리 **확인**

1-1 (○)(   ) **1-2** (   )(×)
2-1 나 **2-2** 나, 다
3-1 ㄴㄷ **3-2** 변 ㄹㄷ
4-1 예
4-2 예

2-1 나: 두 쌍의 변이 평행합니다.

2-2 나, 다: 한 쌍의 변이 평행합니다.

4-1~4-2 평행한 변이 한 쌍이라도 있도록 사각형을 그립니다.

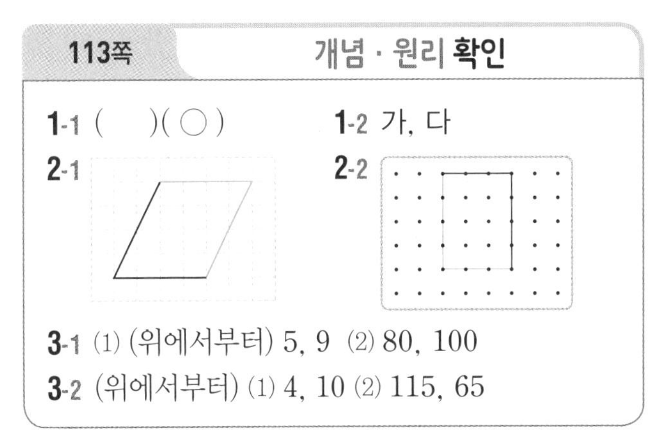

113쪽 개념 · 원리 **확인**

1-1 (   )(○) **1-2** 가, 다
2-1 **2-2**
3-1 (1) (위에서부터) 5, 9 (2) 80, 100
3-2 (위에서부터) (1) 4, 10 (2) 115, 65

1-2 마주 보는 두 쌍의 변이 서로 평행한 사각형은 가, 다입니다.

2-1~2-2 주어진 두 변과 각각 평행하도록 나머지 두 변을 그립니다.

3-1~3-2 (1) 평행사변형은 마주 보는 두 변의 길이가 같습니다.
(2) 평행사변형은 마주 보는 두 각의 크기가 같습니다.

114~115쪽 기초 **집중 연습**

1-1 (   )(○)(   ) **1-2** (○)(   )(○)
2-1 ② **2-2** ㉢
3-1 130° **3-2** 70°
4-1 가, 나, 다 **4-2** 가, 다, 라
기초 (위에서부터) 8, 12
5-1 12 cm **5-2** 44 cm
5-3 6 cm

1-1 평행한 변이 한 쌍이라도 있는 사각형을 찾습니다.

1-2 마주 보는 두 쌍의 변이 서로 평행한 사각형을 모두 찾습니다.

2-1 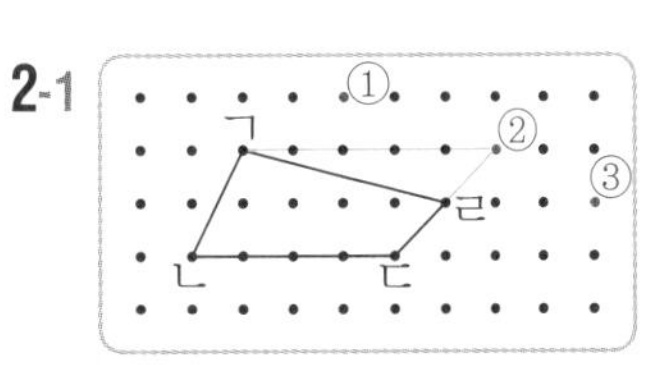

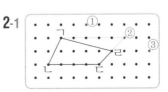

평행한 변이 한 쌍이라도 있는 사각형이 되도록 점 ㄹ을 옮깁니다.

2-2 마주 보는 두 쌍의 변이 서로 평행한 사각형이 되도록 자르려면 ㉢을 따라 잘라야 합니다.

3-1 평행사변형은 이웃한 두 각의 크기의 합이 180°이므로 50°+㉠=180°입니다.
➔ ㉠=180°−50°=130°

3-2 평행사변형은 이웃한 두 각의 크기의 합이 180°이므로 110°+㉡=180°입니다.
➔ ㉡=180°−110°=70°

기초 평행사변형은 마주 보는 두 변의 길이가 같습니다.

5-1 평행사변형은 마주 보는 두 변의 길이가 같습니다.
➔ (평행사변형의 네 변의 길이의 합)
=4+2+4+2=12 (cm)

5-2 평행사변형은 마주 보는 두 변의 길이가 같습니다.
➔ (평행사변형의 네 변의 길이의 합)
=7+15+7+15=44 (cm)

5-3 평행사변형은 마주 보는 두 변의 길이가 같으므로
(변 ㄹㄷ)=(변 ㄱㄴ)=4 cm이고
(변 ㄱㄹ)+(변 ㄴㄷ)=20−4−4=12 (cm)입니다.
➔ (변 ㄱㄹ)=12÷2=6 (cm)

117쪽 개념 · 원리 확인

1-1 ( )( )(○) **1-2** 다
2-1
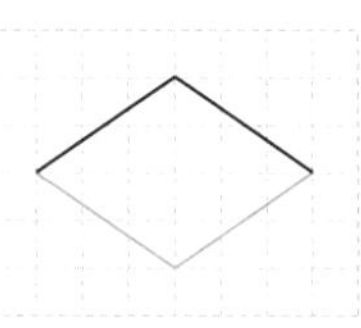
2-2
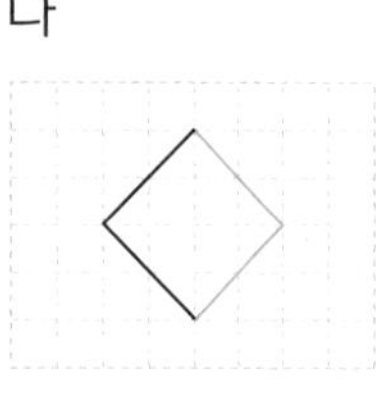
3-1 (1) 10, 10 (2) (왼쪽에서부터) 85, 95
3-2 (1) 13, 13, 13 (2) (왼쪽에서부터) 120, 60
4-1 (위에서부터) 4, 3
4-2 (위에서부터) 8, 6, 90

1-1~1-2 네 변의 길이가 모두 같은 사각형을 찾습니다.

2-1~2-2 네 변의 길이가 모두 같도록 사각형을 그립니다.

3-1~3-2 (1) 마름모는 네 변의 길이가 모두 같습니다.
(2) 마름모는 마주 보는 두 각의 크기가 같습니다.

4-1~4-2 마름모는 마주 보는 꼭짓점끼리 이은 선분이 서로 수직으로 만나고 길이가 같게 나누어집니다.

119쪽 개념 · 원리 확인

1-1 같고에 ○표, 직각에 ○표
1-2 같고에 ○표, 직각에 ○표
2-1 (위에서부터) 8, 90, 5
2-2 (위에서부터) 90, 11
3-1 가, 나, 다 / 가, 나 **3-2** 나, 다 / 나

2-1 직사각형은 네 각이 모두 직각이고 마주 보는 두 변의 길이가 같습니다.

2-2 정사각형은 네 각이 모두 직각이고 네 변의 길이가 모두 같습니다.

120~121쪽 기초 집중 연습

1-1 가, 다
1-2 (직)( )(직, 정)
2-1 평행사변형, 마름모에 ○표
2-2 사다리꼴, 평행사변형, 마름모, 직사각형에 ○표
3-1 영탁 **3-2** 윤수
4-1 125° **4-2** 35°
기초 8, 8, 8 **5-1** 32 cm
5-2 52 cm **5-3** 36 cm

1-1 네 변의 길이가 모두 같은 사각형은 가, 다입니다.

1-2 정사각형은 직사각형이라고 할 수 있습니다.

2-1 마주 보는 두 쌍의 변이 서로 평행하므로 평행사변형이고, 네 변의 길이가 모두 같으므로 마름모입니다.

2-2 네 변의 길이가 모두 같고 네 각이 모두 직각이므로 정사각형입니다. 정사각형은 사다리꼴, 평행사변형, 마름모, 직사각형이라고 할 수 있습니다.

3-1 네 각이 모두 직각이므로 정사각형은 직사각형입니다.

3-2 윤수: 직사각형은 마주 보는 두 변의 길이가 같습니다.

4-1 마름모는 이웃한 두 각의 크기의 합이 180°이므로 ㉠=180°−55°=125°입니다.

다른 풀이

사각형의 네 각의 크기의 합은 360°이고 마름모는 마주 보는 두 각의 크기가 같습니다.
➔ ㉠+55°+㉠+55°=360°, ㉠+㉠=250°, ㉠=125°

4-2 마름모는 이웃한 두 각의 크기의 합이 180°이므로 ㉡=180°−145°=35°입니다.

기초 마름모의 네 변의 길이는 모두 같습니다.

5-1 마름모의 네 변의 길이는 모두 같습니다.
➔ (네 변의 길이의 합)=8×4=32 (cm)

5-2 (마름모의 네 변의 길이의 합)=13×4=52 (cm)

5-3 (정사각형의 한 변)=(마름모의 한 변)=6 cm
➔ (초록색 선의 길이)=6×6=36 (cm)

122~123쪽 누구나 100점 맞는 테스트

1 (1) 0.64 (2) 0.45 **2** ㉢
3 예 **4** 2.81
5 (왼쪽에서부터) 65, 15, 11
6 3 cm **7** 4개
8 > **9** 45°
10 40 cm

2 서로 만나지 않는 두 직선을 평행선이라고 합니다.

3 삼각자의 직각인 부분과 일치하는 곳을 찾습니다.

4
$$\begin{array}{r} {\scriptstyle 2\ 10} \\ \not{3}.71 \\ -\,0.9 \\ \hline 2.81 \end{array}$$

5 평행사변형은 마주 보는 두 변의 길이가 같고 마주 보는 두 각의 크기가 같습니다.

6 평행선 사이에 수직인 선분을 긋고 자로 그 길이를 재면 3 cm입니다.

7 직사각형 모양의 종이띠는 위와 아래의 변이 서로 평행하므로 잘린 사각형이 모두 사다리꼴입니다.
➔ 4개

8 0.85−0.28=0.57
➔ 0.57>0.55

9 마름모는 이웃한 두 각의 크기의 합이 180°이므로 ㉠+135°=180°, ㉠=180°−135°=45°입니다.

10 정사각형은 네 변의 길이가 모두 같으므로 (네 변의 길이의 합)=10×4=40 (cm)입니다.

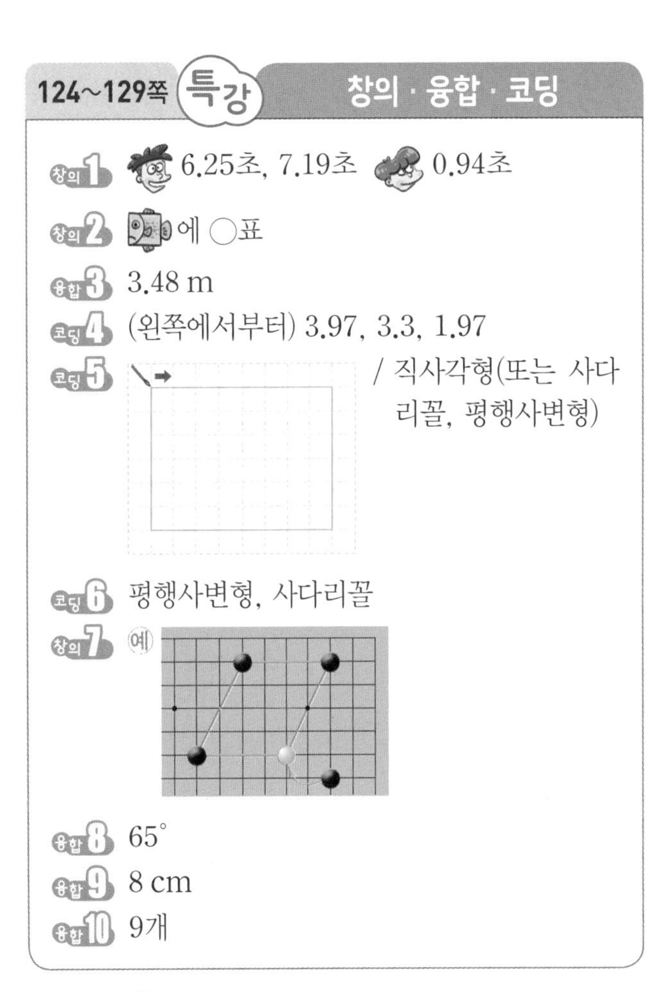

124~129쪽 특강 창의 · 융합 · 코딩

창의 1 6.25초, 7.19초 0.94초
창의 2 에 ○표
융합 3 3.48 m
코딩 4 (왼쪽에서부터) 3.97, 3.3, 1.97
코딩 5 / 직사각형(또는 사다리꼴, 평행사변형)
코딩 6 평행사변형, 사다리꼴
창의 7 예
융합 8 65°
융합 9 8 cm
융합 10 9개

창의 1 윤기는 석진이보다 빨랐고 태형이보다는 느렸으므로 태형, 윤기, 석진의 순서로 결승선에 들어왔습니다.
세 사람의 50 m 달리기 기록은 태형이는 5.89초, 윤기는 6.25초, 석진이는 7.19초입니다.
윤기와 석진이의 달리기 기록의 차: 7.19−6.25=0.94(초)

창의 2 네 각이 모두 직각이고 네 변의 길이가 모두 같은 사각형은 정사각형이므로 주혁이가 잡으려는 물고기 모양은 정사각형입니다.

융합 3 (주방의 세로)$=8.23-4.75=3.48$ (m)

코딩 4 $4.63-0.66=3.97$
$3.97-1.33=2.64$
$2.64+0.66=3.3$
$3.3-1.33=1.97$

코딩 6 사다리꼴: 평행한 변이 한 쌍이라도 있는 사각형
평행사변형: 마주 보는 두 쌍의 변이 서로 평행한 사각형

창의 7 마주 보는 두 쌍의 변이 서로 평행하도록 바둑돌을 한 개 옮깁니다.

융합 8 마름모에서 이웃한 두 각의 크기의 합은 180°이므로 ㉠$=180°-115°=65°$입니다.

융합 9 추를 한 개씩 더 매달 때마다 늘어나는 용수철의 길이는 일정하므로
(나~다)=(가~나)$=4$ cm입니다.
➔ (가~다)=(가~나)+(나~다)
$=4+4=8$ (cm)

작은 마름모 1개짜리: ①, ②, ③, ④, ⑤, ⑥, ⑦
➔ 7개
작은 마름모 4개짜리:
①+③+④+⑥, ②+④+⑤+⑦ ➔ 2개
따라서 크고 작은 마름모는 모두 $7+2=9$(개)입니다.

퀴즈 1 ◎ ×

4주 꺾은선그래프 / 다각형

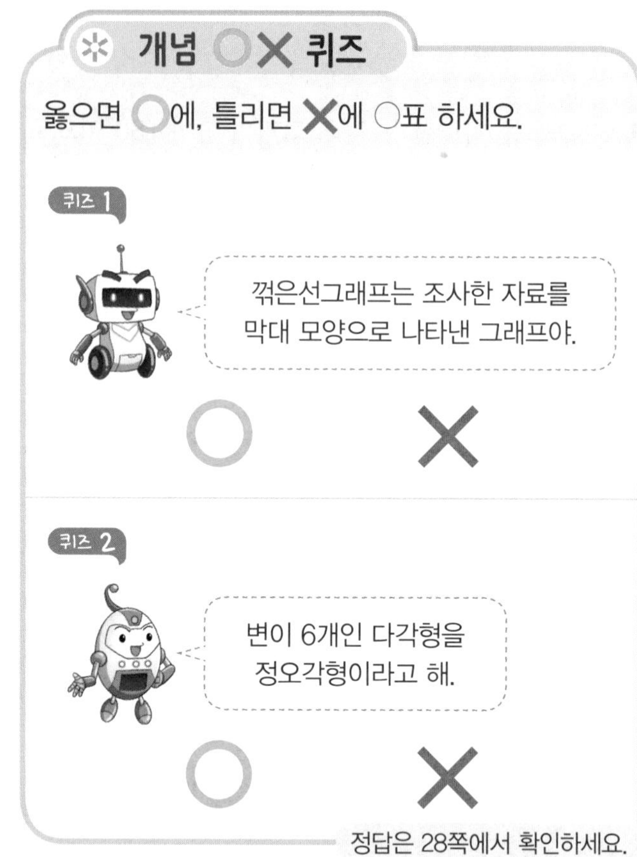

개념 ○× 퀴즈
옳으면 ○에, 틀리면 ×에 ○표 하세요.
퀴즈 1
꺾은선그래프는 조사한 자료를 막대 모양으로 나타낸 그래프야.
퀴즈 2
변이 6개인 다각형을 정오각형이라고 해.
정답은 28쪽에서 확인하세요.

132~133쪽 4주에는 무엇을 공부할까?②

1-1 나무에 ○표	1-2 나온 횟수에 ○표
2-1 단풍나무	2-2 닭고기
3-1 가, 나, 다, 라	3-2 가, 나, 다, 라, 마
4-1 나, 다	4-2 라, 마

2-1 가장 많이 자라는 나무는 막대의 길이가 가장 긴 단풍나무입니다.

3-1 마주 보는 두 쌍의 변이 서로 평행한 사각형은 가, 나, 다, 라입니다.

3-2 평행한 변이 한 쌍이라도 있는 사각형은 가, 나, 다, 라, 마입니다.

4-1 네 변의 길이가 모두 같은 사각형은 나, 다입니다.

4-2 네 각이 모두 직각인 사각형은 라, 마입니다.

135쪽 개념 · 원리 확인

1-1 시각 / 온도	1-2 월 / 무게
2-1 꺾은선그래프	2-2 꺾은선그래프
3-1 키에 ○표	3-2 날수에 ○표

3-1 꺾은선은 토마토 싹의 키의 변화를 나타냅니다.

137쪽 개념 · 원리 확인

1-1 4학년	1-2 3학년
2-1 1학년	2-2 1학년
3-1 1, 2	3-2 3, 4
4-1 1, 2	4-2 3, 4

1-1 점이 가장 높게 찍힌 때는 4학년입니다.

4-1 선이 가장 많이 기울어진 때가 몸무게가 가장 많이 변한 때입니다.

4-2 선이 가장 적게 기울어진 때가 몸무게가 가장 적게 변한 때입니다.

138~139쪽 기초 집중 연습

1-1 10개	1-2 1 cm
2-1 50개	2-2 3 cm
3-1 7월과 9월 사이	
3-2 오전 11시와 낮 12시 사이	
기초 14, 16	4-1 예 14, 16
4-2 예 15 cm	4-3 예 7 ℃

1-1 세로 눈금 5칸이 50개를 나타내므로 세로 눈금 한 칸은 $50 \div 5 = 10$(개)를 나타냅니다.

1-2 세로 눈금 5칸이 5 cm를 나타내므로 세로 눈금 한 칸은 $5 \div 5 = 1$ (cm)를 나타냅니다.

2-1 7월 판매량: 150개, 5월 판매량: 100개
➔ $150 - 100 = 50$(개)

다른 풀이
7월과 5월 판매량이 세로 눈금 5칸만큼 차이가 나므로 $10 \times 5 = 50$(개) 더 팔렸습니다.

2-2 9시: 31 cm, 10시: 28 cm
➔ $31 - 28 = 3$ (cm)

3-1 선이 가장 많이 기울어진 때가 판매량이 가장 많이 변한 때입니다.

3-2 선이 가장 적게 기울어진 때가 그림자의 길이가 가장 적게 변한 때입니다.

4-1 20분 후 초의 길이는 16 cm, 30분 후 초의 길이는 14 cm이므로 20분 후와 30분 후 사이의 시간인 25분 후의 초의 길이는 14 cm와 16 cm 사이입니다.

4-2 20분 후 초의 길이인 16 cm와 30분 후 초의 길이인 14 cm의 중간이 15 cm이므로 25분 후의 초의 길이는 15 cm였을 것입니다.

4-3 오전 11시의 기온인 6 ℃와 낮 12시의 기온인 8 ℃의 중간이 7 ℃이므로 오전 11시 30분에 이 교실의 기온은 7 ℃였을 것입니다.

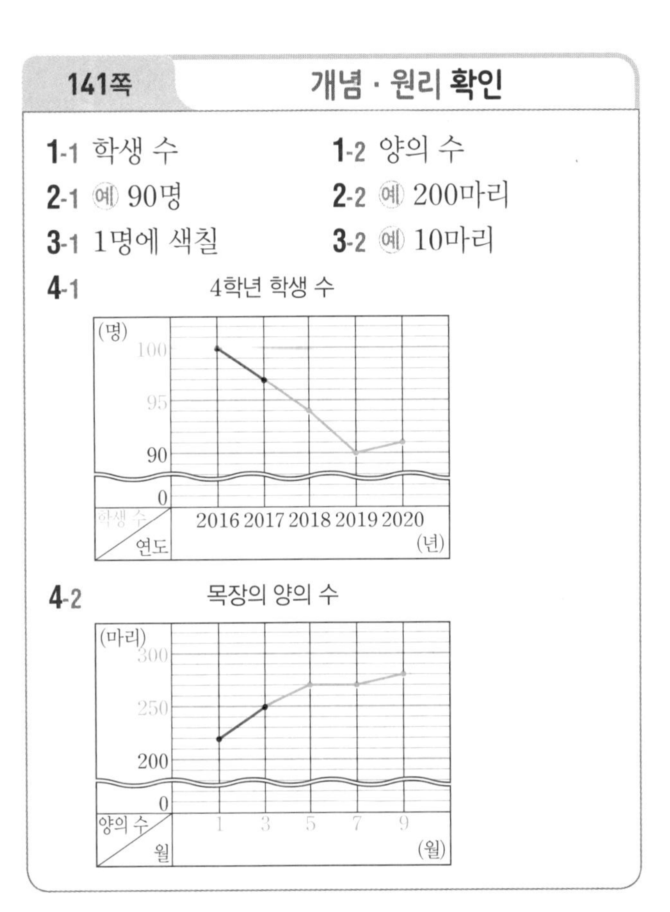

2-1 0명과 90명 사이에 자룟값이 없으므로 0명과 90명 사이에 물결선을 넣으면 좋습니다.

2-2 0마리와 200마리 사이에 자룟값이 없으므로 0마리와 200마리 사이에 물결선을 넣으면 좋습니다.

3-1 조사한 것을 1명 단위로 나타내었으므로 세로 눈금 한 칸의 크기는 1명으로 나타내는 것이 가장 적당합니다.

3-2 조사한 것을 10마리 단위로 나타내었으므로 세로 눈금 한 칸의 크기는 10마리로 나타내는 것이 적당합니다.

143쪽 개념 · 원리 확인

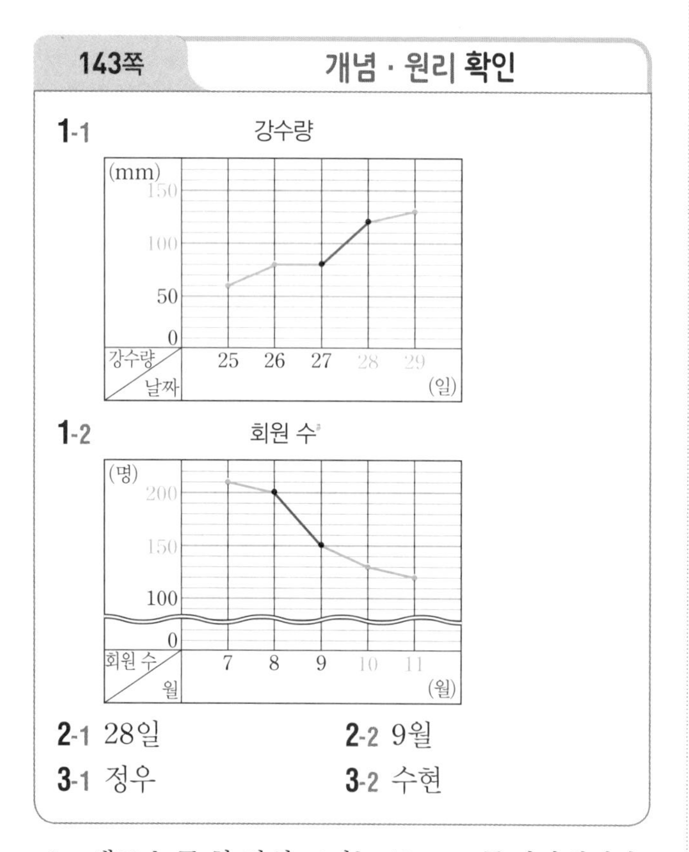

1-1 세로 눈금 한 칸의 크기는 10 mm를 나타냅니다.

1-2 세로 눈금 한 칸의 크기는 10명을 나타냅니다.

2-1 그래프에서 오른쪽 위(↗)로 올라가는 꺾은선의 기울어진 정도가 가장 큰 때를 찾으면 28일입니다.

2-2 그래프에서 오른쪽 아래(↘)로 내려가는 꺾은선의 기울어진 정도가 가장 큰 때를 찾으면 9월입니다.

3-2 8월에는 전달보다 등록한 회원 수가 줄었습니다.

144~145쪽 기초 집중 연습

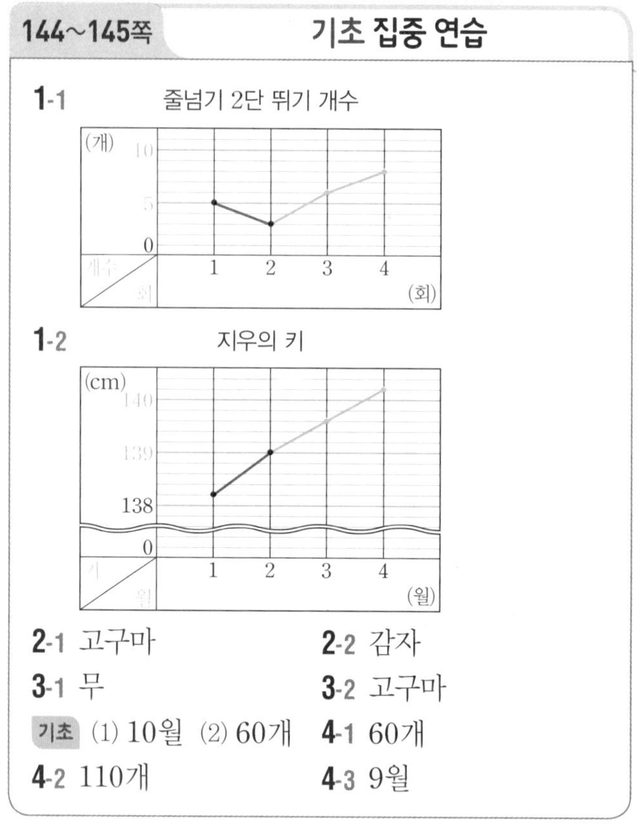

1-1 조사한 것을 1개 단위로 나타내었으므로 세로 눈금 한 칸의 크기는 1개로 나타냅니다.

1-2 조사한 것을 0.2 cm 단위로 나타내었으므로 세로 눈금 한 칸의 크기는 0.2 cm로 나타냅니다.

2-1 생산량이 점점 늘어나는 것은 선이 오른쪽 위(↗)로 올라가는 것이므로 고구마입니다.

2-2 생산량이 점점 줄어드는 것은 선이 오른쪽 아래(↘)로 내려가는 것이므로 감자입니다.

3-1 조사한 기간 동안 무의 생산량은 50 kg과 100 kg 사이에 있습니다.

3-2 조사한 기간 동안 고구마의 생산량은 100 kg과 150 kg 사이에 있습니다.

4-1 사과를 160개 판매한 달: 10월
➡ 10월의 배 판매량: 60개

4-2 배를 40개 판매한 달: 8월
➡ 8월의 사과 판매량: 110개

4-3 8월: $110+40=150$(개),
9월: $130+100=230$(개),
10월: $160+60=220$(개),
11월: $100+70=170$(개)
➡ $230>220>170>150$이므로 사과 판매량과 배 판매량의 합이 가장 큰 달은 9월입니다.

147쪽 개념 · 원리 확인

1-1 (○)( )　**1-2** ( )(○)
2-1 5, 오각형　**2-2** 7, 칠각형
2-3 6, 육각형　**2-4** 8, 팔각형
3-1 예　**3-2** 예

1-1 오른쪽 도형은 곡선이 있어 다각형이 아닙니다.

1-2 왼쪽 도형은 선분으로 완전히 둘러싸여 있지 않으므로 다각형이 아닙니다.

3-1 변이 5개인 다각형을 완성합니다.

149쪽 개념 · 원리 확인

1-1 (○)( )　**1-2** ( )(○)
2-1 정오각형　**2-2** 정사각형
3-1 6　**3-2** 4
3-3 120　**3-4** 90

1-1~1-2 변의 길이가 모두 같고, 각의 크기가 모두 같은 다각형을 찾습니다.

2-1 변의 수가 5개인 정다각형이므로 정오각형입니다.

2-2 변의 수가 4개인 정다각형이므로 정사각형입니다.

3-1~3-2 정다각형은 모든 변의 길이가 같습니다.

3-3~3-4 정다각형은 모든 각의 크기가 같습니다.

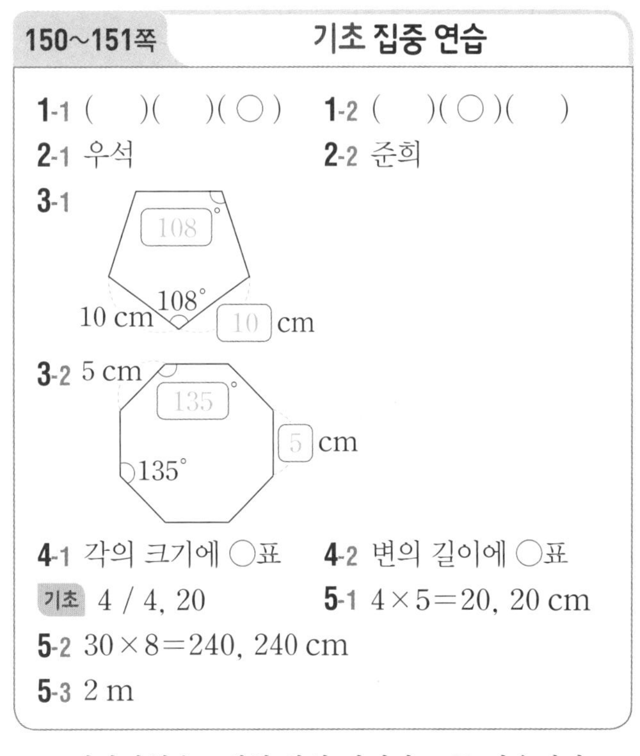

150~151쪽 기초 집중 연습

1-1 ( )( )(○)　**1-2** ( )(○)( )
2-1 우석　**2-2** 준희
3-1 108 / 10 cm, 108°, 10 cm
3-2 5 cm, 135 / 135°, 5 cm
4-1 각의 크기에 ○표　**4-2** 변의 길이에 ○표
기초 4 / 4, 20　**5-1** $4\times5=20$, 20 cm
5-2 $30\times8=240$, 240 cm
5-3 2 m

5-2 정팔각형은 8개의 변의 길이가 모두 같습니다.
➡ (모든 변의 길이의 합)$=30\times8=240$ (cm)

5-3 정육각형은 6개의 변의 길이가 모두 같습니다.
➡ (한 변의 길이)$=12\div6=2$ (m)

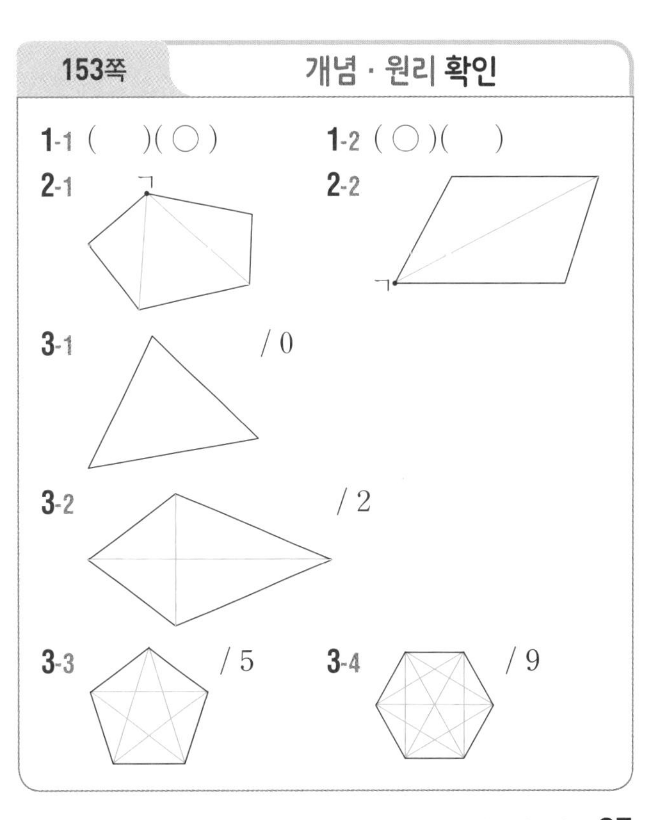

153쪽 개념 · 원리 확인

1-1 ( )(○)　**1-2** (○)( )
2-1 ㄱ　**2-2** ㄱ
3-1 / 0
3-2 / 2
3-3 / 5　**3-4** / 9

3-1 삼각형 ➡ 대각선의 수: 0개

3-2 사각형 ➡ 대각선의 수: 2개

3-3 오각형 ➡ 대각선의 수: 5개

3-4 육각형 ➡ 대각선의 수: 9개

155쪽 개념 · 원리 확인

1-1 가, 라 **1-2** 가, 다
2-1 가, 나 **2-2** 가
3-1 가, 나, 다, 라 **3-2** 가, 나, 다
4-1 가 **4-2** 가, 다

1-1 두 대각선의 길이가 같은 사각형:
가(정사각형), 라(직사각형)

2-1 두 대각선이 서로 수직으로 만나는 사각형:
가(정사각형), 나(마름모)

3-1 한 대각선이 다른 대각선을 똑같이 둘로 나누는 사각형: 가(정사각형), 나(마름모), 다(평행사변형),
라(직사각형)

4-1 두 대각선의 길이가 같은 사각형인 가와 라 중에서 두 대각선이 서로 수직으로 만나는 사각형은 가(정사각형)입니다.

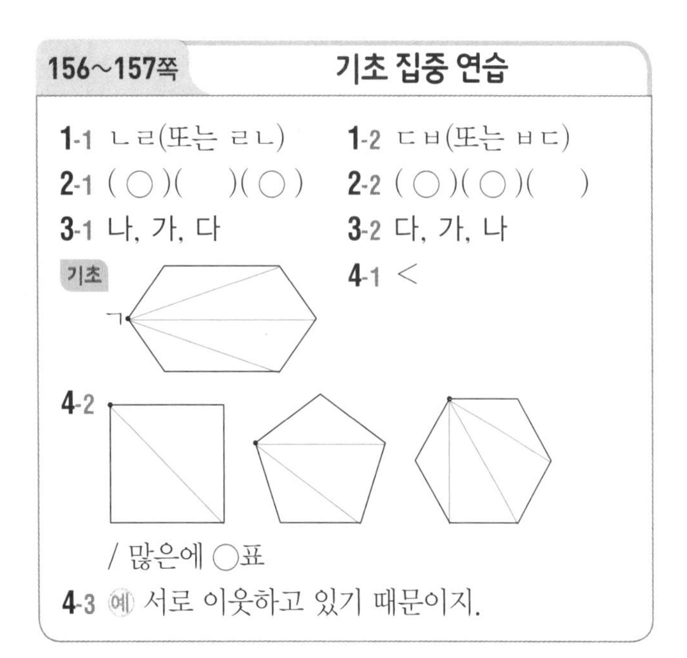

156~157쪽 기초 집중 연습

1-1 ㄴㄹ(또는 ㄹㄴ) **1-2** ㄷㅂ(또는 ㅂㄷ)
2-1 (○)(   )(○) **2-2** (○)(○)(   )
3-1 나, 가, 다 **3-2** 다, 가, 나
기초 **4-1** <
4-2 / 많은에 ○표
4-3 예 서로 이웃하고 있기 때문이지.

2-1

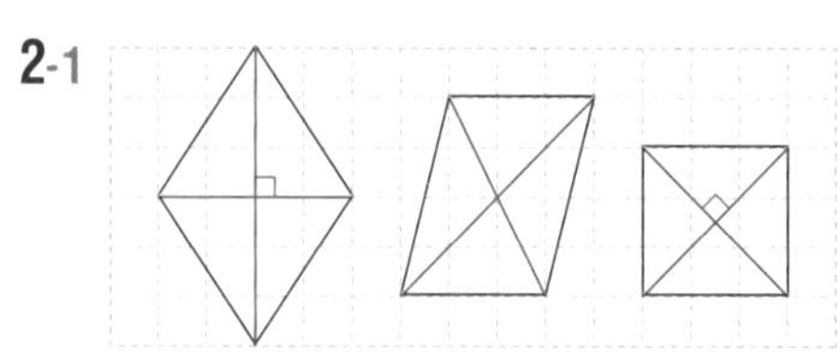

두 대각선이 서로 수직으로 만나는 사각형:
마름모, 정사각형

2-2

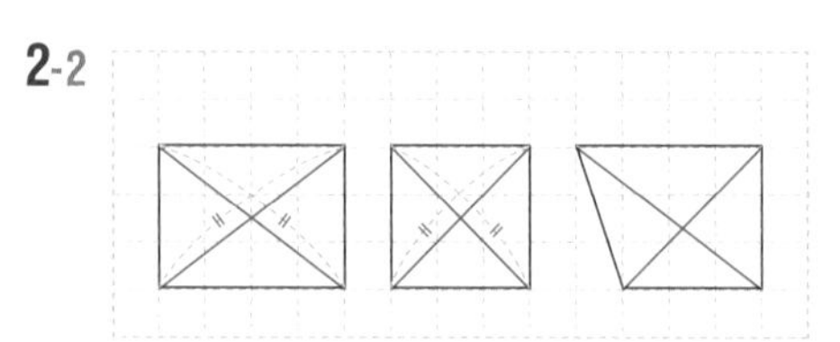

두 대각선의 길이가 같은 사각형:
직사각형, 정사각형

3-1

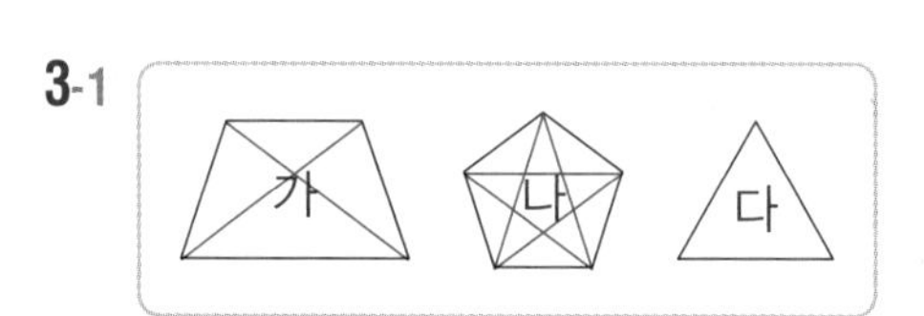

가: 2개, 나: 5개, 다: 0개
➡ 대각선의 수는 나>가>다입니다.

3-2

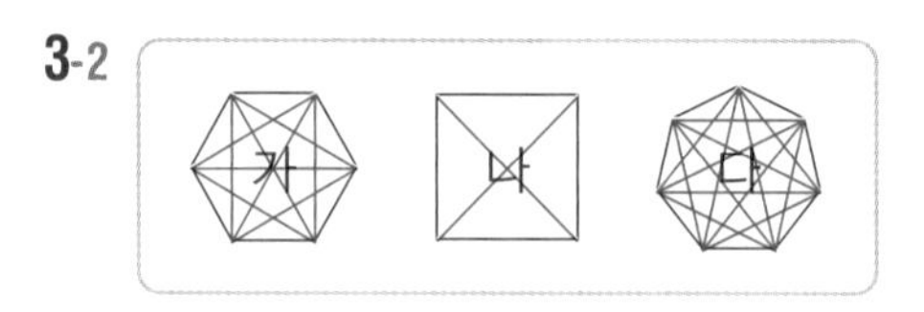

가: 9개, 나: 2개, 다: 14개
➡ 대각선의 수는 다>가>나입니다.

4-1

한 꼭짓점에서 그을 수 있는 대각선의 수
➡ 사각형: 1개, 오각형: 2개

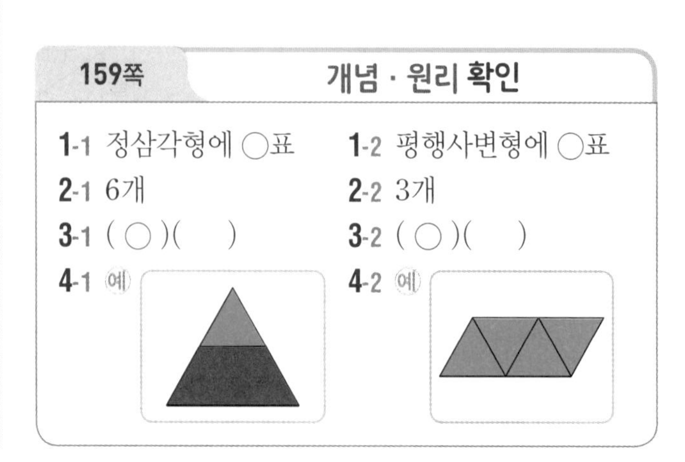

159쪽 개념 · 원리 확인

1-1 정삼각형에 ○표 **1-2** 평행사변형에 ○표
2-1 6개 **2-2** 3개
3-1 (○)(   ) **3-2** (○)(   )
4-1 예 **4-2** 예

161쪽 개념 · 원리 확인

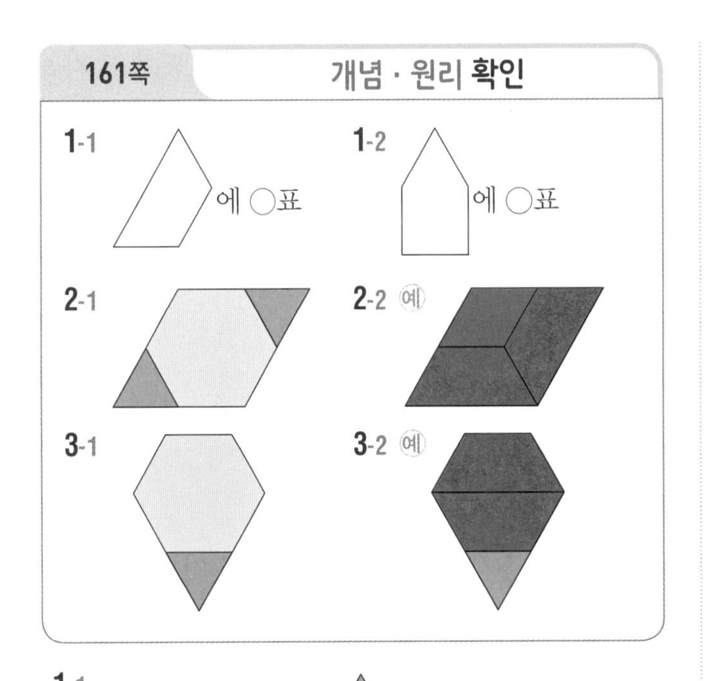

1-1

1-2

2-1 정육각형 1개와 정삼각형 2개를 사용하여 평행사변형을 채울 수 있습니다.

2-2 평행사변형 1개와 사다리꼴 2개를 사용하여 평행사변형을 채울 수 있습니다.

162~163쪽 기초 집중 연습

1-1 ㉠, ㉢　　1-2 ㉠, ㉡

2-1 윤수　　2-2 (　　) (○)

3-1 예　　3-2 예

기초 4개　　4-1 2 / 6

4-2 6 / 4　　4-3 3

2-1 모양 조각을 길이가 서로 같은 변끼리 이어 붙여야 합니다.

2-2 모양 조각을 서로 겹치지 않게 이어 붙여야 합니다.

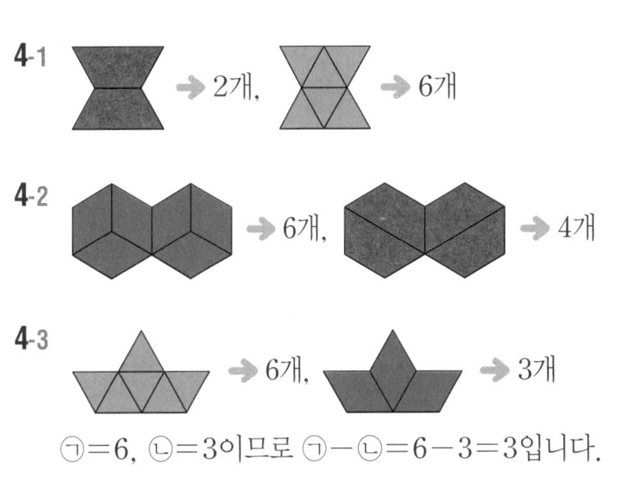

㉠=6, ㉡=3이므로 ㉠−㉡=6−3=3입니다.

164~165쪽 누구나 100점 맞는 테스트

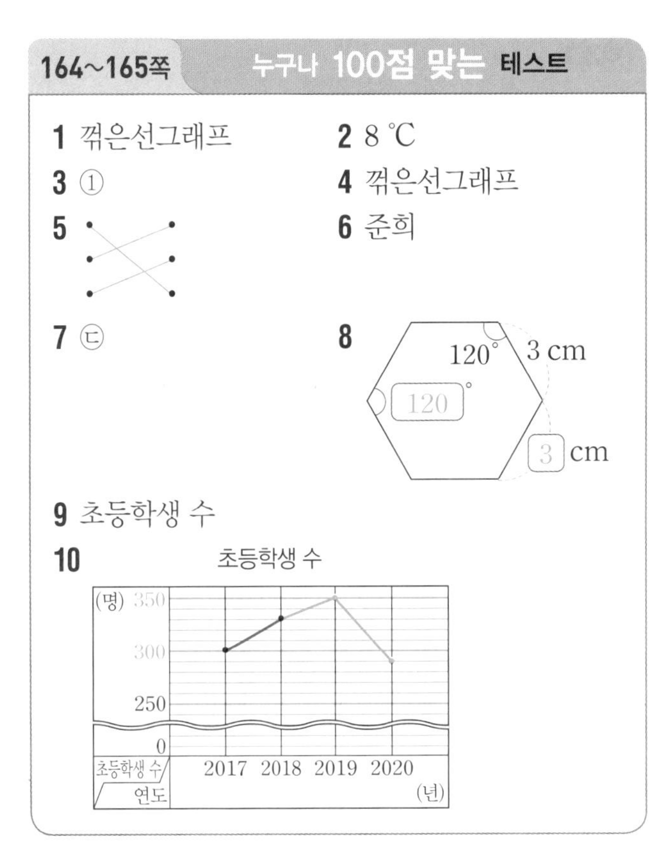

1 수량을 점으로 표시하고, 그 점들을 선분으로 이어 그린 그래프를 꺾은선그래프라고 합니다.

2 가로 눈금 10시와 만나는 세로 눈금을 읽으면 8 ℃입니다.

3 대각선은 서로 이웃하지 않는 두 꼭짓점을 이은 선분입니다.

4 변화하는 모습을 한눈에 알아보기 쉬운 그래프는 꺾은선그래프입니다.

5 다각형은 변의 수에 따라 변이 8개이면 팔각형, 변이 5개이면 오각형, 변이 7개이면 칠각형입니다.

6 직사각형의 두 대각선의 길이는 같지만 두 대각선이 서로 수직으로 만나지 않습니다.

7 ㉢ 모양 조각을 서로 겹치지 않게 이어 붙였습니다.

8 정다각형은 변의 길이가 모두 같고, 각의 크기가 모두 같습니다.

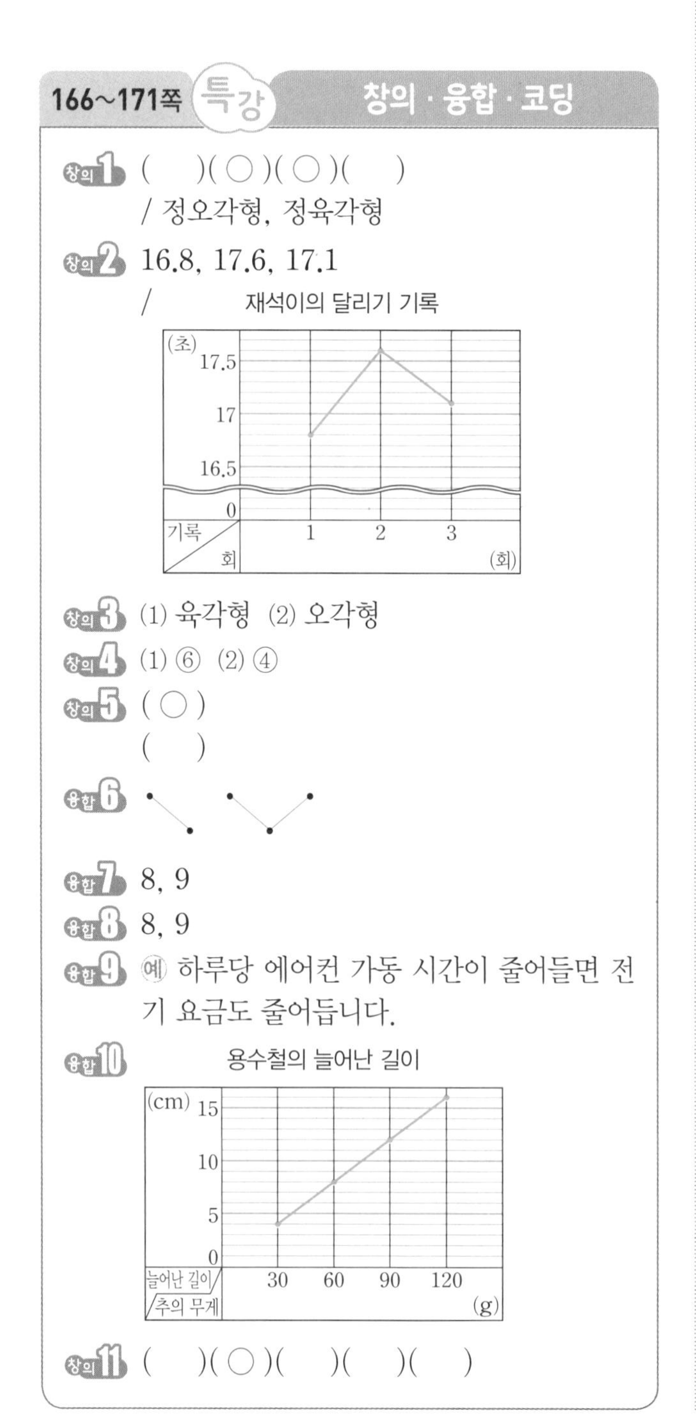

166~171쪽 특강 창의 · 융합 · 코딩

창의 1 ( )(○)(○)( ) / 정오각형, 정육각형

창의 2 16.8, 17.6, 17.1 / 재석이의 달리기 기록

창의 3 (1) 육각형 (2) 오각형

창의 4 (1) ⑥ (2) ④

창의 5 (○) ( )

융합 6

융합 7 8, 9

융합 8 8, 9

융합 9 예 하루당 에어컨 가동 시간이 줄어들면 전기 요금도 줄어듭니다.

융합 10 용수철의 늘어난 길이

창의 11 ( )(○)( )( )( )

창의 2 17.1초는 방금 전 기록보다 0.5초 빨라진 기록이므로 방금 전 기록은 $17.1+0.5=17.6$(초)입니다.
17.1초는 1회 때보다 0.3초 늦어진 기록이므로 1회 때 기록은 $17.1-0.3=16.8$(초)입니다.
모두 3번 뛰었으므로 1회 기록은 16.8초, 2회 기록은 17.6초, 3회 기록은 17.1초입니다.

창의 3 (1) 변이 6개이므로 육각형입니다.
(2) 변이 5개이므로 오각형입니다.

창의 4 (1) 빈 곳에는 평행사변형 ⑥이 채워져야 합니다.
(2) 빈 곳에는 정사각형 ④가 채워져야 합니다.

창의 5 완성된 정육각형 안에는 대각선이 아닌 선도 있습니다.

융합 6 나라별 관광객 수를 비교하기에 더 알맞은 그래프는 막대그래프이고, 날짜별 강낭콩의 키의 변화와 우리나라의 연도별 최고 기온의 변화를 알아보기에 더 알맞은 그래프는 꺾은선그래프입니다.

창의 11

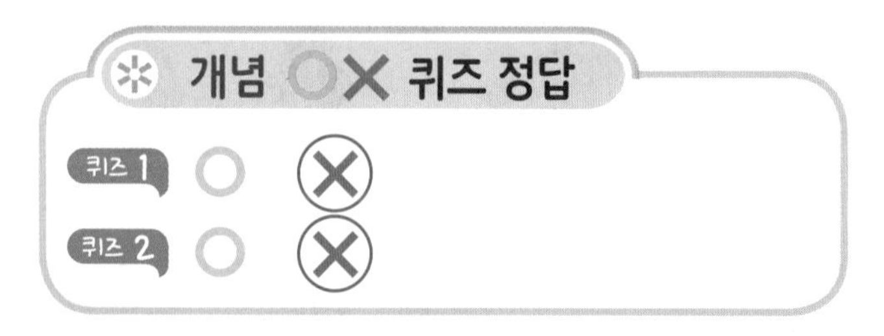

퀴즈 1 꺾은선그래프는 수량을 점으로 표시하고, 그 점들을 선분으로 이어 그린 그래프입니다.

퀴즈 2 변이 6개인 다각형을 육각형이라고 합니다.

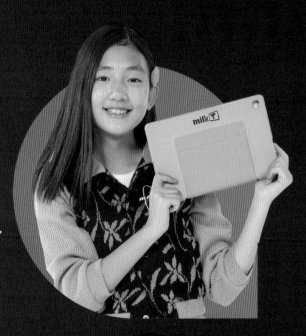

정답은
이안에
있어!

수학 전문 교재

●연산 학습

빅터연산	예비초~6학년, 총 20권
참의융합 빅터연산	예비초~4학년, 총 16권

●개념 학습

개념클릭 해법수학	1~6학년, 학기용

●수준별 수학 전문서

해결의법칙(개념/유형/응용)	1~6학년, 학기용

●단원평가 대비

수학 단원평가	1~6학년, 학기용
밀듬전략 초등 수학	1~6학년, 학기용

●단기완성 학습

초등 수학전략	1~6학년, 학기용

●상위권 학습

최고수준 S 수학	1~6학년, 학기용
최고수준 수학	1~6학년, 학기용
최강 TOT 수학	1~6학년, 학년용

●경시대회 대비

해법 수학경시대회 기출문제	1~6학년, 학기용

예비 중등 교재

●해법 반편성 배치고사 예상문제	6학년
●해법 신입생 시리즈(수학/영어)	6학년

맞춤형 학교 시험대비 교재

●열공 전과목 단원평가	1~6학년, 학기용(1학기 2~6년)

한자 교재

●한자능력검정시험 자격증 한번에 따기	8~3급, 총 9권
●씸씸 한자 자격시험	8~5급, 총 4권
●한자 전략	8~5급Ⅱ, 총 12권